# Chroniques
## *d'une p'tite ville*

**Catalogage avant publication de Bibliothèque et Archives nationales du Québec et Bibliothèque et Archives Canada**

Hade, Mario, 1952-
Chroniques d'une p'tite ville
Sommaire : t. 4. 1962, la vérité éclate.
ISBN 978-2-89585-413-5 (vol. 4)
I. Hade, Mario, 1952- . 1962, la vérité éclate. II. Titre.
III. Chroniques d'une petite ville.
PS8615. A352C47 2013b   C843'.6   C2013-940885-1
PS9615.A352C47 2013b

Les Éditeurs réunis bénéficient du soutien financier de la SODEC
et du Programme de crédits d'impôt du gouvernement du Québec.
Nous remercions le Conseil des Arts du Canada
de l'aide accordée à notre programme de publication.
Nous reconnaissons l'aide financière du gouvernement du Canada
par l'entremise du Fonds du livre du Canada pour nos activités d'édition.

Édition :
**LES ÉDITEURS RÉUNIS**
www.lesediteursreunis.com

Distribution au Canada :
**PROLOGUE**
www.prologue.ca

Distribution en Europe :
**DNM**
www.librairieduquebec.fr

 *Suivez Les Éditeurs réunis sur Facebook.*

Visitez le site Internet de l'auteur : www.mariohade.com

Imprimé au Canada
Dépôt légal : 2014
Bibliothèque et Archives nationales du Québec
Bibliothèque nationale du Canada
Bibliothèque nationale de France

# Mario Hade

# Chroniques
## *d'une p'tite ville*

*1962*. La vérité éclate

LES ÉDITEURS RÉUNIS

# Du même auteur

*Le secret Nelligan*, roman, Les Éditeurs réunis, 2011.

*L'énigme Borduas*, roman, Les Éditeurs réunis, 2012.

*Chroniques d'une p'tite ville, tome 1 : 1946 – L'arrivée en ville*, roman, Les Éditeurs réunis, 2013.

*Chroniques d'une p'tite ville, tome 2 : 1951 – Les noces de Monique*, roman, Les Éditeurs réunis, 2013.

*Chroniques d'une p'tite ville, tome 3 : 1956 – Les misères de Lauretta*, roman, Les Éditeurs réunis, 2014.

*À Jean-Pierre,*
*le fils inavoué de Monique*
*qui est aussi mon ami et mon frère.*

# Chapitre 1

L'année 1962 touche à sa fin et Émile a soixante-six ans. Il travaille toujours dans la Mill Room à la Miner Rubbers. Il fait partie des meubles et la direction semble l'avoir oublié. Tout le monde s'attend à ce qu'il meure au travail en effectuant cette tâche abrutissante et dure, mais Émile ne lâchera jamais prise et sa résilience deviendra légende. Il boit toujours autant, mais il n'y a plus personne à la maison, sauf Jean-Pierre et Lauretta, pour en être témoin. Il a trouvé sa zone de confort dans ce train-train quotidien et ne veut sous aucune considération agiter les eaux profondes de son âme.

En sortant de l'usine, il emprunte le petit pont de fer qui enjambe la rivière Yamaska et se dirige vers sa première halte, l'épicier Paré. Il se rend aussitôt dans l'arrière-boutique. Il prend une grosse bière Molson tablette dans une caisse déjà ouverte, la débouche avec l'ouvre-bouteille qui ne le quitte jamais et la boit d'une traite jusqu'à ce qu'elle soit vide. Les autres vieux le regardent avec incrédulité, même si c'est un geste qu'il fait tous les jours depuis au moins quinze ans.

— J'ai pas peur d'le dire, ça fait du bien par où ça passe, baptême ! Y'a-tu quelqu'un qui a besoin de tabac ou de bagosse *icitte* ?

— J'venais juste de dire à Hector les paroles que tu dirais, Émile ! Coudonc, t'a pratiques-tu avant de rentrer ?

— Qu'est-ce que tu veux, Fernand ? Tu m'cherches-tu ? Si tu veux pas de tabac pis de bagosse, c'est ben parfait, m'a sacrer mon camp !

— Prends-le pas mal, Émile ! J'te prendrais ben du tabac au rhum, cinq feuilles pis un p'tit flasque de ta bagosse si elle est aussi bonne que la dernière fois.

— J't'ai-tu déjà vendu quelque chose de pas bon, baptême ?

— J'te dis que t'es *prime* à soir, mon Émile ! Y'a-tu quelque chose qui va pas ?

— Ça, Fernand, ça t'regarde pas ! Je t'apporte ta commande demain. Salut ben !

Émile paya l'épicier et reprit la route pour sa prochaine escale. Les deux vieux qu'il avait laissés dans l'arrière-boutique prirent un air de conspirateurs et continuèrent à parler de lui. Émile ne faisait plus que deux arrêts depuis plusieurs années. C'est Daniel qui lui avait conseillé de se contrôler un peu et Émile avait adhéré à cette idée juste pour voir s'il en était capable. Cette nouvelle attitude avait porté ses fruits, car par la suite, les relations entre Lauretta et lui s'étaient grandement améliorées. Il pouvait être ivre sans que ça paraisse. Deux ou trois grosses bières ne changeaient presque rien à sa physionomie ni même à sa façon de s'exprimer.

Émile avait de plus en plus l'air d'un gnome avec son nez de faucon. Son corps s'était calé sur lui-même et il avait encore rapetissé. Même ses pieds paraissaient plus petits et tiraient vers l'extérieur. Il s'obstinait à porter des pointures quatre qui devaient lui faire terriblement mal aux pieds. Pourtant, il marchait matin et soir pour se rendre à l'usine. Il avait toujours sa magnifique Buick deux tons, blanc et bleu ciel, mais il ne s'en servait que pour aller au marché, à l'église, ou pour quelques rares sorties que Lauretta daignait lui demander.

Il repensait aux paroles de Fernand. Ce dernier avait senti quelque chose de différent chez Émile, et avec raison. Quelque chose le tracassait. Aussitôt qu'il s'approchait d'un groupe, les gens se taisaient et il ne savait pas pourquoi. Pourtant, il n'était pas plus bourru qu'auparavant, et aussitôt qu'il s'éloignait, la conversation reprenait de plus belle. Il aurait bien aimé connaître la raison de cette attitude. C'était sûrement un sujet qui le concernait, lui ou un membre de sa famille. Tout en poursuivant sa route vers l'épicerie Tessier pour sa deuxième grosse, il se dit qu'il finirait bien par savoir. Personne ne pouvait tenir sa langue. Le samedi suivant, en se rendant au marché, il ferait un détour par la taverne Lemonde. Il était *chum* avec un serveur et, en échange d'un bon pourboire, celui-ci lui dirait sûrement ce qui se passait. Donner un pourboire, c'était contre ses principes. Il avait pour son dire que le serveur était payé pour faire sa *job*, mais dans une situation comme celle-là, il considérait que la fin justifiait les moyens.

— Salut, Émile !

— Salut, Gérard ! C'est pas chaud à soir…

— J'ai ben peur que l'hiver va arriver de bonne heure cette année. Un petit bateau comme d'habitude ?

— Ah, j'pense que je vais en prendre deux grosses !

— Adrien est là avec le père Nantel. Ils ont pris leur retraite tous les deux pis y sont plus jeunes que toi. Qu'est-ce que t'attends pour prendre la tienne ?

— J'attends d'avoir de l'argent, baptême de *viarge* ! Changement d'à-propos, Gérard, t'aurais pas entendu quelque chose qui m'concerne, moi ou ma famille ?

— Qu'est-ce qui t'fait penser ça ? J'ai entendu parler de rien de spécial !

— J'te demande ça juste comme ça. J'vais aller rejoindre les gars dans le *back-store*.

Si Gérard Tessier ne le savait pas, il voulait bien être pendu. Ce dernier savait tout ce qui se passait dans le quartier. Émile décida de ne pas trop poser de questions à Adrien ou au père Nantel. Ils étaient capables d'en inventer juste pour se rendre intéressants. « Tu parles d'une *gang* de paresseux ! » Déjà à la retraite à soixante-cinq ans… Lui, c'est sûr qu'il travaillerait aussi longtemps qu'il le pourrait. Il ne se sentait pas prêt à arrêter. Qu'est-ce qu'il pourrait bien faire chez lui à ne rien faire ? Se quereller avec Lauretta à longueur de journée ? Il était encore bien capable de moucher les jeunes morveux, même dans la Mill Room. Il était content parce que Aimé Carpentier, le beau-frère de son gendre Paul, avait déjà lâché la Mill Room pour un travail plus tranquille dans la *shop*. Il l'avait tellement agacé que Carpentier fanfaronnait moins désormais.

Après trois grosses bières, tout l'harassement de sa journée de travail s'était effacé. Ce serait sa seule consommation de bière ce jour-là. Il avait commencé à acheter du rhum Capitaine Morgan à la commission des liqueurs parce que sa gnôle était trop forte et le rendait malade depuis quelque temps. Il ne gardait presque plus de bières à la maison sinon quelques bouteilles rentrées clandestinement dans la cave. Avec le rhum, il n'avait pas à s'inquiéter du froid, car il ne gelait pas, il se bonifiait même. Lauretta le surveillait plus étroitement depuis qu'elle avait réduit son horaire de travail. Elle n'avait pas perdu espoir de le voir s'amender en vieillissant. Elle pouvait toujours rêver…

Émile n'avait plus grand tracas à la maison à l'exception de son voisin et gendre Paul qui avait posé une clôture pour délimiter son terrain. Il n'en avait pas mis du côté du père Kennedy et Émile l'avait pris comme un affront. Paul avait fait pousser des vignes de raisins sur la clôture et Émile ne voulait pas qu'il en fasse la cueillette sur son bord à lui. Il avait pour son dire que ce qui poussait de son côté était à lui et que cela servirait de leçon à son gendre. Il avait tout l'hiver pour y penser, mais il valait mieux s'y prendre d'avance. Il avait beau essayer de l'aimer, son gendre représentait tout ce qu'il n'aimait pas chez un homme. Premièrement, il était bel homme, toujours élégant même quand il revenait de l'usine. Toujours rasé de près, bien coiffé, et en plus il parlait beaucoup trop bien. C'était comme s'il venait de la haute société avec son air frondeur de monsieur je-sais-tout. Émile avait l'impression que Paul le narguait tout le temps et il ne pouvait pas le supporter.

Monique avait conclu une trêve avec son père pourvu qu'il laisse ses enfants tranquilles, ce qui n'était pas évident. Ils avaient beau être ses petits-enfants, ils étaient aussi les enfants de son gendre… Aux yeux d'Émile, Maxime était aussi arrogant que son père et c'était suffisant pour en faire un enfant détestable. Pourtant, le garçon ne comprenait pas pourquoi son grand-père le haïssait tant alors que la plupart du monde le trouvait gentil. Maxime attendait que son grand-père soit absent avant de s'aventurer dans sa cour ou dans sa maison.

— Allo, mémère! Je voulais juste avertir ma mère que je m'en allais chez les Pontbriand pour jouer avec Daniel. On se fait des vrais arcs, tu sais! Daniel et moi, on a pris des bâtons de hockey et on les a taillés avec les outils de son père. Après, on les a mis dans la réserve d'eau chaude du poêle à bois pour leur donner une courbe…

— J'espère que tu fais attention avec les outils coupants! Ton père est-il au courant de vos travaux?

— Je ne suis plus un bébé, mémère! J'aurai bientôt dix ans et je suis en cinquième année.

— As-tu compris, Monique? Ton gars s'adonne à des jeux dangereux. Tu devrais surveiller ça de plus près!

— Ne t'inquiète pas, maman! J'ai parlé avec madame Pontbriand et ce sont ses plus vieux qui se servent des outils. Tout ce que les jeunes font, c'est du sablage, du travail de finition.

— Ah! En autant que tu le sais, c'est correct! Tu sais, les jeunes d'aujourd'hui, c'est moins craintif que dans mon temps…

— Si tu parles de ton temps, les outils électriques n'existaient même pas! Et dans le mien, ça commençait à peine à exister. Il y avait des bancs de scie et peut-être des scies mécaniques, c'est à peu près tout!

— Je ne connais pas grand-chose dans les outils sinon ma machine à coudre, et ça ne fait pas si longtemps que ça que j'en ai une qui est électrique.

— C'est vrai! Je me rappelle de celle que tu avais quand nous avons passé au feu et ensuite celle que tu avais eue grâce à madame Vézina du comptoir d'entraide de la paroisse Saint-Eugène. Te rappelles-tu?

— Bien sûr que je me rappelle! De la pauvre vieille qui s'en allait vivre chez sa fille et qui était tellement contente de me la donner en autant que sa machine serve encore. Dieu sait qu'elle a servi! On a quand même passé au travers de cette époque de misère. Qu'est-ce que t'en penses, Monique?

— Il fallait bien du courage !

— Heureusement que tu étais là, ma grande, parce que je ne pense pas que j'aurais passé au travers !

— C'est vrai que ça n'a pas été facile ! Te rappelles-tu du logement chez monsieur Duhamel, maman ?

— Un vrai taudis ! On gelait tout rond avec juste une annexe à l'huile pour chauffer tout le logement. Ah mon Dieu qu'on en a arraché quand on est arrivé à Granby !

— À travers la lunette du souvenir, ça paraît moins pire que c'était !

— C'est toi qui dis ça, Monique ? Avec ton père qui ne te lâchait pas et qui t'accusait de tous les maux de l'enfer ! Je pense qu'on est mieux de ne pas penser à tout ça, qu'en penses-tu ?

— C'est comme tu veux, maman ! Moi, j'ai réglé ça avec lui, et même si ça n'a pas été nécessairement facile, c'est plus cordial que c'était. Je t'avoue que Paul en arrache encore avec lui, mais que veux-tu ? C'est la vie…

— Ton père fait des efforts, mais je crois surtout qu'il essaie de cacher ses travers pour qu'ils ne paraissent pas trop. Je te dirais que c'est une trêve armée que nous vivons tous les deux. Il est tellement enfantin des fois que je me demande qui il essaie de duper avec toutes ses entourloupettes.

— Contente-toi donc de l'observer et d'en rire !

— Il n'y a pas toujours matière à rire, si tu savais, Monique ! La maison est rendue bien grande avec seulement Jean-Pierre comme compagnon. Heureusement que je l'aide à faire ses devoirs, mais il est pas mal avancé et n'a plus vraiment besoin de mon aide. J'ai l'impression qu'il me laisse l'aider pour me faire plaisir…

— J'ai la chance d'avoir des enfants doués, et Maxime est un premier de classe grâce à sa rivalité avec son ami Claude Doucet. Il est ambitieux comme son père. Il sert la messe tous les matins et livre *La Voix de l'Est* en allant et en revenant de l'église. Comme si ce n'était pas assez, il livre le *Dimanche-Matin* qui est très épais. Et il ne se plaint pas ! Sept jours par semaine, beau temps, mauvais temps…

— Je me demande jusqu'à quel point ce n'est pas son père qui le pousse à performer ? Il est beaucoup trop jeune pour être aussi sérieux que ça ! Tu sais, Monique, que le fruit ne tombe jamais loin de l'arbre…

— On voit bien que tu ne vis pas avec Maxime au quotidien ! Il est capable des pires coups pendables, maman, si tu savais…

— Tu as peut-être raison, mais moi, je le compare à tes frères et je trouve qu'il est bien sage ! Il a le côté studieux d'Yvan et le côté « au-dessus de ses affaires » de Jacques ou de Jean-Pierre. Quant aux autres, ils en ont tous arraché à l'école.

— C'est une autre époque, maman! C'est un vrai citadin alors que mes frères sortaient de la campagne, à l'exception peut-être de Jacques qui avait à peine cinq ans quand nous sommes arrivés en ville. J'ai presque fini de tailler la robe de madame Brunelle. As-tu autre chose à me faire faire?

— C'est assez pour aujourd'hui, ma grande! Va préparer ton souper avant que ton mari arrive. C'est pas mal plus agréable depuis qu'on a réduit la cadence, ne trouves-tu pas?

— T'as bien raison, maman! Avec trois enfants, ce n'est pas évident!

— Qu'est-ce que t'aurais fait avec neuf enfants?

— J'aurais fait comme toi, mais il y en a encore beaucoup de grosses familles! C'est parce que le curé n'est pas encore sorti de leurs chambres à coucher. Je pense à mon amie Irène avec huit enfants. C'est son mari pis le curé qui l'empêchent d'arrêter la famille. Son mari a beau faire des bons salaires, ils vivent humblement avec tant de bouches à nourrir...

— La grosse différence entre Irène et toi, c'est que toi, tu ne crois plus en rien...

— Je vais m'en aller avant qu'on se chicane encore!

Monique récupéra son plus jeune, Michel, qui avait cinq ans et qui commencerait déjà l'école l'année suivante. Comme le temps passait vite. Contrairement à sa mère qui vivait difficilement le fait de se retrouver seule à la maison, Monique, elle, se réjouissait de penser qu'elle serait seule durant le jour, une fois tous ses enfants à l'école.

Émile arriva de l'usine après ses escales quotidiennes chez l'épicier Paré et chez Tessier. Il était prêt à affronter l'hiver, car il avait organisé ses clapiers en prévision du froid. Son gendre Paul avait abandonné son élevage de lapins dans la grange du père Blanchard. Son associé Roger Picard et lui, après analyse, avaient jugé que l'aventure n'était pas suffisamment rentable par rapport au temps qu'ils devaient y consacrer. Ils avaient revendu les cages et tout l'équipement à un couple de jeunes fermiers qui en feraient une activité complémentaire à leur basse-cour. C'était encore une victoire aux yeux d'Émile qui était toujours en compétition avec son gendre. Lui, il ne lâcherait jamais son élevage de lapins. Ne serait-ce que pour prouver sa ténacité. Il regrettait l'époque où il avait encore Caillette, sa belle Jersey, au bout du champ désormais occupé par la maison de son gendre.

Le jeudi, comme d'habitude, Ti-Loup Bérubé passait avec son tabac dérobé à l'Impérial Tobacco. Émile l'attendait impatiemment puisqu'il ne savait pas se servir d'un téléphone, ce qui lui aurait pas mal simplifié la vie. Ti-Loup se pliait de bonne grâce aux caprices d'Émile, car ils se connaissaient depuis l'arrivée des Robichaud dans cette petite ville de banlieue. Ti-Loup était probablement la seule personne avec qui il n'avait jamais eu de différend. Ils étaient amis même si Émile était plus vieux que son propre père.

— Bonsoir, monsieur Robichaud!

— Ah tiens, salut, Ti-Loup! Tu viens prendre ma commande?

— C'est ça! Prendre votre commande pis vous apporter celle de la semaine passée. Les ventes ont été bonnes cette semaine?

— Pas pire pour un vieux qui sort presque pas! Veux-tu une p'tite *shot* de bagosse?

— Non, je vais laisser faire parce que j'ai rendez-vous avec ma fiancée pis je veux pas arriver chaud! Vous comprenez?

— C'est comme tu veux, mais dis-moi donc! T'aurais pas entendu des rumeurs sur mon compte ou sur un des Robichaud, par hasard?

— Non! Pourquoi vous me demandez ça?

— Je l'sais pas, mais j'ai l'impression qui se passe quelque chose qui m'échappe. Pourrais-tu jeter un œil là-dessus, mine de rien?

— Je veux bien, mais j'ai entendu parler de rien jusqu'à date…

— As-tu vu mon gars Pat dernièrement, Ti-Loup?

— Vous savez, depuis qu'il est marié, on se voit moins! Je pense que sa femme est jalouse, pis qu'elle aime pas la chasse pis la pêche.

— Ah! Y'a ben des femmes qui aiment pas ça voir leur mari partir avec une *gang* de gars. Des fois qu'ils auraient du *fun* sans eux autres…

— C'est ben vrai ce que vous dites! C'est pour ça que j'suis pas trop pressé de me marier. Bon, ben! Il faut que j'y aille. On se revoit la semaine prochaine, correct?

— C'est ça, à la semaine prochaine, Ti-Loup!

Ti-Loup n'avait aucune idée de ce qui pouvait tracasser le père Robichaud. Il semblait avoir peur des racontars, mais ce n'était pourtant pas le genre à s'en faire pour des commérages. Il en avait été victime depuis son arrivée à Granby et cela lui glissait dessus comme sur le dos d'un canard. Il devait sûrement s'inquiéter pour un de ses enfants, car sous son air bourru se cachait un cœur orgueilleux et sensible. Ti-Loup en savait quelque chose, car Émile l'avait accueilli dans sa famille comme un fils. Peu de monde avait été aussi gentil avec lui que le père Robichaud. Ti-Loup fouinerait pour débusquer la source de son tracas.

Émile avait reçu une invitation de son fils Patrick pour aller à la chasse au chevreuil. Ti-Loup serait là et le père Grenier les amènerait à Cartoon qui n'était qu'un lieu-dit près de Bonsecours. Émile n'avait pas chassé depuis longtemps, mais se trouva flatté d'être invité. Lauretta lui prépara un *lunch* et du café dans son vieux thermos. Ça faisait longtemps que Lauretta n'avait pas été aussi gentille avec lui, elle qui ne lui préparait jamais son *lunch* quand il allait à l'usine…

Émile connaissait un peu le père Grenier, mais à peine. Il ne savait pas trop à quoi s'attendre. Il était beaucoup plus âgé que lui. Il devait avoir plus de quatre-vingts ans et était grand et mince, avec un air hâbleur dont Émile se méfiait. À beau mentir qui vient de loin, pensa-t-il, mais là, il le verrait en action sur le terrain. Émile avait beaucoup chassé dans sa jeunesse et saurait détecter le menteur du chasseur. Patrick arriva à l'aube avec Ti-Loup avant d'aller prendre le père Grenier en dernier.

— Alors, p'pa! T'es prêt?

— Ouais! J'ai tout mon barda! J'ai sorti mes vieilles *britches*, pis mes bottes de *rubber* que la *shop* m'a données. J'devrais être correct! Ta mère m'a même fait un *lunch*. J'suis sûr qu'elle l'a écrit sur son calendrier…

— OK, on y va! On ramasse le père Grenier pis on est parti! répliqua Patrick.

Le père Grenier était prêt et attendait, assis sur sa galerie. En moins de deux, il était à bord et tous filaient sur la route vers Bonsecours. C'est un coin qu'Émile ne connaissait pas situé à proximité du mont Orford. En suivant les indications du père Grenier, ils prirent un chemin de terre qui menait à une sablière et, plus loin, aux versants de la montagne.

— Ici, mes amis, on trouve toutes sortes de gibier, du chevreuil à l'orignal en passant par l'ours brun pis les lynx, les lièvres, les perdrix, sans oublier le loup et le coyote, Alléluia! s'exclama le père Grenier.

Ils trouvèrent un camp de chasse qui avait servi jadis à des trappeurs. Il était en bois rond et des toiles de plastique qui laissaient passer un peu de lumière à l'intérieur faisaient office de fenêtres. L'équipement était rudimentaire, mais il y avait un vieux fanal, un poêle à bois, une table et des bancs. Il y avait aussi deux couchettes superposées et quelques accessoires de cuisine comme un gros chaudron en fonte, un poêlon, ainsi qu'une louche d'une autre époque. Ils firent un feu et partirent à la recherche d'une piste qui les mènerait au cœur de la forêt.

Tout à coup, Émile aperçut une masse cachée par les buissons. Il s'avança encore un peu, discrètement, pour être certain qu'il s'agissait bien d'une proie. Il vit un chevreuil d'une grande beauté avec un panache superbe. C'était un douze pointes de cinq ou six ans. Émile évalua qu'il pourrait en retirer facilement cent livres de viande, mais il était trop beau pour mourir. Il préféra l'épier plutôt que de l'abattre. Il entendit le père Grenier qui criait pour rabattre la bête vers lui, Pat et Ti-Loup. Pour une raison qu'il ignorait, Émile ne voulait pas qu'on abatte ce magnifique *buck*. Il s'identifiait à ce seigneur de la forêt et le poussa à fuir dans la direction opposée aux chasseurs embusqués. Émile sortit sa petite flasque et but à la santé de son chevreuil tout en riant de bon cœur de sa bêtise. Bientôt, il vit apparaître le père Grenier.

— As-tu vu quelque chose, Émile ?

— Non, rien *pantoute* !

— C'est drôle parce que les pistes mènent directement à toi.

— J'te dis que j'ai rien vu ! Il est peut-être passé par *icitte* plus d'bonne heure ? Veux-tu une p'tite *shot* de fort, Wilfrid ?

— Ça serait pas de refus ! J'en reviens pas d'être tombé sur toi plutôt que sur un chevreuil…

— C'est pas la même sorte de *buck* que t'as trouvé ! Y'a plus grand-chose de tendre dans ma vieille carcasse.

— T'imagines dans la mienne *asteure* ? À ta santé, Émile ! dit Wilfrid en levant la flasque.

— On devrait aller rejoindre les gars, pis revenir sur la fin de l'après-midi, juste avant la noirceur. Qu'est-ce que t'en penses ?

— Je pense que les jeunes ont amené de la bière ! On pourrait retourner au camp, pis se contenter de leur lâcher un cri. Ils vont comprendre.

— Toi, Wilfrid, qui es au courant de tout ce qui s'passe dans le quartier, c'est quoi les derniers commérages de c'temps-là ? Y'a-tu quelque chose qui concerne ma famille par hasard ?

— Sais-tu Émile, j'ai pas porté attention! Y'a-tu quelque chose qui te dérange?

— J'le sais pas, mais j'ai une intuition qui m'dit que ça tourne pas rond à quelque part!

— Je vais faire plus attention, pis quand tu passeras devant chez nous, arrête! J'te dirai ce que j'ai trouvé, mais peut-être qu'il y a rien *pantoute*. C'est souvent juste des histoires de gamines…

— Ouais, fais donc ça! J'arrêterai en passant un de ces quatre, mais y'a rien d'urgent.

Ils se retrouvèrent tous les quatre au camp, mangèrent leurs *lunches* et burent la petite caisse de bières que Ti-Loup avait achetée. Ils retournèrent dans le bois et tombèrent sur le ravage de chevreuils. Patrick n'hésita pas et abattit un mâle de deux ans et Ti-Loup en fit autant. Émile était satisfait d'avoir épargné le plus vieux mâle du groupe. Les autres détalèrent à la vitesse du vent. Les jeunes dépecèrent leur gibier, aidés par les deux aînés. Chaque chevreuil donnait cinquante livres de viande et les jeunes en donnèrent dix livres à chacun des vieux.

Il était tard en soirée quand ils arrivèrent à Granby, mais ils étaient contents de leur journée. Lauretta avait laissé une assiette dans le réchaud du poêle à bois pour Émile, ce qui l'impressionna passablement. Était-elle en voie de revenir à de meilleurs sentiments à son égard? Elle lui préparait sûrement une surprise qu'il n'apprécierait probablement pas. Il était devenu tellement suspicieux avec le temps.

Lauretta avait travaillé si fort qu'elle avait fini par atteindre de peine et de misère son indépendance financière tant recherchée. Seize ans à coudre pour les autres, à s'user la vue. À cinquante-six ans, elle était fatiguée et elle convoqua son mari pour une discussion franche.

— Assieds-toi, Émile, j'ai sorti tous les comptes de la dernière année et ta contribution est nettement insuffisante. Je n'ai plus de pensions des enfants puisqu'ils sont tous partis chacun de leur côté pour se marier et fonder leur propre famille. Il ne reste que Jean-Pierre à la maison et il va encore à l'école.

— Où c'est qu'tu veux en venir, baptême ?

— Laisse faire les baptêmes, Émile ! Je veux que tu paies la moitié de tous les frais. Si t'as de l'argent pour prendre un coup, t'en as amplement pour payer les taxes, pas toutes, mais la moitié comme bon se doit.

— T'as toujours ben pas l'idée d'me faire payer de l'arrérage ?

— Non ! Je devrais, mais je ne veux pas t'arracher le cœur parce que je sais à quel point tu tiens à ton argent...

— Il est assez dur à gagner, baptême, que j'vois pas le jour où j'vais pouvoir arrêter de travailler. Tu réalises-tu que j'ai soixante-six ans, bientôt soixante-sept ?

— T'es bien chanceux d'être encore en bonne santé avec ta consommation effrénée de boisson !

— C'est rendu mon seul plaisir dans la vie ! Te rends-tu compte comment ça fait d'années que j'ai pas touché à une femme ?

— Ça, Émile, t'as fait tes choix et t'as choisi la boisson ! On ne reviendra pas là-dessus. Ça fait seize ans que tu dors avec une bouteille, il est trop tard maintenant. C'était à toi d'y penser avant !

— Arrête de m'faire la morale, Lauretta ! On sait ben que t'es une sainte femme, pis que t'as jamais commis d'erreur, toi !

— Oui ! J'en ai commis des erreurs et je paie depuis trente-six ans ma plus grande erreur.

— Dis-moi-la donc ta plus grande erreur, si t'as pas peur d'le dire !

— C'est de t'avoir marié, Émile Robichaud ! Mais je gagne mon ciel en même temps à t'endurer.

— J'ai-tu levé la main sur toi ?

— Non, et il n'aurait pas fallu que tu essaies !

— Finalement, tes gentillesses d'hier, c'était pour préparer le terrain pour m'arracher plus d'argent. C'est ça ?

— Ça n'avait rien à voir avec la discussion d'aujourd'hui ! Essaie donc d'être de bonne foi et de reconnaître que je n'ai pas à payer plus que toi. En connais-tu bien des femmes qui supportent financièrement leur maisonnée à moins d'être veuves ?

— Laisse faire tes histoires, pis dis-moi c'que t'attends de moi.

— Douze piastres par semaine !

— Tu veux m'laver ? Je t'en donne déjà dix, pis t'en veux douze de plus ? As-tu perdu la tête ?

— C'est exactement ce que ça coûte ! Quarante-quatre piastres par semaine, et je n'exagère rien.

— J'ai pas les moyens, baptême ! J'gagne même pas ça par semaine…

— Émile, je sais exactement combien tu gagnes, et je compte même pas tes petits à-côtés !

— On vit au-dessus de nos moyens ! Y'a du monde qui gagne même pas trente piastres par semaine…

— Ce monde-là, comme tu dis, vit en logement et tire le diable par la queue. On peut vendre la maison et aller vivre à l'hospice si tu veux, mais ils n'acceptent pas les jeunes comme Jean-Pierre.

— Arrête, Lauretta! Tu vas l'avoir ton maudit douze piastres, pis j'veux plus en entendre parler, bâtard de *viarge*! J'le savais qu'tu voulais me ruiner, pis tu vas réussir.

— Essaie pas de me faire pleurer, ça ne marchera pas!

Émile était furieux et jamais il n'avait pensé que cela pouvait coûter aussi cher de vivre même simplement. Avec l'habitude de toujours recevoir les enfants à souper ou à dîner la fin de semaine, ça pouvait bien coûter cher. Quand Marcel descendait de Montréal avec sa Violette, ils passaient la fin de semaine à se nourrir à ses frais. Il faudrait couper quelque part, mais il ne savait vraiment pas où. Il ne voulait pas passer pour un radin même si tout le monde le pensait dans la famille depuis longtemps. La vie était vraiment ingrate même si son pécule augmentait d'année en année. Ce n'était jamais assez vite à son goût, surtout à présent que sa femme venait de le saigner à blanc. Comment pourrait-il compenser ce manque à gagner? Il pourrait peut-être augmenter sa production de vin l'été suivant ou couper sa consommation de bières et la remplacer par son vin… Il souffrait juste à y penser! Il ne pouvait pas puisque c'était la base de son commerce illicite. Sans ses visites à ses clients qu'il rencontrait chez Tessier ou chez Paré, c'en était fait de son commerce, mais surtout de ses revenus supplémentaires.

Émile aurait vraiment besoin d'y réfléchir plus longuement pour trouver une solution à son problème. Peut-être qu'en buvant quelques grosses bières, il serait plus inspiré ? Ça valait l'effort, s'il voulait retrouver un brin de tranquillité d'esprit. Lauretta n'aurait pu choisir pire moment pour lui faire une vacherie pareille. S'il n'avait pas eu à éclaircir la menace qui planait sur sa famille, il se serait défendu férocement.

# Chapitre 2

Lauretta était satisfaite, car elle avait allégé de beaucoup sa charge financière. Elle pourrait réduire encore sa clientèle si elle le jugeait approprié. Elle pourrait choisir ce qu'elle voulait faire sans négliger sa fille Monique qui avait sûrement besoin de gagner un peu d'argent avec le train de vie qu'elle menait. Ce que Lauretta n'avait pas encore compris, c'est que sa fille vivait un train de vie en accord avec la vie moderne des années soixante. Monique et son mari étaient très prudents dans leurs dépenses et vivaient selon leurs moyens. Paul travaillait toujours pour l'encanteur Léopold Petit les fins de semaine, et il avait encore pris du grade à la Thor Mills avec un salaire décent.

Le lundi, quand Monique rentra travailler à l'atelier de couture, sa mère lui raconta sa victoire financière sur son mari. Sa fille ne put que se réjouir de l'assurance que sa mère avait acquise avec les années.

— Bravo, maman, je suis très fière de toi ! Il y a une limite à se faire abuser. Tu es beaucoup plus patiente que moi. Tu avais réglé la question avec un peu d'aide il y a plus de dix ans parce que j'habitais encore ici à ce moment-là. Je n'étais pas encore mariée. Mais, tu vois ! Aujourd'hui, tu as réussi seule. Encore une fois, bravo !

— C'est en 1947 très exactement, et c'est grâce à toi qui avais rallié toute la famille! Rappelle-toi!

— Mon Dieu que le temps passe!

— Ton père payait sa juste part, puis il arrêtait, puis recommençait à payer quand il se sentait menacé. Quelle saga nous avons vécue!

— Pauvre maman! On pourra dire que tu ne l'as jamais eu facile. Essaie donc de profiter des années qui te restent pour vivre tranquille!

— C'est mon intention! Mais je ne voudrais pas te nuire, si je réduis encore ma charge de travail. Vas-tu être capable d'arriver?

— Ne t'inquiète donc pas pour moi, maman! Si tu décidais d'arrêter de coudre, je pense que je garderais des enfants. Juste quelques-uns! Il me semble que j'aimerais ça.

— Je n'ai pas l'intention d'arrêter parce que je me demande bien ce que je ferais de mes journées. Et puis, il y a encore Jean-Pierre à la maison…

— Vois-tu ce qui arrive? Maintenant, il est trop tard pour changer la situation. Jean-Pierre est vraiment devenu ton fils quinze ans plus tard. Je ne veux même pas penser comment il se sentirait en découvrant la vérité sur ses origines.

— Ne t'en fais pas pour ça, Monique! Est-ce qu'il doit absolument savoir?

— J'aurais bien peur de son jugement. J'aurais dû me battre plus fort pour le garder, mais j'étais trop jeune et désemparée pour résister à la volonté de mon père de cacher la vérité. J'ai honte quand j'y pense…

— Tu n'as pas à avoir honte, Monique! À l'âge que tu avais, tu n'avais pas beaucoup d'options. Ton père t'aurait jetée à la rue et ton bébé se serait retrouvé à la crèche. Jamais les autorités n'auraient toléré que tu le gardes. C'était la seule solution, vu son intolérance, mais il faut reconnaître qu'il l'a toujours considéré comme les autres. Ni plus, ni moins…

— Je ne me sens pas capable d'affronter cette réalité! Comment veux-tu que j'explique ça à mes enfants? Ils ne comprendront jamais à moins que j'attende qu'ils soient adultes…

— Cesse de te tracasser avec ces idées-là et vis ta vie!

Pourquoi Monique était-elle si bouleversée chaque fois qu'elle abordait le sujet de Jean-Pierre? Elle était terrorisée à l'idée d'être jugée par ses enfants, en particulier par Jean-Pierre. Le bonheur qu'elle ressentait dans sa vie en était affecté chaque fois que ses pensées s'égaraient à fouiller dans son passé. Elle se sentait coupable et cela la minait tranquillement.

Émile était dans les grands calculs. Il ne savait ni lire ni écrire, mais il savait compter. Il devait se résoudre à payer la moitié des frais fixes, n'ayant aucune autre échappatoire. Il n'avait pas été trop difficile à convaincre, car il savait très bien qu'il avait abusé de la situation. Cela lui avait permis d'augmenter son pécule et il n'avait pas d'autres dépenses que sa consommation d'alcool. Il pouvait encore se payer facilement ses deux ou trois grosses bières par jour. De toute façon, la vie serait plus facile s'il faisait la paix avec sa femme Lauretta, mais sans céder plus de terrain.

À ces conditions, elle ignorerait ses frasques, pourvu qu'elles n'attirent pas trop l'attention. Il ne fallait pas qu'elles deviennent trop dérangeantes, sinon Lauretta mettrait le pied à terre. Si jamais elle lui posait un ultimatum pour l'avertir qu'il avait dépassé les limites de l'acceptable, il se plierait à contrecœur à ses exigences en attendant le moment de récidiver. Il aimait jouer au chat et à la souris avec sa femme. C'était sa façon de se venger car elle l'avait privé des plaisirs du mariage. Il était aussi le seul qui pouvait se faire prendre en défaut, l'éternel délinquant, mais pour sa défense, jamais il ne l'avait trompée.

Le père Grenier avait fait son enquête en épiant les jeunes qui se ramassaient dans la cuisine attenante à son petit dépanneur et qui parlaient volontiers de toutes les rumeurs qui circulaient dans le quartier. C'était un territoire réservé aux garçons seulement pour éviter les commérages. En été, les filles pouvaient s'asseoir sur la galerie avant, mais jamais sur la galerie arrière à cause du muret qui aurait pu cacher des activités lubriques. Madame Grenier n'avait aucune tolérance pour les jeunes filles sur sa galerie arrière. En discutant avec son épouse, le père Grenier lui avait posé la question concernant d'éventuels ragots sur la famille Robichaud.

— Mon pauvre vieux, des ragots sur les Robichaud, y'en a depuis toujours ! Mais les plus récents concernent le plus jeune. Il ne serait pas le fils de la mère, mais plutôt le fils de sa fille aînée, Monique. C'est-tu vrai, c'est-tu pas vrai ? Le bon Dieu le sait, pis le diable s'en doute, Wilfrid !

— Ça parle au baptême ! J'aurais jamais pensé ça. Je vois son mari passer devant chez nous à tous les jours quand il s'en va travailler. Tu te rappelles-tu de son nom ?

— Je pense que c'est Paul Tremblay. Je le vois à la messe tous les dimanches, mais jamais elle. Il chante dans le chœur de la paroisse et même très bien à part ça.

— C'est le père Robichaud qui s'énerve avec ces histoires de rumeurs. Je le comprends ! Rappelle-toi comment on a réagi quand notre fille a vécu la même chose ! Y'a fallu qu'elle la donne en adoption. On était déjà trop vieux pour la faire passer pour la nôtre. T'en rappelles-tu ?

— C'est pas des souvenirs que je veux me rappeler, Wilfrid !

— T'as ben raison, Imelda. Que du chagrin !

Le père Grenier avait quelque chose à raconter à Émile Robichaud, et ce n'était pas de gaieté de cœur qu'il aborderait le sujet. En discutant avec sa femme, Wilfrid avait ouvert une plaie qu'il croyait complètement cicatrisée. Il supposait qu'Émile serait un des plus touchés par la rumeur qui circulait au sujet de Jean-Pierre. Qu'on parle de lui, il s'en moquait, mais qu'on ose parler de celui qu'il considérait comme son fils le mettrait en rogne et raviverait de vieilles blessures du passé, comme la douleur dans le cœur de Wilfrid et de sa femme.

Quand il vit Émile sur le trottoir devant chez lui, Wilfrid l'interpella d'un geste de la main. Le sang d'Émile ne fit qu'un tour. Il savait que le moment de vérité approchait et il le craignait.

— Salut, Émile! J'ai fait mon enquête pour ce qui te tracasse pis j'ai quelques indices, mais je suis pas sûr que tu vas aimer ça.

— Arrête de tourner autour du pot, Wilfrid, j'suis pus un enfant, baptême de *viarge*!

— Ce que ma femme a su, ça concerne ton plus jeune!

— Qu'est-ce qu'il a mon plus jeune, bout de *viarge*?

— Ils disent que c'est pas ton fils!

— Ben, voyons donc, baptême! Si c'est pas mon fils, c'est le fils de qui cet enfant-là? Dis-moi-le donc?

— Ils disent que c'est le fils de ta fille!

— Laquelle de mes filles?

— Sûrement pas Nicole parce qu'elle a même pas dix ans de différence avec ton plus jeune, Jean-Pierre. Ça peut juste être Monique…

— Maudites langues sales de bâtards de chiens sales !

— Wow, Émile ! C'est pas moi qui dis ça, j'suis juste le rapporteur des commérages !

— C'est qui qui dit ça ?

— J'le sais pas ! C'est juste une rumeur…

— C'est sorti d'la gueule de quelqu'un, bâtard ! Il faut que tu m'donnes des noms que j'les étripe !

— Je savais que j'aurais été mieux de me la fermer ben juste au lieu de me faire un ennemi de toi.

— Je t'en veux pas, mais ça va m'prendre des noms ! Tu me comprends-tu ?

— J'te comprends en masse, Émile ! Je vais essayer…

— Il va falloir que tu fasses plus que ça, Wilfrid !

— J't'ai dit que j'essayerai, caltor !

Émile quitta Wilfrid et prit la direction de chez lui. Jamais il ne reconnaîtrait que Jean-Pierre n'était pas son fils… il avait sacrifié trop de choses, même son mariage. Il était tellement en colère qu'il n'avait que le goût de se saouler pour oublier. Il entra dans la maison en bougonnant. Lauretta se demanda ce qui avait bien pu le mettre en colère à ce point, mais elle l'ignora presque aussitôt en continuant à préparer son souper. Elle était habituée à ses sautes d'humeur. Quand le souper fut prêt, elle invita Jean-Pierre et Émile à s'approcher. Elle se rendit compte que son mari n'avait pas décoléré et elle ne comprenait toujours pas ce qui avait pu le mettre dans cet état. Il grommelait comme s'il pensait tout haut, mais ses propos étaient incompréhensibles. Elle mangea donc en silence, et Jean-Pierre l'imita. Quand le souper fut terminé, Lauretta se prépara à laver la vaisselle et Jean-Pierre proposa de l'aider à l'essuyer. Elle n'en pouvait plus de se taire.

— Veux-tu bien me dire ce qui ne va pas encore aujourd'hui ?

— J'ai du trouble à la *shop*, c'est toute !

— Es-tu sûr qu'il y a juste ça ?

— Si j't'le dis, baptême !

Émile descendit dans la cave sous prétexte de rajouter une pelletée de charbon dans la fournaise. La vaisselle était terminée et Émile n'était toujours pas remonté. Lauretta en conclut qu'il prenait un coup en solitaire comme d'habitude. Elle avait déjà vu son installation. La fournaise dégageait suffisamment de chaleur pour que ce soit confortable. Il avait une chaise droite devant son établi et une berceuse à côté de la fournaise.

La cave était un vrai capharnaüm de toutes sortes d'objets hétéroclites. L'immense carré à charbon et le sol en terre battue en faisaient un lieu presque insalubre. Les bacs à légumes superposés se trouvaient dans l'espace le plus éloigné de la fournaise pour des raisons évidentes. Son alambic était caché par des caisses de pommes vides. L'odeur des légumes, mêlée à celle du charbon et de ses cruches de vin en fermentation cachait le relent d'alcool frelaté. C'était une senteur de terreau et de décomposition amalgamée à une exhalaison de tabac à pipe. C'était un peu l'odeur d'Émile qui n'était pas nécessairement des plus propres.

Ce dernier se berçait d'un mouvement à peine perceptible en regardant le feu du charbon par la porte ouverte de la fournaise. Il tenait son verre à la main, comme hypnotisé devant cette vision de l'enfer. Il n'arrivait pas à accepter que le passé vienne le hanter de nouveau. De temps à autre, il prenait une petite gorgée et réfléchissait à sa vie telle qu'il la percevait à ce moment-là. C'était tout un dégât. Il avait réussi à capturer le cœur de la belle Lauretta, mais n'avait pas su le garder. Très vite, il l'avait perdu et ne le retenait que par le sens du devoir de sa femme. Puis, il l'avait perdu pour de bon.

Lauretta avait brisé les chaînes qui la retenaient quand il avait recommencé à boire et qu'en plus, il avait perdu la tête à cause de l'argent de la ferme. Il était devenu fou. Était-ce le désespoir d'avoir tout perdu dans l'incendie qui l'avait précipité dans cet enfer ? Il n'aurait su dire. Il n'en restait pas moins qu'il avait le sentiment d'avoir raté sa vie et qu'il ne pouvait rien faire pour se racheter. C'était trop tard! Il ne lui restait que l'oubli dans l'alcool et il cala son verre.

Émile se réveilla à cause de la fournaise qui ne dégageait plus de chaleur. Sa main, comme une griffe, tenait encore le verre d'alcool vide. Il regarda sa montre. Il était quatre heures du matin. Il avait passé la nuit assis dans sa chaise berceuse, le menton appuyé sur son torse. Il faut dire qu'il avait passé de nombreuses nuits, endormi dans cette chaise, perdu dans ses rêves éthyliques qu'il confondait souvent avec la réalité. En se levant difficilement de sa chaise pour recharger la fournaise, il ressentit une douleur intense dans les lombaires.

Comme il avait la gueule de bois, Émile sous-estima son mal et tenta de se redresser, mais la douleur fut encore plus vive. Il monta de peine et de misère l'escalier qui menait au rez-de-chaussée. Il se sentait mal en point et se demanda comment il pourrait calmer ce qui était, de toute évidence, un lumbago. Si sa fille Nicole habitait toujours là, elle aurait su comment le soigner avec du liniment Minard et un bandage pour former un corset qui l'aurait soutenu tout au long de sa journée de travail. Il pensa à Lauretta, mais elle l'aurait sûrement sermonné vertement. Il se rabattit sur Jean-Pierre qui dormait toujours.

— Jean-Pierre! Jean-Pierre! Viens m'aider, mon gars, j'me suis fait un tour de reins en pelletant du charbon, lança-t-il à voix basse, de crainte de réveiller Lauretta.

— Qu'est-ce qu'il y a, p'pa ? C'est encore la nuit ! répondit Jean-Pierre d'une voix tout endormie.

— Parle pas si fort pis viens m'aider !

— J'arrive ! Le temps que je m'habille…

Jean-Pierre descendit dans la cave avec les couvertures encore imprimées dans le visage.

— T'es un bon p'tit gars ! J'veux que tu aides ton vieux père en m'frottant avec du liniment Minard pis que tu m'*strappes* le dos avec le bandage que tu vas trouver dans la vanité de la salle de bain.

— J'ai jamais fait ça, p'pa !

— C'est pas la première fois qu'ça m'arrive ! Avant, c'était Nicole qui m'faisait ça. Tu vas voir, c'est pas difficile ! Tu commences par me mettre le liniment dans le dos, ça travaille tout seul, pis après ça, tu prends le bandage élastique pis tu serres le plus fort que tu peux. C'est pas vrai que j'rentrerai pas à l'ouvrage pour un tour de reins ! J'ai jamais manqué une journée d'ouvrage depuis que j'travaille à la Miner, baptême !

Jean-Pierre appliqua le liniment avec l'éponge fixée au bout de la bouteille. Le liquide coulait beaucoup trop, mais Émile ne se plaignit pas.

— Est-ce que c'est correct, p'pa ?

— C'est correct, mais là, on va *strapper*! Enroule-moi pendant que j'tiens l'autre boutte! Aie pas peur de serrer parce que c'est la seule manière que j'vais pouvoir faire ma journée.

Jean-Pierre fit exactement ce que son père lui dictait de faire. À quinze ans, il avait toute la force nécessaire pour serrer le bandage, à tel point qu'Émile avait de la difficulté à respirer. Ce dernier rattacha sa chemise et se reculotta. Il eut un soupir de soulagement et remercia Jean-Pierre. Émile pouvait à peine s'asseoir, mais jugea que c'était souhaitable d'y aller quand même plutôt que de manquer une journée de travail et ternir son dossier, lui qui ne s'était jamais absenté. Maudit orgueil mal placé! Finalement, à six heures et demie, il quitta la maison pour se rendre au travail avec la gueule de bois et un lumbago. Il lui était presque impossible d'accomplir sa tâche à cause de la torsion constante de la taille qu'il devait faire avec une feuille de caoutchouc à bout de bras qui pesait quinze livres. Il souffrait le martyre et suait à grosses gouttes. En plus, il avait oublié de se faire un *lunch* pour le dîner. Il se contenta de boire beaucoup d'eau.

Quand finalement sa journée de travail se termina, il ne put s'arrêter chez l'épicier Paré et se contenta de passer chez Tessier. Quand il entra dans l'épicerie, il était livide de n'avoir rien mangé de la journée et demanda à Gérard Tessier une grosse tranche de saucisson de Bologne qu'il avala en même temps qu'il buvait sa grosse bière. Il détacha les épingles qui retenaient son bandage et put respirer librement pour la première fois de la journée.

— Concernant ce que tu m'as demandé à propos des rumeurs qui circuleraient au sujet d'un membre de ta famille, y'a rien de nouveau sauf qu'il y aurait peut-être quelque chose qui aurait rapport avec un de tes gars, mais j'en sais pas plus que ça.

— Continue de fouiller, Gérard! J'veux le fin mot de l'affaire pour que j'y cloue le bec à cet enfant d'chienne une fois pour toutes.

— C'est comme tu veux, mais à force de creuser, forcément tu creuses dans la bouette, pis c'est peut-être pas mieux! Ça peut sentir le marécage…

— Laisse-moi juger de ça, Gérard! Y vont s'apercevoir qu'à force de chercher des bébittes aux Robichaud, y vont tomber sur un nique, baptême de *viarge* de bâtard!

Gérard Tessier comprit que ce n'était pas le moment de discuter avec Émile Robichaud. Il était beaucoup trop hargneux. Il semblait sortir d'une épreuve douloureuse. Il se contenta de lui offrir une autre grosse bière. Émile ne lui avait pas laissé le temps de conclure son analyse, mais il savait que toute cette histoire venait d'une femme qui était proche de la famille Robichaud. D'après ce que l'épicier avait compris, cela pouvait même dépendre de quelqu'un du clan Robichaud.

Émile avait repris le chemin qui le ramenait chez lui. Il tentait de se remettre de son tour de reins tant bien que mal. Quand il se tenait debout ou couché, la douleur était tolérable, mais le mouvement de transition entre ces deux positions le faisait souffrir le martyre et lui arrachait des jurons à chaque tentative. Ce n'était rien pour améliorer son humeur.

— Ayoye, bout de *viarge*, j'suis même pus capable de m'asseoir pour manger!

— Veux-tu que j'appelle le ramancheur pour toi? Tu ne peux quand même pas rester comme ça indéfiniment.

— Tu parles-tu du père Gousy? Y m'a fait assez mal la dernière fois que ça m'tente pas ben ben…

— Dans ce cas-là, Émile, qu'est-ce que tu veux qu'on fasse pour toi? On n'est sûrement pas pour endurer ta mauvaise humeur à longueur de journée. T'es déjà pas facile à vivre, si en plus il faut t'entendre geindre à toutes les fois que tu fais un mouvement, je vais virer folle.

— Appelle Nicole! Elle m'a toujours arrangé ça avant. Dis-y qu'elle achète une bouteille de liniment Minard à la pharmacie, y'en reste presque plus dans la bouteille. J'vais la payer en arrivant!

— D'accord, mais va donc t'étendre en attendant parce que debout tout le temps, t'as l'air d'un ours en cage et ça m'énerve!

— On sait ben ! J'ai même pus l'droit d'être malade dans ma propre maison, baptême de *viarge*.

— Si tu arrêtais de sacrer, peut-être que le bon Dieu aurait pitié de toi ? Bon ! J'appelle Nicole.

Lauretta appela sa fille qui heureusement était chez elle. Elle s'était trouvé un logis sur la rue Saint-Antoine, près de l'avenue du Parc et de la rue Principale, qu'elle avait aménagé avec beaucoup de goût. Quand sa mère l'appela et lui raconta le problème de son père, Nicole accepta de venir le voir et de tenter de le soulager. La jeune femme, qui s'était finalement mariée avec Serge Gosselin, était enceinte de cinq mois. Elle avait un joli ventre bien rond et arborait cet air serein que la majorité des femmes enceintes affiche. Elle avait pris un peu de poids, ce qui l'embellissait et la rendait curieusement plus désirable. Serge était aux petits soins avec elle, mais elle n'en abusait pas. Elle était aussi énergique qu'avant sa grossesse.

Nicole arriva avec son mari moins d'une demi-heure après l'appel de sa mère. Elle se dirigea vers la chambre de son père où il faisait toujours très sombre. La première chose qu'elle fit fut de tirer la toile pour laisser entrer le soleil et y voir plus clair. Émile portait toujours son bandage qui lui servait de corset.

— Bonjour, papa ! T'as l'air mal en point ! Il faut que je défasse le bandage pour voir si c'est enflé, d'accord ?

— Vas-y, pis dis-moi combien ç'a coûté que j'te paye !

— Ne t'inquiète pas de ça pour le moment!

Nicole défit le bandage et put constater qu'il avait le dos enflé d'avoir travaillé toute la journée à l'usine. Elle savait très bien ce qu'il y faisait puisqu'elle travaillait toujours à la Miner Rubbers sur la chaîne de montage.

— Mon Dieu, papa! Comment t'as bien pu te faire ça? T'aurais pas dû travailler aujourd'hui. Je ne crois pas que le liniment va t'aider à grand-chose… Il y a un Indien qui habite à Dunham, apparemment qu'il est très bon.

— J'ai l'temps d'crever trois fois avant d'être rendu à Dunham! Tant qu'à ça, j'aime autant m'faire casser la colonne par le bonhomme Gousy. Pourrais-tu l'appeler pour moi, pis y demander si y viendrait pas ici pour m'arranger le dos?

— Je veux bien, mais est-ce qu'il a encore une automobile? Il est très vieux si je me rappelle bien…

— Ton mari pourrait aller le chercher?

— Je vais t'arranger ça, mais là, bouge pas!

Nicole appela monsieur Gousy et ce dernier accepta d'aller traiter Émile chez lui si on allait le chercher. Serge se plia de bonne grâce au désir de son beau-père et alla chercher le vieil homme. Il fut surpris par l'apparence du géant qui sortit de sa maison. Monsieur Gousy, malgré ses allures de centenaire et ses trois cents livres, marchait d'un pas alerte. Il avait une barbe blanche mal entretenue, des cheveux longs et crasseux. Il faisait penser à Raspoutine. Quand il monta dans la voiture, Serge ne put s'empêcher de faire la grimace tant son odeur pestilentielle l'agressait. Il ouvrit sa fenêtre malgré le froid.

— Ta femme va avoir un p'tit?

— Qui vous a dit ça?

— J'le sais, c'est toute!

— Vous connaissez même pas mon nom!

— J'ai pas besoin de connaître ton nom pour savoir que ta femme est enceinte! J'ai des dons, même si la majorité des gens me connaissent à cause de mes talents de ramancheur.

— Ah oui? Savez-vous si c'est un garçon ou une fille?

— C'est un gars, mais y sera pas normal!

— Je ne veux pas le savoir! répondit Serge, bouleversé par cette révélation.

— Inquiète-toi pas! J'dirai pas un mot à ta femme.

Est-ce qu'Alfred Gousy était un sorcier, un voyant ou un devin? Peu importe ce qu'il était, Serge en avait peur. S'il fallait qu'il dise à sa femme que leur futur bébé serait malade, elle en ferait sûrement une dépression.

— Arrête de penser à ce que j'viens de te dire! Après, tu vas avoir deux beaux gars en santé. Tu peux donc arrêter de t'faire du mauvais sang. Penses-y plus!

— Arrêtez-vous, vous-même! Vous me faites peur en *sacrament*...

Monsieur Gousy ne dit plus un mot jusqu'à son arrivée chez les Robichaud. Il s'enferma dans la chambre avec Émile et tout le monde demeura interdit. Le vieux ramancheur se mit à poser des questions à son patient.

— Salut, Émile, veux-tu ben m'dire comment t'as pu te faire ça? Y'a-tu quelque chose qui te tracasse?

— Salut, Fred, y'a ben des affaires qui m'tracassent de ce temps-là! Y'a des rumeurs qui circulent sur ma famille, mais j'réussis pas à savoir de qui que ça vient. Si c'est à propos de moi, c'est pas grave, j't'habitué! Mais si ça concerne celui à qui j'pense, là, j'veux l'savoir au plus verrat, mais surtout c'est qui la langue sale!

— Montre-moi ton dos pour commencer, ça va m'donner un contact avec ton problème! On va t'arranger ça, Émile, mais il faudrait que tu te détendes un peu parce que là, t'es raide comme une barre. Comment que ç'a commencé?

— La rumeur ou mon mal de dos?

— Les deux!

— La rumeur a commencé quand tout l'monde s'arrête de parler quand j'arrive pis que ça recommence quand j'm'en va. J'ai questionné un peu pour savoir et c'est Gérard Tessier qui m'a donné le meilleur indice en m'disant que ça concernait un de mes gars.

— On a déjà une piste ! Pis ton mal de dos ?

— Tout de suite après que Gérard m'en a parlé, j'suis revenu à la maison pis après le souper, j'suis descendu dans la cave pis j'ai pris un coup. J'me suis endormi dans ma chaise pis j'me suis réveillé au matin parce que la fournaise était presque éteinte. J'ai mis une pelletée de charbon, pis là, j'ai barré.

— Ç'a pas dû t'aider ! Là, je vais t'ramener le dos, mais ça va faire mal. Plus tu vas rester détendu, moins ça va faire mal, OK ?

— Vas-y, Fred, j'suis prêt !

Émile n'eut pas le temps de finir sa phrase que le ramancheur fit craquer sa colonne vertébrale et il entendit clairement le bruit des vertèbres qui se remettaient en place. Il émit un cri de douleur étouffé, mais en même temps, fut grandement soulagé. Le ramancheur sortit un petit pot de pommade et entreprit de frictionner le dos d'Émile en marmonnant une incantation ou une prière. Tout en continuant à frictionner, le ramancheur se remit à parler.

— Pis, pas si pire la douleur ?

— J'pensais ben que tu m'avais cassé la colonne, baptême ! J'ai senti une décharge électrique, mais là, ça va mieux. Merci ben, Fred !

— Tant mieux ! Il faudrait que tu restes tranquille une couple de jours… Bon, la rumeur *asteure*. C'est un de tes gars, mais en même temps, c'est pas ton gars. Ça se peut-tu ça, Émile ?

— Ma fille Monique a eu un gars avant de s'marier, pis on l'a adopté moé pis ma femme. Y'a même de mes enfants qui l'savent même pas !

— Peut-être, mais j'pense que pas mal tout le monde le sait dans ta famille. Ça se peut-tu ?

— Ça s'peut !

— Le commérage vient de quelqu'un dans ta famille qui l'a dit à quelqu'un dans votre entourage. J'pense même que c'est un nouveau ou une nouvelle personne dans ta famille, mais l'image n'est pas assez claire pour dire si c'est un homme ou une femme.

— Bout de *viarge* ! J'ai juste deux gendres, pis ça peut pas être le mari de Monique parce que c'est ben l'dernier qui veut que ça se sache…

— Oui, j'comprends, et l'autre gendre, c'est celui qui est venu me chercher ?

— C'est ça !

— Il faut regarder ailleurs! Une de tes brus sûrement, mais j'peux pas te dire c'est qui sans les avoir rencontrées.

— C'est pas facile à faire!

— J'peux pas faire mieux que ça, Émile!

— Merci ben, Fred! Combien j'te dois?

— Donne-moé ce que tu veux!

Émile sortit cinq billets d'un dollar et remercia le ramancheur que Serge, réticent parce qu'il en avait peur, ramena quand même chez lui. Émile avait enfin une piste plus solide. Il savait où chercher… Il avait officiellement au moins cinq brus à ce moment-là. Étendu sur son lit, suivant les directives du ramancheur, il n'avait aucune autre occupation que celle de réfléchir pour trouver la coupable. S'il pouvait réussir à l'identifier, il se vengerait, c'était certain. Elle ne serait pas sa bru bien longtemps encore s'il trouvait un moyen de s'en débarrasser. Il était prêt à toutes les bassesses pour arriver à ses fins.

Comme Nicole se trouvait dans la maison familiale, elle profita de l'absence de Serge pour parler à sa mère Lauretta. Cette dernière était toujours contente de revoir ses enfants et particulièrement celle-là, car elle avait remplacé Monique après son mariage. Nicole l'avait épaulée dans les travaux ménagers et l'avait soutenue moralement dans les moments difficiles qui n'avaient pas manqué de survenir régulièrement. Elle avait repris le rôle de préfet de discipline que Monique avait tenu d'une main de fer. Même si elle n'avait pas l'autorité naturelle de Monique, elle avait talonné les garçons jusqu'à ce qu'ils agissent selon la volonté de leur mère.

— Comment va ta grossesse, ma belle Nicole?

— Ça va très bien, mais je ne sais pas trop ce que je dis parce que c'est la première fois que je me retrouve avec un bébé dans le ventre. Des fois, il presse sur ma vessie et j'ai de la misère à me retenir à ne pas faire pipi dans ma culotte. C'est très étrange comme sensation. Je pense que ça va être un bébé tranquille malgré tout. J'ai l'impression qu'il ne bouge pas beaucoup si je me fie aux autres femmes qui ont déjà eu des enfants.

— N'écoute pas tous les ragots, sinon tu ne sauras plus où donner de la tête au moment de l'accouchement. Tu vas être terrorisée, ma pauvre fille. Il y a des enfants qui sont pas grouillants avant de venir au monde et après ils ne sont pas tenables…

— C'est vrai ce que tu dis, maman! Il y en a qui prennent un plaisir malsain à faire peur aux futures mères. Même Thérèse, la femme de Pat, s'amuse à me faire peur, et pourtant c'était mon amie avant d'être la femme de mon frère.

— Laisse-la parler, mais surtout ne l'écoute pas! La prochaine fois qu'elle vient ici, je vais lui dire de te laisser tranquille. Elle ne sait pas de quoi elle parle.

— Je le sais bien, maman, mais c'est plus fort que moi, je m'inquiète !

— Concentre-toi sur ton bébé, nourris-toi bien et tout va bien aller… Tu ne fumes plus, au moins ?

— Ben non, ça me donne mal au cœur ! Je te le dis, je ne fais pas de folie ! Je ne bois plus d'alcool non plus ni même de Coke. Ça te donne une idée comment je suis sage. Mais ce que je trouve moins drôle, c'est que Serge ne veut plus me faire l'amour tellement il a peur de faire mal au bébé.

— Allons donc ! Vous pouvez faire l'amour autant que vous voulez en autant que ce soit fait avec tendresse. Tu connais les hommes, Nicole ? Trois ou quatre mois sans faire l'amour, c'est trop pour eux ! Veux-tu que je lui parle ?

— Maman ! Non, je suis sûre qu'il serait fâché que je t'en aie parlé. Par contre, si Paul lui en glissait un mot sans mentionner que c'est moi qui ai bavassé, ça le rassurerait, j'en suis certaine… Moi aussi, ça me ferait du bien ! C'est tellement un bel homme que j'ai bien peur qu'il y en ait qui essaient de me le voler…

— Parles-en à Monique ! Je suis sûre qu'elle pourra t'arranger ça pour que Paul parle à Serge. Entre hommes, ils vont se comprendre. Arrête de t'en faire comme ça, tu vas attirer le malheur !

— D'accord, maman, je vais faire comme tu dis! Je vais en glisser un mot à Monique, elle pourra sûrement arranger ça.

Serge revint finalement après avoir reconduit le bonhomme Gousy. Il ne glissa pas un mot sur les prédictions du vieux ramancheur, mais il semblait tracassé et sa femme le remarqua. Elle le questionna sur son changement d'attitude. Il ne voulait pas en parler, surtout pas avec elle, mais plutôt essayer de chasser le souvenir des paroles du vieux devin qui lui donnait la chair de poule.

— Qu'est-ce que t'as, Serge? T'as perdu ta bonne humeur, on dirait?

— Ah, c'est le père Gousy! Il pue tellement que j'ai dû conduire la vitre baissée à l'aller comme au retour. J'espère que tu n'auras pas de nausées en retournant à la maison!

— C'est vrai qu'il sent fort monsieur Gousy!

— Ouais! Ça ne lui ferait pas de tort de se laver une fois de temps en temps. Bâtard qu'il pue! Bon, *asteure*, on va aller à l'épicerie?

— Si tu veux, allons-y! Chez A&P ou au IGA?

— À ton choix, ma chérie!

— Allons chez A&P, si ça ne te dérange pas!

Serge était perdu dans ses pensées. Il ne pouvait pas s'empêcher de spéculer sur les paroles du bonhomme Gousy. Pourquoi lui avoir dit ça sinon pour lui faire peur ? À bien y réfléchir, il n'avait pas dit que le bébé serait malade, mais qu'il ne serait pas normal. C'était encore pire. Sa femme et lui le voulaient tellement ce bébé qu'il avait la mort dans l'âme juste à y penser. Il poussait le panier, l'air absent.

— Qu'est-ce que t'as, mon chéri ? Qu'est-ce qui ne va pas ? Dis-le-moi !

— C'est rien, Nicole ! J'pense toujours au bonhomme Gousy et j'ai son odeur imprégnée dans le nez.

— C'est vraiment dans ta tête parce que ça ne sent rien de particulier, ni sur toi ni dans l'auto.

— On a fait le tour de l'épicerie. Es-tu sûre que tu n'as rien oublié ?

— Je pense que j'ai tout ce que je voulais, à moins qu'il me prenne une rage de cornichons. C'est vraiment fou ces envies soudaines ! Dire que je riais des femmes qui parlaient de ça. C'est bien pour dire…

Une fois leurs emplettes terminées, ils retournèrent à leur appartement. Serge déballa les sacs et rangea les produits. Il était d'une prévenance inhabituelle, ce qui intrigua davantage Nicole.

— Vas-tu finir par me le dire ce qui ne va pas? Tu n'es pas dans ton état normal et ça se voit au premier coup d'œil.

— J'te dis que je n'ai rien, Nicole. Arrête de m'poser la même question cent fois! Je n'ai rien, un point c'est tout.

— Mais moi, j'ai quelque chose que je veux régler tout de suite! Tranquillement, j'ai posé la question à ma mère si on pouvait faire l'amour quand on était enceinte autant que je le suis, et elle m'a répondu qu'en autant que c'était fait doucement, il n'y avait aucun problème. Alors, j'aimerais que tu me fasses l'amour tout de suite, maintenant!

— T'es pas sérieuse? Je ne suis pas à l'aise et j'ai peur de faire mal au bébé.

— C'est parce que tu ne me trouves plus désirable, c'est ça?

— Mais non, ce n'est pas le cas! J'ai vraiment peur. Tu le sais que je t'aime!

— Alors, prouve-le! Je n'en peux plus d'attendre tes caresses.

Serge repensa aux paroles de ce satané père Gousy, mais il ne pouvait plus se défiler sinon sa femme lui ferait une crise. Elle pourrait même sombrer dans une dépression, ce qu'il ne voulait provoquer d'aucune façon. Il l'enlaça et l'embrassa. Nicole le déshabilla sans rompre le baiser qu'elle voulait de plus en plus ardent. Elle le désirait et le caressait pour l'exciter sans qu'il pense à se défiler. Serge était de plus en plus allumé et pensa que si les propos du bonhomme Gousy étaient vrais, il était trop tard de toute façon. Puis, si ce que disait sa belle-mère était vrai… Pourquoi pas ? Il la trouvait belle encore avec son ventre et ses seins qui avaient doublé de volume. Elle n'avait pas pris de poids ailleurs ou si peu qu'elle n'en était que plus magnifique. Il s'abandonna finalement à ses caresses. Cette longue période d'abstinence lui pesait beaucoup plus qu'il n'osait se l'avouer. Ils firent l'amour doucement et tendrement.

Ils reprirent une vie de couple plus normale en se caressant aussi souvent qu'avant la grossesse et en faisant l'amour prudemment. Cette nouvelle habitude leur fit le plus grand bien à tous les deux. Nicole se sentait rassurée que son homme ne soit pas tenté par les prédatrices qui foisonnaient à l'usine. Serge avait toujours en mémoire les paroles du vieux sorcier Gousy, annonciatrices de l'apocalypse. Il ne pouvait se résoudre à accepter cette nouvelle. Parfois, il lui prenait l'idée d'aller confronter ce vieux fou, mais il en avait trop peur. Si, par malheur, il lui révélait d'autres détails qu'il ne voulait pas entendre…

# Chapitre 3

Émile, pendant ce temps-là, s'efforçait de percer le mystère qui entourait les ragots à propos de Jean-Pierre. Quel était l'objectif de ce salissage sinon de le faire payer pour tous ses péchés ? Qui pouvait bien lui en vouloir autant parmi ses brus ? Aucune en particulier ne lui venait à l'esprit, à moins que ce soit à la suite des reproches d'un de ses fils, et là, ça pouvait être n'importe qui… Plus il se creusait les méninges, moins il comprenait. Gérard Tessier avait bien laissé sous-entendre que c'était quelqu'un de proche, et Alfred Gousy avait confirmé sans l'ombre d'un doute que c'était une de ses brus. Quand il le saurait, celle-ci passerait un mauvais quart d'heure.

Émile s'était mis martel en tête et devint soupçonneux vis-à-vis de tous ses fils, puis il se mit à passer sa vie en revue. Tous auraient pu lui en vouloir à lui, mais sûrement pas assez pour nuire à la famille. Qui aurait pu bavasser et révéler à sa femme ou à sa blonde le passé trouble de Monique ? Encore aurait-il fallu qu'ils le sachent ! Mais il comprenait assez bien le principe du commérage qui passait de bouche malfaisante à oreille crédule et de la souris qui accouchait d'un éléphant… Émile savait qu'il suffisait d'une simple rumeur pour qu'elle coure comme la flamme dans la prairie poussée par le vent. Il était loin d'être stupide malgré son manque d'éducation et sa myriade de défauts. Avant de chercher une coupable chez ses brus, il jugea plus à propos de commencer par ses fils qui auraient pu le trahir et qui auraient pu connaître ce secret.

Gérard savait sûrement que Jean-Pierre était le fils de Monique et il avait suffisamment de raisons pour éventer l'affaire. Émile l'avait traité avec mépris à plusieurs occasions, mais il doutait qu'il ait pu ressentir le désir de se venger de lui en blessant sa sœur par la même occasion. Toutefois, il ne rejetait pas pour autant la possibilité qu'il soit coupable et il le mit sur sa liste de coupables potentiels.

Marcel était blanchi de tout soupçon sans même qu'Émile se donne la peine de l'analyser. Il l'avait protégé à l'époque où il se promenait avec sa grosse liasse d'argent par pure étourderie. Il avait même pris sa défense en mettant en garde tous les malfrats de la petite ville que s'ils s'attaquaient à son père, ce serait comme s'attaquer à lui directement. Et puis, il vivait à Montréal depuis plusieurs années, et avant, c'était Goose Bay au Labrador. Non! Marcel n'avait sûrement pas confié à Violette ce secret, et celle-ci était trop gentille pour lui faire une vacherie pareille.

Émile n'aimait pas vraiment son fils Yvan. Il était trop différent de lui. Il lui rappelait trop la famille Frégeau avec leurs manières hautaines et leur façon de valoriser la culture par rapport au courage et au labeur. Et puis, quelle était cette idée de devenir directeur de banque alors que son père n'avait même pas de compte bancaire? Non! Yvan avait trop à perdre si la vérité éclatait au grand jour. Sa réputation était trop précieuse pour qu'il coure le risque de confier un tel secret à sa femme Juliette. Émile avait quand même certaines réticences à le blanchir parce qu'il le trouvait trop mou avec sa femme et qu'il sentait que Juliette était assez mesquine pour ne pas se mêler de ses affaires.

Le suivant de ses fils était Patrick, et Émile se rappelait la position qu'il avait adoptée quand une première rumeur s'était répandue, peu de temps après leur arrivée à Granby. Patrick avait distribué des baffes à tous ceux qui osaient faire allusion à ce secret de famille. Émile se demandait même si Patrick était au courant. En revanche, sa femme Thérèse était une vraie langue de vipère portée à la médisance. Il se méfiait d'elle et la mit sur sa liste de personnes susceptibles d'être coupables. Elle aurait pu l'apprendre d'un tiers. Cette réflexion le poussa à déboucher une autre grosse bière. Passer en revue sa famille ravivait sa souffrance et lui faisait revivre ses erreurs passées, mais l'alcool lui permettait d'engourdir la douleur qu'il ressentait.

Daniel! Son Daniel était son préféré *ex æquo* avec Marcel, mais plus présent. C'était lui qui était venu le chercher alors que la famille s'apprêtait à l'abandonner comme un indigent. C'était lui aussi qui ne l'avait jamais jugé. C'était un bon garçon et il en était bien fier quand il entendait parler de ses prouesses sportives. Émile se rappelait l'accident dans le bois du père Meunier. Daniel avait à peine dix ans quand un arbre qu'il avait bûché était tombé sur sa jambe. Il n'avait pas pleuré et avait même insisté pour poursuivre le travail malgré une blessure assez sérieuse. Ce n'était pas un braillard. Il n'avait juste pas été chanceux dans sa carrière de sportif professionnel. Émile était triste et ouvrit une nouvelle bouteille de bière qu'il engloutit. Il commençait à être passablement ivre et se permit de renifler en essuyant une larme pour Daniel. Ça ne pouvait pas être Daniel ni sa femme, qui était plutôt frileuse quand il était question de ressasser le passé. Elle avait trop souffert elle-même pour s'aventurer sur un terrain aussi glissant que la vie secrète des Robichaud. Quand il eut terminé sa bière, il était trop saoul pour continuer à réfléchir correctement et s'endormit sur sa chaise.

Le sommeil d'Émile fut encore passablement agité. Était-ce à cause de l'inconfort de sa posture ou de son passé qui refaisait surface ? Chose certaine, des fantômes vinrent le hanter. Il avait supporté sans broncher les pires tourments, mais de voir son beau-père et sa belle-mère le condamner à la géhenne pour avoir fait souffrir leur fille adorée pendant si longtemps, c'en était trop… Il lâcha un cri dans son cauchemar qui réveilla la maisonnée. Lauretta et Jean-Pierre sursautèrent dans leur lit, se demandant d'où venait ce hurlement de bête blessée.

— Jean-Pierre ! Jean-Pierre ! s'écria Lauretta, terrorisée.

— M'man ? Est-ce que c'est toi ? demanda Jean-Pierre en se précipitant au rez-de-chaussée où se trouvait la chambre de sa mère.

— Ça vient de la cave, Jean-Pierre! Veux-tu aller voir ce qui se passe? C'est certain qu'il y a une bête qui souffre dans la cave. Va donc réveiller ton père en premier, il saura sûrement quoi faire avec ça.

Jean-Pierre courut jusqu'à la chambre de son père. Il cogna et, n'obtenant aucune réponse, il entra dans la chambre. Son père n'était pas là. Il entendit geindre, puis marmonner des propos incohérents. Le bruit sortait de la cave par la grille de chauffage qui était située juste en face de la salle de bain. Il crut reconnaître la voix de son père et s'aventura jusqu'à la porte donnant accès à la cave. Jean-Pierre n'était pas peureux, mais il préféra remonter dans sa chambre pour s'emparer de son bâton de baseball. Il ne savait pas s'il n'aurait pas à se défendre contre un quelconque intrus qui aurait déjà tabassé son père. Il descendit avec précaution, prêt à frapper si un ennemi surgissait. Il entendait toujours son père gémir. Il était désormais certain que c'était lui. Il descendit les dernières marches dans l'obscurité qui était totale, à l'exception d'une faible lueur qui émanait de la fournaise à charbon. Il savait où se trouvait la corde qui permettait d'allumer la lumière du plafond. Il se préparait à l'allumer, ne tenant son bâton de baseball que d'une main, prêt à frapper solidement l'intrus. Il l'alluma, le cœur battant, et reprit son bâton à deux mains en criant:

— Qui est là? Sortez de votre cachette!

Il comprit rapidement qu'il n'y avait que son père dans la cave. C'était lui qui avait poussé ce cri de terreur en faisant un mauvais rêve probablement. En comptant les bouteilles vides qui jonchaient le sol, il constata qu'il avait beaucoup bu ce soir-là. Son père faisait pitié à voir.

— P'pa! dit-il en le secouant un peu. P'pa! Réveille-toi! C'est juste un mauvais rêve!

Mais Émile ne répondit pas, trop abruti par l'alcool. Jean-Pierre remonta au rez-de-chaussée où sa mère Lauretta l'attendait.

— Il n'y a que p'pa dans la cave et il a bu beaucoup. C'est probablement juste un mauvais rêve. Je pensais qu'il s'était encore fait mal au dos. Il devrait faire attention!

— Mais oui! Tu connais ton père, le vieux fou? Il n'écoute jamais rien de ce qu'on lui dit. Il va finir par me faire mourir! Remonte te coucher et essaie de te rendormir si tu le peux. Je vais lui parler demain matin quand il remontera de la cave. Je vais lui passer un savon dont il se rappellera. Bonne nuit, mon garçon!

— Bonne nuit, m'man!

Lauretta n'arrivait pas à se rendormir. Elle ne pouvait s'empêcher de penser à son mari qui dormait encore dans la cave comme un clochard sans aucun confort. Il y avait bien la chaleur de la fournaise, mais aucune chaleur humaine qui pouvait réchauffer son cœur endurci, se dit-elle. Elle soupçonnait qu'il se préparait quelque chose qui précipiterait sa vie ou celle de ses proches dans un monde d'angoisse. Le comportement d'Émile lui faisait craindre le pire, mais jamais il ne parlait de ses tourments. Elle avait fait le choix de l'ignorer depuis plus de quinze ans. Elle n'était donc pas surprise outre mesure qu'il la tienne à l'écart à son tour. Généralement, elle réussissait à percer ses secrets, mais cette fois-ci, elle n'avait aucune idée de ce qui se tramait dans l'esprit de son mari. Elle sentait une menace latente dans l'atmosphère familiale. Se pouvait-il que la mise au point financière qu'elle avait eue avec lui en soit la cause ? Non, c'était plus profond que ça, elle en était convaincue. Il fallait qu'elle se renseigne là-dessus et elle n'était pas sans ressources.

Elle imita la tactique de son mari, à une différence près. Au lieu de se contenter d'analyser ses enfants comme l'avait fait Émile, elle entreprit de les contacter à tour de rôle à la première occasion. Elle pensa tout d'abord à un problème lié à son travail. Il avait soixante-six ans et avait passé l'âge de la retraite décrétée par le gouvernement. Peut-être que ses patrons voulaient le renvoyer ? Ce n'était pas la main-d'œuvre qui manquait en 1962. Si elle se fiait à Daniel, à Nicole ou même à son gendre Serge qui travaillaient tous à la Miner, l'emploi qu'Émile occupait était très dur. L'heure de la retraite venait peut-être de sonner et il ne l'acceptait pas. Elle le savait orgueilleux comme un paon et c'était suffisant pour qu'il se sente diminué, si c'était le cas. Il n'avait même pas fait sa demande pour recevoir son chèque de pension. Il faudrait qu'elle en parle à Yvan. Il pourrait l'aider avec la paperasse gouvernementale, mais ce n'était pas le grand amour entre ces deux-là. Elle prit donc la décision d'appeler Yvan et de lui exposer la situation. Elle devait passer à l'action, car elle voulait en avoir le cœur net le plus tôt possible. Émile n'allait vraiment pas bien.

Lauretta décida de se lever pour être certaine de l'attraper quand il remonterait de la cave. Elle se fit du café et attendit, assise à la table de la cuisine. Elle vit le soleil se lever et pensa qu'Émile était normalement déjà debout à cette heure-là. Elle s'inquiéta et l'appela du bord de l'entrée de la cave.

— Émile! Réveille-toi sinon tu vas être en retard pour aller travailler.

— Hum… J'me lève! J'suis où? Ayoye!

— Cette idée de dormir dans une chaise plutôt que dans ton lit aussi! Tu peux bien gémir de douleur, pauvre vieux.

Elle se surprit à avoir de la compassion pour son mari. Elle se rendait soudainement compte qu'il était vieux et qu'à ce rythme-là, il achèverait sa vie bien misérablement.

— Veux-tu que Jean-Pierre aille t'aider à monter?

— J'vais m'arranger. Dérange-le pas!

— Es-tu certain que ça va aller? Tu ne peux pas aller travailler arrangé comme ça…

— J't'ai dit que c'était correct! Laisse-moi une chance de m'déplier, pis j'vais aller travailler. Inquiète-toi pas! J'ai jamais manqué une journée d'ouvrage, pis c'est pas aujourd'hui qu'ça va commencer.

— Je ne pense pas que ce soit une très bonne idée. T'as le droit d'être malade, tu sais?

— J'suis pas malade, j'suis juste courbaturé, baptême!

— Si tu le prends de même, Émile Robichaud. Arrange-toi donc avec tes problèmes, mais viens pas te plaindre après! Tu n'as plus vingt ans, au cas où tu l'aurais oublié.

C'étaient des reproches, mais de doux reproches aux oreilles d'Émile. Il changea de ton en le comprenant.

— Excuse-moi, Lauretta. T'as raison, mais j'pense ben pouvoir aller travailler pareil! T'es ben fine de t'en faire pour moi.

— Parlant de m'en faire, pourrais-tu me dire ce qui te rend comme ça? Es-tu en rechute ou c'est autre chose qui te tracasse? Je suis capable de comprendre si tu me l'expliques.

L'attitude de sa femme le prit vraiment au dépourvu. Voulait-elle vraiment savoir ce qui le torturait? Avait-il le goût de partager ses misères avec elle? Est-ce que cette ouverture soudaine cachait une perfidie quelconque? Mais il ne voyait pas comment elle pourrait tirer profit de ses confidences sinon en souffrant elle-même de la situation. Puis, en y pensant, il se dit que ce serait peut-être bon de faire équipe avec elle pour trouver la source de leur malheur.

— Mon problème vient de Jean-Pierre. Quelqu'un s'amuse à déterrer les morts, pis j'aimerais ben savoir qui. La baptême est pas sortie du bois, si j'la *pogne*!

— Parle moins fort! Jean-Pierre est encore couché. Comment sais-tu que c'est une femme?

— C'est l'père Gousy qui me l'a dit!

— Veux-tu bien me dire ce qu'il a bien pu te dire pour te bouleverser à ce point?

— C'est pas lui! C'est nous autres!

— Je ne comprends pas, Émile! lui répondit Lauretta en baissant le ton.

— Y'a quelqu'un qui prétend qu'on n'est pas ses parents, mais que c'est Monique, sa mère. J'le savais que ça ressortirait un jour, baptême!

— Baisse le ton et arrête de sacrer! Tu tiens absolument à ce qu'il le sache? Il va se réveiller d'une minute à l'autre...

Jean-Pierre avait tout entendu à partir du moment où Lauretta avait crié dans l'entrée de la cave pour réveiller Émile. Il était resté au pied de l'escalier qui menait de sa chambre dans les combles de la maison à la cuisine. Il se mordit la main pour retenir un sanglot. Il avait toujours entendu parler de la rumeur de loin en loin, mais sans jamais vraiment y croire. Son père et sa mère, c'étaient Émile et Lauretta Robichaud, et Monique était sa grande sœur, point. Il était bouleversé de l'apprendre à quinze ans et de constater qu'il avait vécu dans le mensonge toute sa vie.

La douleur était effroyable. Jean-Pierre ne desserra pas les mâchoires jusqu'au moment où il sentit le goût du sang dans sa bouche. Il s'était mordu la main avec une telle force que les marques de ses dents resteraient encore visibles des années plus tard. Il avait envie de cracher son désarroi à la face de ceux qu'il avait toujours considérés comme ses parents, mais il n'avait pas le courage de les affronter. Il se leva de sa position accroupie dans l'escalier pour se précipiter sur son lit et pleurer tout son soûl.

Lauretta, qui était aux aguets du moindre mouvement d'activité dans la maison, l'entendit se laisser tomber sur son lit tout en pleurs. Elle devint livide et se sentit défaillir. Leur terrible secret était éventé et c'est eux-mêmes qui en étaient responsables. Émile comprit lui aussi qu'il était trop tard et que c'était de sa faute. Il ne se sentait pas la force d'affronter le regard de son fils. La réalité le frappa de plein fouet et le fit dégriser complètement. Le réveil fut si brutal qu'il ne ressentait même plus la douleur de son lumbago ni sa gueule de bois. Il voulait à tout prix se sauver de ce drame en se réfugiant dans le travail abrutissant de la *shop*. La douleur serait moins grande, peu importait l'effort physique, comparativement à celle de regarder Jean-Pierre dans les yeux, ne serait-ce qu'un

instant. Il en aurait le cœur crevé sous sa vieille carcasse de…
Il était à court de qualificatifs pour se décrire. Tout le long du
trajet pour se rendre à l'usine, il s'autoflagellait, s'insultait,
s'inventait des pénitences qu'il savait qu'il ne respecterait pas
et recommençait à s'insulter. Il se détestait pour sa lâcheté, lui
qui n'aurait jamais reculé devant un homme. Il était incapable
d'accepter sa lâcheté morale et c'était sans doute pour cette
raison qu'il buvait tant. Il en aurait beaucoup à dire au curé
lors de sa prochaine confession.

La pauvre Lauretta resterait seule pour consoler Jean-Pierre.
Elle eut la présence d'esprit d'appeler Monique avant qu'elle
vienne à l'atelier pour travailler. Lauretta pensa qu'il était
préférable qu'elle soit seule avec Jean-Pierre pour affronter la
tempête. Monique serait sûrement celle qui serait visée par la
hargne, si hargne il y avait dans le cœur de Jean-Pierre. Elle
essayait d'imaginer le choc qu'il avait dû subir en l'apprenant
indirectement par hasard. Monique était la gardienne du
secret puisqu'elle avait été obligée de se plier aux exigences
de ses parents.

— Allo, Monique, c'est moi! Je pense que tu es mieux
d'attendre mon appel avant de venir à l'atelier. Jean-Pierre
sait que tu es sa mère…

— Ah non! Comment l'a-t-il appris?

— Une erreur de ma part! J'ai voulu faire parler ton père
et nous étions dans la cuisine après sa nuit dans la cave comme

souvent il le fait. Mais cette fois-ci, il a fait un cauchemar et il nous a réveillés, Jean-Pierre et moi. On a eu très peur !

— Ne tourne pas autour du pot, maman ! s'écria Monique, au bord de l'hystérie.

— Calme-toi, Monique ! Le mal est fait et il ne reste plus qu'à affronter la situation de la meilleure manière possible pour épargner ce pauvre Jean-Pierre qui est dans tous ses états.

— Comment penses-tu que je me sens moi, maman ? As-tu pensé à moi là-dedans ? C'est certain que c'est moi qu'il va juger sévèrement dans tout ça. Ah ! maman, qu'avez-vous fait ? Il est où papa ? Parti se cacher ou se saouler ? C'est ça ? dit Monique en sanglotant.

— Je vais parler à Jean-Pierre ce matin aussitôt que j'ai raccroché et je te tiens au courant. Il a quinze ans, ce n'est plus un enfant. Il comprendra si je prends le temps de lui expliquer la situation calmement. Il faut qu'il accepte qu'à l'époque, c'était la meilleure solution pour nous tous.

— Vous m'avez forcée à accepter une situation que je ne désirais pas. Je ne dis pas que c'est toi, mais ton mari ne m'a laissé aucune option et je l'haïs pour cette raison. C'est au-dessus de mes forces d'affronter Jean-Pierre.

— Arrête, Monique ! Je vais plaider ta cause même si je dois prendre le blâme pour ce qui est arrivé. Ne t'en fais pas et fais-moi confiance. Tu sais que tu peux me faire confiance, non ?

— Je le sais, mais j'avais enterré mon passé depuis quelques années après m'être battue pendant plus d'une décennie pour qu'il redevienne légalement mon fils. Maintenant, je n'en ai plus la force. J'ai honte de le dire, mais c'est vrai. Peux-tu comprendre ça, maman ?

— Repose-toi aujourd'hui et demain ça ira mieux. Tu verras ! Je te rappelle, d'accord ?

— D'accord !

Quelle galère ! pensa Lauretta. Elle se trouvait désormais aux prises avec un problème qu'elle ne savait pas comment aborder. Elle se sentait coupable d'avoir indirectement provoqué cette crise qui touchait tout le monde. Si au moins Émile pouvait faire face à la musique, mais elle savait que c'était impossible. Elle s'était toujours battue seule et elle devrait continuer à le faire. Elle prit son courage à deux mains et monta à l'étage pour parler à Jean-Pierre. Elle le trouva étendu sur son lit. Il pleurait encore.

— Jean-Pierre, mon garçon ! Écoute-moi, s'il te plaît. Tu sais que je t'aime et que je crains le jour où tu partiras parce que je me retrouverai toute seule à mon tour. Nous sommes ta famille et nous t'aimons tous autant que nous sommes. Pourquoi penses-tu que Monique a insisté pour s'installer juste à côté de chez nous ? C'est par amour pour toi, même si Paul a toujours des difficultés à s'entendre avec ton père.

— Ce n'est pas mon père! C'est mon grand-père! dit Jean-Pierre en hoquetant.

— C'est vrai, mais il t'a toujours aimé comme son propre fils malgré tous ses travers. Je sais qu'il t'aime, tu peux me croire.

— Comment veux-tu que je te croie alors que ça fait quinze ans que vous me mentez autant que vous êtes?

— Il faut que tu comprennes que ta mère Monique n'avait que seize ans quand tu es né. Imagine! Presque ton âge actuel. Te vois-tu avec un bébé aussi jeune? Elle n'a jamais voulu t'abandonner, mais elle a dû accepter un compromis que ton père lui a imposé. En 1946, ce n'était pas comme aujourd'hui, même si aujourd'hui les filles-mères sont encore pointées du doigt.

— Elle aurait pu me le dire avant, j'aurais compris!

— Ne dis pas ça, Jean-Pierre! Si tu savais comment elle s'est battue pour te reprendre, mais tout le monde nous aurait jugés et on venait d'arriver à Granby. C'était plus facile d'enterrer le secret de ta naissance.

— Pourquoi vous ne m'avez pas enterré en même temps? Ç'aurait été facile, tant qu'à faire…

— Là, tu es cruel, Jean-Pierre! On t'aime et on t'a toujours aimé. Je n'ai pas utilisé le bon mot. J'aurais dû dire *dissimulé* plutôt qu'*enterré*. As-tu pensé à ce qu'aurait été la vie de

Monique si elle t'avait élevé comme son fils ? Tout le monde l'aurait pointée du doigt comme une fille perdue.

— C'est qui mon père ? Il aurait pu l'aider et même la marier ?

— Je ne l'ai jamais connu et je pense qu'il ne sait même pas que tu existes. Tu ne peux pas comprendre, mais je t'assure que ce que nous avons fait était pour le mieux, pour toi et ta mère. La plupart des enfants nés de filles-mères se sont retrouvés dans les crèches, abandonnés aux mains du clergé. Toi, tu as une vraie famille qui t'aime…

— Moi aussi je t'aime, m'man ! Tu seras toujours ma mère même si j'en ai une autre qui est ma sœur.

— Te rappelles-tu qu'il y avait toujours un cadeau pour toi sous l'arbre de Noël qui t'était adressé, mais on ne savait jamais de qui il venait ? C'était un cadeau de Monique, et comme elle n'avait pas les moyens d'en faire à toute la famille, elle t'en faisait un à toi qui était anonyme.

— C'était elle ? Je me rappelle que, plus jeune, je pensais que c'était un cadeau spécial du père Noël parce que j'avais été gentil, répondit Jean-Pierre en esquissant un premier sourire timide.

— Prends le temps d'y réfléchir calmement. Si tu veux, tu peux rester à la maison aujourd'hui ! C'est beaucoup d'émotions à digérer. Qu'est-ce que tu en penses ? Je te donne congé.

— Je ne voulais pas pleurer, mais c'était plus fort que moi.

— Tu as le droit de pleurer, mon grand. Il ne faut pas avoir honte ! Ça fait tellement de bien, parfois…

— Merci, m'man, je crois que je vais rester à la maison aujourd'hui.

— Ne te gêne pas si tu veux en parler et si tu as des questions. Tu es un très grand garçon, presque un homme. Je t'aime !

Lauretta se sentit soulagée de la réaction de Jean-Pierre. Il avait fait preuve d'une grande maturité pour son âge. Il y aurait sûrement des soubresauts à venir et elle attaquerait le sujet de nouveau en après-midi pour voir comment il se sentait. Elle voulait aussi lui suggérer une attitude à adopter à propos des autres membres de la famille, et particulièrement envers Monique. Cette dernière était terrorisée à l'idée d'affronter la situation, mais elle n'avait pas vraiment le choix. Lauretta ne se sentait pas non plus la force de travailler. Elle devait parler à Monique pour la calmer. Sa fille était un volcan sur le point d'exploser et elle s'inquiétait pour son équilibre psychique.

Monique reçut l'appel de sa mère avec un grand soulagement quand elle apprit la réaction de Jean-Pierre. Elle n'avait pas encore décidé comment elle-même elle réagirait. Elle avait hâte, mais en même temps, elle avait peur d'en parler à son mari, Paul, qui était toujours de bon conseil. Le drame tant craint avait finalement éclaté et elle se rendait compte qu'elle n'était pas prête à le braver. Elle ne savait même pas si elle le serait un jour. Son cœur battait la chamade et cela l'inquiétait. Elle pouvait toujours avoir recours à des calmants au besoin, ses pilules pour les nerfs comme elle disait, mais cela ne réglerait rien pour autant. Elle devait se résoudre à affronter la réalité, mais se sentait tout sauf brave pour régler ce problème qui avait déjà miné toute sa vie d'adulte. Elle avait l'impression que le ciel venait de lui tomber sur la tête au moment où justement elle commençait à vivre une certaine sérénité. Que faire ? Comment réagir ? Et Jean-Pierre dans tout ça ? Elle se remit à pleurer…

# Chapitre 4

Jean-Pierre essayait d'assimiler ou du moins d'accepter ce qu'il venait d'apprendre. Il avait envie de confronter sa mère biologique, Monique, mais il l'aimait et ne voulait pas lui causer de chagrin. Il se renfermait sur lui-même et attendait de recevoir un signal d'elle avant d'agir. C'était une situation intenable pour un jeune adolescent de quinze ans et le mutisme de Monique le rendait agressif. Même Lauretta ne lui parlait qu'à demi-mot, lui demandant plutôt comment il allait au lieu de lui donner des nouvelles de Monique. Cette dernière semblait de toute évidence vouloir éviter la confrontation en se déclarant malade. Il sentait que ce n'était que mensonge et s'enfonçait de plus en plus dans la colère.

À l'école, ce qu'il tolérait passivement dans le passé n'était plus acceptable. Ses amis voyaient bien que quelque chose avait changé chez lui. Il était plus prompt et plus incisif qu'auparavant. Il y avait toujours eu des *bullies* qui le taquinaient, mais dorénavant, il répondait de façon cinglante.

— Eille, Robichaud! T'as ben l'air bête! Y'a-tu quelqu'un qui t'a faite de la pèpeine?

— C'est pas d'tes affaires, Maynard!

— Oh! Sais-tu à qui tu parles, le morveux?

— Oui, mais j'ai l'impression que toi, tu ne sais pas à qui tu parles, gros baveux !

Maynard ne pouvait accepter de se faire répondre de la sorte s'il voulait continuer à inspirer la crainte dans l'école. Ils étaient dans la cour et il ne pouvait pas attaquer Jean-Pierre sans risquer d'être victime de mesures disciplinaires et peut-être même d'être renvoyé.

— Eille, le crotté ! Tu m'attendras à quatre heures juste pour voir si tu vas m'parler de la même manière. J'vais te rabattre le caquet, mon p'tit *crisse*.

— J'ai pas peur de toi, mon gros sale, mais je ne t'attendrai pas à quatre heures. Ne t'inquiète pas ! On va sûrement se croiser si c'est ça que tu veux.

— Tu perds rien pour attendre, mon p'tit *crisse* ! J'vais te trouver, ça c'est certain !

Jean-Pierre ne prit pas la peine de lui répondre et retourna en classe à la fin de la récréation. Il savait que Maynard était plus fort que lui, mais curieusement, il n'avait pas peur. Peu importait que Maynard le pourchasse, il le vaincrait d'une manière ou d'une autre. Il se défoulerait en donnant une raclée à ce matamore qui n'avait de cesse de menacer plus petit que lui. À la fin des classes, Jean-Pierre sortit sans attendre, mais sans fuir pour autant. Il prit le chemin du retour à la maison, mais s'arrêta à la cantine chez Bélisle au coin des rues Horner et Laval pour boire un Coca-Cola avec un de ses amis. En sortant de la cantine avec sa bouteille de Coke, il aperçut Maynard qui descendait la côte de la rue Horner avec ses amis.

— Eille, Robichaud! Pensais-tu t'en sauver?

— Pas *pantoute*! Comme tu vois, j'ai même pris le temps d'arrêter pour boire un Coke avec mon *chum*.

— Tu veux dire ta tapette?

— Répète ce que tu viens de dire, mon gros sale?

Maynard était parvenu à sa portée et le narguait. Jean-Pierre n'hésita pas une seconde et lui asséna un coup de bouteille dans les dents. Maynard, pétrifié, se mit à saigner abondamment. Il cracha ses deux palettes.

— Qu'est-ce que tu disais, mon gros chien? C'est qui la tapette maintenant? T'as craché tes palettes? Tu vas peut-être apprendre à fermer ta grande gueule maintenant, et si jamais tu m'approches encore une autre fois, c'est une jambe que je vais te casser avec mon bâton de baseball. Viens-t'en François! On n'a plus rien à faire *icitte* à moins qu'il y en ait d'autres qui veulent goûter à mon Coke?

Maynard se lamentait et menaçait d'appeler la police, mais Jean-Pierre n'y prêta aucune attention. Il était content d'avoir fait ce geste extrême et peu lui importaient les conséquences, il n'avait aucun remords. Il s'était libéré du même coup de cette colère qui l'empoisonnait. Il imposerait le respect et les *bullies* y penseraient à deux fois avant de s'en prendre à lui ou de l'agacer. Il poursuivit sa route vers la maison avec son ami qui ne le regardait plus avec les mêmes yeux. Il avait osé l'impensable en s'attaquant à ce colosse qui était la terreur de l'école, et même de l'équipe de football.

Le soir, en soupant, Jean-Pierre entendit une auto entrer dans la cour et il eut un mauvais pressentiment. Il était presque certain que cela avait un rapport avec la bagarre avec Maynard. Il se retourna quand on frappa à la porte de la cuisine plutôt qu'à l'entrée principale. Il vit une casquette de policier, puis une autre qui suivait de près la première. Ça y était!

— Monsieur Robichaud?

Émile se retourna à son tour et répondit:

— Oui! Qu'est-ce que vous voulez?

— Votre fils Jean-Pierre a agressé un jeune homme qui répond au nom d'André Maynard. Il l'a agressé sauvagement avec une bouteille de Coke. Le saviez-vous?

— Non, j'le savais pas, mais il devait avoir une bonne raison, parce que mon gars, y'aime pas la chicane pis c'est un bon p'tit gars.

— Est-ce toi, Jean-Pierre? demanda le policier à Jean-Pierre.

— Oui, c'est moi, et je n'ai aucun regret!

— Laisse-moi m'occuper de ça, Jean-Pierre! répondit Émile avec emphase. Y'a-tu ben des dommages?

— Je vous dirais que pour l'instant, il a deux dents cassées, les palettes et la lèvre très tuméfiées.

— Qu'est-ce que vous voulez dire par là, tuméfiées?

— Ça veut dire *maganées*! Pas mal amochées!

— C'est quelle famille de Maynard, Jean-Pierre, tu le sais-tu?

— Il reste sur la rue Robinson, pas ben loin de la rue Sainte-Rose. Il est au moins deux fois plus gros que moi et il m'écœure depuis le début de l'année. Là, je me suis tanné!

— C'est vrai qu'il est pas mal plus costaud que votre fils, monsieur Robichaud.

— J'connais son père, Gaston Maynard! J'vais m'arranger avec lui! C'est-tu correct de même?

— J'ai une plainte signée de la main de monsieur Maynard et, à moins qu'il retire sa plainte, je vais devoir amener votre fils au poste! C'est une agression assez sérieuse avec un objet qui peut être considéré comme une arme.

— Lauretta! Appelle Maynard pis quand tu l'auras au bout de la ligne, passe-moi-le si tu veux ben.

Lauretta était estomaquée de voir son mari se porter à la défense de Jean-Pierre avec autant de vigueur. Elle fit ce qu'il lui demandait prestement et, quand elle l'eut au téléphone, elle avisa Émile qui se déplaça pour prendre le récepteur.

— Allo, Maynard! C'est Émile Robichaud. J'veux qu'tu retires ta plainte contre mon gars! Ah, tu savais pas que c'était mon gars? Ouais, c'est mon gars pis on va régler ça ensemble, moi pis toi. Tu m'diras combien ça coûte pis j'vais t'payer. C'est-tu correct de même? J'vais t'voir chez Gérard Tessier demain en finissant de travailler. Là, tu vas l'dire à la police que tu laisses tomber la charge. OK? Parfait! J't'le passe.

Le policier prit le récepteur du téléphone mural et écouta ce que Gaston Maynard avait à dire, puis il raccrocha.

— Tout semble être en ordre, monsieur Robichaud! Et toi, le jeune, t'es bien chanceux de t'en tirer aussi facilement. C'est vrai qu'il est pas mal plus gros que toi, mais ce n'est pas une raison pour te défendre avec une bouteille. La prochaine fois, ça va-tu être un couteau? Arrange-toi donc pour qu'il n'y ait pas de prochaine fois, OK?

— Oui, monsieur l'agent!

— Bonsoir, m'sieur, dame!

Et les policiers repartirent aussi vite qu'ils étaient venus.

Émile termina son repas sans plus d'explications ni de questions. Lauretta fit de même, encore sous le choc d'avoir vu son mari régler un problème qui lui semblait au départ inextricable. Jean-Pierre ressentit tout à coup beaucoup de soulagement de s'en être sorti aussi facilement. Il eut un élan d'affection pour son père qui venait de lui sauver la mise. Il termina son repas et se dirigea vers sa chambre. Il s'attendait à une discussion sérieuse entre son père et sa mère. Il épia, volontairement cette fois, pour savoir ce qu'ils pensaient de son geste extrême. Sa mère prit la parole la première.

— Je suis très fière de ta réaction, Émile! Tu as défendu ton fils avec beaucoup d'aplomb et je t'en remercie, mais je ne peux m'empêcher d'être étonnée. Tu sais que ça va te coûter une petite fortune cet incident-là?

— C'est mon gars, pis j'ai toujours voulu qu'mes gars s'défendent quand ils se sentaient menacés. Y'a ben faite, baptême!

— Tu devrais quand même vérifier si ce n'était pas une agression gratuite. C'est quand même un geste d'une grande violence. Imagine qu'il l'aurait frappé sur un œil? Il aurait pu le tuer ou il aurait pu perdre un œil!

— J'suis sûr qu'il sait viser et que c'est ben là qu'il voulait le frapper. J'le connais le gros tocson! Ça va lui rabaisser l'caquet pour une bonne escousse. Y'a des limites à toute, Lauretta! J'vais arranger ça avec son père demain, pis ça coûtera ce que ça coûtera, mais y'a besoin de pas être trop cochon le Gaston, j't'en passe un papier…

— En tous les cas, je te remercie ! Après les frasques de Marcel, puis celles de Patrick, je ne veux surtout pas que ça recommence avec le bébé de la famille, lui qui est si gentil normalement. Il n'a jamais été un batailleur de toute sa vie.

— J'ai pas peur d'le dire, je l'aurais fait pour n'importe quel de mes gars ! Là au moins, j'sais qu'il peut se défendre…

Jean-Pierre, qui écoutait l'oreille collée sur la grille de ventilation de sa chambre qui donnait sur la cuisine, put se réjouir. Il ne serait pas puni pour son geste s'il se fiait aux propos de son père. Il put commencer à se détendre. Il savait qu'il n'aurait pas besoin de refaire son geste. Il pourrait en constater les retombées dès le lendemain à l'école. De plus, la direction ne pourrait pas le punir pour un geste commis à l'extérieur de l'établissement. Il se plongea dans ses livres pour étudier parce qu'il savait qu'il avait un test de mathématiques de prévu quelques jours après. Un peu plus tard, alors que sa mère écoutait la télévision, il entendit son père l'appeler. Il descendit en espérant que son père n'avait pas changé d'idée.

— Oui, p'pa !

— Viens ! On va descendre dans la cave pour laisser ta mère écouter ses programmes. J'veux une discussion entre hommes.

Jean-Pierre lui emboîta le pas et descendit dans la cave avec lui. Émile s'assit sur sa chaise berçante et invita son fils à s'asseoir sur la seule autre chaise qu'il y avait dans la cave, près de l'établi.

— Tu sais qu'ça va coûter une p'tite fortune ce que t'as fait?

— Oui, je le sais p'pa, mais je vais te rembourser!

— Y'est pas question de ça, mais j'veux juste savoir pourquoi t'as fait ça.

— Parce qu'il me bave depuis le début de l'année en me traitant de peureux pis de fifi. J'en ai eu assez, et quand je l'ai vu arriver à la cantine chez Bélisle, enragé avec ses suiveux, j'étais certain qu'il cherchait la chicane pis que j'en mangerais toute une. Je n'ai pas réfléchi plus que ça et je lui ai sacré un coup de bouteille sur la gueule. C'est juste après que j'ai réalisé que j'étais dans le trouble.

— J'espère qu'il va retenir la leçon et qu'il a compris qu'on ne s'attaque pas à un Robichaud sans prendre le risque de manger une maudite volée. T'as ben faite, mon gars, mais prends-en pas une habitude! Sers-toi de tes poings quand ils sont de ta taille, OK?

— Je regrette, mais en même temps, je suis ben content de l'avoir fait! Ça m'a soulagé, on dirait…

— Va falloir que tu t'calmes parce que j'ai pas hâte de voir la facture de Maynard. OK, va terminer tes devoirs!

— Merci, p'pa!

Jean-Pierre retourna dans sa chambre en évitant le regard de Lauretta. Il s'en était bien tiré, pensait-il. Il n'avait aucune idée de la façon dont son père s'y prendrait pour régler l'affaire. Ce soir-là, il s'endormit tôt et rêva de batailles et de comptes à régler avec tous ceux qui l'avaient provoqué au courant des dernières années. Il se sentait invincible, et Monique le réclamait en criant de toutes ses forces. Il se réveilla en sursaut et comprit que les cris de Monique étaient simplement son réveil Big Ben qui sonnait avec force et sans arrêt. D'un coup, il interrompit le son strident de son réveil et se vautra dans son lit, enterré sous l'édredon.

Émile était déjà parti au travail, et Lauretta avait préparé le café avant de faire sa toilette. Quand elle eut terminé, elle appela Jean-Pierre et le pria de se lever sans plus tarder s'il ne voulait pas être en retard en classe. L'école Sacré-Cœur, sur la rue Lansdowne, était loin, et comme il préférait marcher pour épargner le coût de l'autobus, il n'avait plus de temps à perdre.

— Dépêche-toi, Jean-Pierre! Fais ta toilette pendant que je prépare ton déjeuner. Aimerais-tu un gruau et des toasts avec un peu de sirop d'érable?

— Ce serait parfait, m'man! Est-ce qu'il reste du jambon pour me faire un sandwich pour le *lunch* de midi?

— Oui! Oui! Ne t'inquiète pas. Lave-toi et je ferai ton sandwich. Allez, grouille-toi!

Jean-Pierre entra sous la douche et se lava rapidement, se passa un coup de peigne dans les cheveux. Il était prêt pour avaler son petit-déjeuner et son café. Il enfila ses chaussures et ses claques, son manteau, son foulard et sa tuque.

— Bonne journée, m'man!

— N'oublie pas ton *lunch* et tâche de ne pas faire ton fanfaron à l'école! Je ne veux pas d'appel du directeur parce que tu t'es gaussé devant tes camarades. Compris?

— Ne t'inquiète pas, m'man! Je n'ai pas l'intention de me vanter. Je vais plutôt essayer de me faire oublier.

— Embrasse-moi et va-t'en!

Aussitôt qu'il fut sorti, Lauretta poussa un soupir. Elle appela Monique pour l'inciter à venir travailler. Elle avait pris du retard dans son travail et avait besoin de l'aide de sa fille pour livrer un ensemble à une de ses bonnes clientes.

— Monique! Te sens-tu en forme pour venir travailler? J'ai vraiment besoin de toi et il faut que je te conte ce qu'il s'est passé entre Jean-Pierre et un jeune Maynard, et surtout la réaction de ton père.

— Qu'est-ce qui s'est passé?

— Viens-t'en et je te raconterai tout dans le détail. Allez! Tu ne peux pas te terrer éternellement…

— D'accord! Je serai là dans quinze minutes, le temps de déposer Michel chez Irène. Ça te va?

— Je t'attends!

Lauretta était rassurée que sa fille reprenne le travail. Ce serait une autre journée éprouvante où elle tenterait de la convaincre que Jean-Pierre avait surmonté sa crise liée à la révélation de son identité. Tout n'était pas réglé, mais il y avait bon espoir pour que tout se déroule dans le calme et que Jean-Pierre finisse par accepter la situation. Elle n'en attendait pas moins de sa fille de trente-et-un ans. Elle n'était plus une enfant, après tout… Finalement, Monique arriva après avoir déposé Michel chez Irène, sa voisine.

— Tu veux que je commence par quoi? demanda Monique.

— Tu ne veux pas savoir ce qui s'est passé avec Jean-Pierre?

— Oui, bien sûr! Qu'a-t-il fait?

— Il s'est battu et a blessé l'autre garçon. C'est la police qui nous a informés, mais le plus étonnant, c'est la réaction de ton père.

— Qu'est-ce qu'il a dit?

— Le père du garçon avait porté plainte et ton père a réglé la situation en lui parlant directement. Ils vont régler ça quand ton père aura terminé sa journée à l'usine.

— Mais qu'est-ce qu'il y a tant à régler ?

— Jean-Pierre a blessé le jeune Maynard en le frappant avec une bouteille. Il lui a cassé des dents et c'est ce que ton père va régler en acceptant de payer les frais du dentiste. J'espère que ça ne coûtera pas trop cher !

— Mais voyons donc, maman ! Jean-Pierre n'a jamais été un garçon violent. Encore moins pour se servir d'une bouteille… Il aurait pu le blesser sérieusement !

— Il l'a blessé sérieusement, n'en doute pas ! J'espère que Jean-Pierre va réfléchir avant de s'en prendre à quelqu'un d'autre. Les policiers l'ont bien averti que la prochaine fois, ils séviraient sévèrement.

— Mon Dieu, maman ! Penses-tu que c'est à cause de ce qu'il vient d'apprendre me concernant ? Que je suis sa vraie mère ?

— Écoute, Monique ! On est mieux de ne pas spéculer sur ses raisons. Il a dit que le jeune Maynard le harcelait depuis le début de l'année et qu'il en avait eu assez. Apparemment que l'autre garçon est deux fois plus gros que lui !

— Ce n'est pas une raison pour être aussi violent ! Je suis sûre que c'est à cause de moi s'il a réagi ainsi. Ce n'est pas lui ! Je ne le reconnais pas quand il agit ainsi. Es-tu d'accord, maman ?

— Je le sais bien, mais ce qui est fait est fait, et nous ne pouvons rien faire pour le changer. Il ne nous reste qu'à prier pour qu'il ne recommence pas.

— Je veux bien lui parler, mais il faut que tu t'assures qu'il ne me questionnera pas sur le fait que je suis sa vraie mère tant que je ne suis pas prête à aborder le sujet. Peux-tu faire ça pour moi, maman?

— Mon Dieu que c'est compliqué tout ça, mais je veux bien essayer. Je ne te promets rien!

— Merci, maman! Je sais que je peux me fier à toi et que tu feras pour le mieux. Travaillons si tu veux parce que j'ai vraiment besoin de me changer les idées avec tout ce qui s'est passé ces derniers jours. Paul est très inquiet pour ma santé mentale et il n'a pas complètement tort. J'ai l'impression que je deviens folle. Je pleure tout le temps, et même devant les enfants, je n'arrive pas à me retenir.

— Tout va se placer, ne crains rien! Laisse faire le temps parce que, souvent, il arrange bien des choses.

— Le temps? Il est bien long à passer quand ça ne va pas et bien court quand ça va bien. Ne trouves-tu pas?

— Je suis bien d'accord avec toi, mais même quand on trouve qu'il passe trop lentement, on se retrouve dans la cinquantaine et on constate que la vie a passé bien vite…

Toutes deux se mirent au travail et se concentrèrent sur la confection de l'ensemble que Lauretta avait promis de livrer dans les jours suivants. À midi, le tailleur était terminé. La jupe et la veste étaient très élégantes, taillées dans un tissu haut de gamme. Elles étaient fières du résultat. Elles mangèrent une soupe et un sandwich et reprirent le travail après à peine une demi-heure de pause. Ni l'une ni l'autre n'avaient envie de parler, mais elles ne pouvaient pas s'empêcher de réfléchir chacune de leur côté à la révélation d'un des plus grands secrets de l'histoire familiale.

Monique avait peur que son erreur de jeunesse éclate au grand jour. Elle considérait que la société n'était pas encore assez évoluée pour accepter cette réalité. Encore à cette époque, les orphelinats se remplissaient, même si la majorité des filles-mères auraient préféré garder leur enfant et les chérir comme il se doit. Elle ne pouvait éviter de penser au courage de Micheline, la femme de Daniel. Elle avait gardé son enfant et cela ne l'avait pas empêchée de se marier et d'être heureuse. Il est vrai qu'elle était plus âgée que Monique quand elle avait eu son fils et que plus d'une décennie les séparait. Monique pensa alors que si cela lui était arrivé en 1962 à l'âge de dix-huit ans, les choses auraient été bien différentes. La société était lente à évoluer, pourtant elle sentait un vent de changement important, ne serait-ce que dans la mode.

Il y aurait toujours des grenouilles de bénitier à l'esprit étroit et des hommes grégaires qui se permettraient de juger les malchanceuses qui se retrouveraient enceintes malgré le fait qu'ils soient eux-mêmes les géniteurs de ces mêmes enfants.

Ce n'était pas facile d'accepter l'injustice sans se révolter. Monique s'était battue vaillamment et se battrait encore pour l'émancipation de la femme, mais elle ne pouvait se résoudre à ce que la vérité éclate au grand jour. Selon elle, son mari et ses enfants n'avaient pas à se battre pour un combat qui ne les concernait pas. Et devait-elle considérer Jean-Pierre comme une victime d'une société arriérée? Pourquoi y avait-il tant de préjugés chez les bien-pensants au nom de la foi chrétienne? C'était justement pour cette raison qu'elle avait rejeté l'Église catholique. Elle ne pouvait tolérer l'hypocrisie qui dominait la société, dominée elle-même par le clergé. Elle souhaitait vivre assez longtemps pour voir s'écrouler cette intolérance.

Monique avait l'esprit torturé, mais trouvait dans le travail un certain réconfort. Comme sa mère le lui avait enseigné, elle aimait le travail bien fait, et pour cette raison, elle pouvait s'abandonner et se libérer l'esprit en se concentrant sur une nouvelle tâche. Pour elle, c'était salutaire. Elle ne se sentait pas capable d'affronter Jean-Pierre. Elle croyait que c'était trop tard ou tout simplement qu'elle n'était pas prête. C'était comme une obligation embarrassante qu'on repousse tout le temps au lendemain. Vers la fin de l'après-midi, elle prétexta vouloir retourner chez elle pour accueillir ses enfants au retour de l'école et préparer le souper. Lauretta n'était pas dupe, mais elle ne dit pas un mot.

— Tu reviens demain?

— Bien sûr! Tant que tu auras besoin d'aide, je serai là, maman!

— Alors, à demain! J'aime ta compagnie. Les journées me paraissent moins longues quand tu es là.

— Ça me fait du bien à moi aussi de sortir de la maison. Ce n'est pas si long faire mon ménage, et Paul m'aide parce que je pense qu'il est plus maniaque de la propreté que moi.

La vraie raison de son départ, c'est qu'elle ne voulait pas croiser Jean-Pierre. Monique se rendit chez Irène, son amie et voisine, pour récupérer Michel. Il commencerait lui aussi l'école l'année suivante. Elle se retrouverait seule à son tour durant le jour.

Jean-Pierre arriva peu de temps après son départ et embrassa Lauretta. Elle fut tout étonnée, mais ravie en même temps de cette marque d'affection. Elle comprit que Jean-Pierre réagissait avec beaucoup de maturité devant le fait que Lauretta n'était pas sa vraie mère. Et il voulait lui prouver malgré tout son affection. Elle pensa que c'était le bon moment de lui parler de la demande de Monique pendant qu'elle était seule avec lui.

— Jean-Pierre! Comment a été ta journée à l'école? Tu n'as pas eu d'ennuis?

— Non, m'man! Je suis même très respecté parce que ce que j'ai fait à Maynard a fait le tour de l'école comme une traînée de poudre. En plus, Maynard n'était pas là.

— Écoute, Jean-Pierre, il faut que je te parle de Monique. Elle est venue travailler aujourd'hui, mais elle est très mal à l'aise à l'idée de te rencontrer. Elle a tellement peur que tu lui en veuilles ou, pire, que tu lui fasses une crise… Elle est tellement fragile ces jours-ci que j'ai peur qu'elle craque !

— Écoute, m'man ! J'ai accepté l'idée que tu étais ma vraie mère et que mon père était Émile Robichaud. Tu peux lui dire que je la traiterai comme ma sœur, ce qu'elle a toujours été pour moi. Si jamais elle veut me parler du fait qu'elle est ma mère, je l'écouterai calmement. Je ne suis plus un bébé, même si j'ai eu un choc quand je l'ai appris.

— Je suis tellement fière de toi, mon garçon ! Tu fais preuve d'une grande maturité pour ton âge. Le savais-tu ?

— Tu peux lui dire que j'agirai comme si rien n'avait changé entre nous !

— Je crois qu'elle sera soulagée par ton attitude et la vie reprendra son cours normal comme avant. Je ne veux pas de discorde entre vous. Vous étiez les meilleurs amis du monde, Monique, Paul et toi.

— Tu as raison, m'man ! Mais p'pa dans tout ça ? Crois-tu qu'il a agi comme ça dans l'affaire de Maynard à cause de Monique et moi ?

— Cherche à savoir ! Ton père est tellement imprévisible que je ne le sais pas moi-même, mais c'est possible. Tu sais comment il est attaché à son argent, et subitement, il agit comme si ça n'avait plus d'importance. Après ta discussion avec lui, tu dois en savoir plus que moi.

— Je lui ai proposé de le rembourser et il a repoussé ma proposition du revers de la main. Je ne comprends pas plus que toi, maman !

— Laisse aller et on verra bien !

— J'aurais vraiment le goût d'aller voir Monique, mais je sais que ce n'est pas la chose à faire. Je n'aime vraiment pas la tournure des événements. Je ne suis responsable de rien, n'est-ce pas ?

— Bien sûr que non, que tu n'es responsable de rien ! Arrête d'y penser et ce sera mieux pour tout le monde…

Émile, en finissant de travailler, continua exception-nellement sa route sans s'arrêter chez l'épicier Paré. Il se rendit chez Tessier où Gaston Maynard l'attendait dans l'arrière-boutique en sirotant une bière. Quand Maynard aperçut Émile dans l'embrasure, il se leva.

— Rassis-toi, Gaston ! Pour ce qu'on a à s'dire, vaut mieux être assis. Veux-tu une autre bière ?

— Non, ça va être correct ! J'aime mieux avoir les idées claires pour se dire ce qu'on a à se dire. Tu sais que j'ai manqué une journée d'ouvrage à cause de ce que ton gars a fait au mien ? Il a fallu que j'aille chez le dentiste avec André. Ça y faisait mal en maudit, tu sais ?

— J'pense que ton gars a couru après, Gaston! Qu'est-ce qu'il a d'affaire à toujours s'en prendre à des plus petits que lui? Calcule qui s'en sort ben!

— La connerie de ton gars va coûter cinq cents piastres, *sacrament*! Mon gars a eu les deux palettes cassées dans la gencive, sans parler des autres dents qui les entourent. Ça va prendre un partiel, pis des points de suture pour se refaire une babine qui a de l'allure. Y'est défiguré, *crisse*!

— Dis-toi ben que c'est peut-être mieux qu'ça y arrive aujourd'hui parce qu'à vingt-cinq ans, c'est peut-être mort que tu l'aurais retrouvé ton gars. Là, c'est un p'tit gars qui lui a arrangé la face et que normalement, y ferait pas de mal à une mouche. Y fallait-tu qui soit tanné pour qu'il lui pète la gueule avec une bouteille?

— Qu'est-ce que t'en sais, toi, Robichaud?

— Rien! Mais j'ai quelques-uns d'mes gars qui se seraient pas contentés d'y péter la gueule, si tu vois ce que j'veux dire…

— En attendant, j'ai retiré ma plainte parce que tu m'as dit que tu paierais pour les dommages. Je peux te dire que ça va coûter pas loin de cinq cents piastres cette histoire-là.

— Es-tu en train d'virer fou, Maynard? C'est-tu des dents en or que tu y fais mettre dans la gueule? J'vais payer quand j'vais voir la facture, baptême de *viarge*! Pis, essaye pas de m'fourrer parce que j'vais le savoir. J'pense que je t'ai assez parlé. V'là cent piastres pour montrer ma bonne volonté, pis le reste suivra avec facture à l'appui.

— C'est pas assez ! J'ai déjà payé plus que ça !

— J't'ai dit avec la facture ! T'es-tu sourd ?

— T'as jamais été parlable, Émile. Maudit que t'es dur !

— La vie m'a jamais faite de cadeau à moé non plus !

Gaston Maynard sortit de l'arrière-boutique en furie. Émile trouvait la facture salée, en tout cas, si ce que Maynard disait était vrai. Les dentistes, c'étaient tous des voleurs ! Cela représentait trois mois de salaire ! Seuls les nantis pouvaient payer une telle somme, pensa Émile, en prenant une grosse bière pour faire passer la pilule. Cela ferait un gros trou dans son magot. Il était si dur à gagner ce maudit argent que ce n'était pas facile de s'en départir. Il se demanda si dans d'autres circonstances il aurait accepté de payer, mais Jean-Pierre était un cas spécial. Émile devait prouver qu'il était à la hauteur de ses prétentions de père. Paul aurait-il payé la note s'il l'avait adopté tout de suite après son mariage avec sa fille ?

C'était trop compliqué pour lui de penser à tout ça. Il opta pour une autre bière qui lui changerait sûrement les idées. Il avait d'autres chats à fouetter, car il n'avait pas encore trouvé la responsable des cancans sur Jean-Pierre. S'il se fiait au père Gousy, c'était une femme. Il la trouverait, il en était certain, dût-il y consacrer toute son énergie. Si c'était une femme du clan, il ne pouvait envisager d'avoir une traîtresse dans sa famille. Elle deviendrait son ennemie jurée. Il termina sa bière d'une gorgée et reprit la route vers sa maison. Durant le trajet, son esprit était partagé entre le coût de la bêtise de Jean-Pierre et l'identité de la traîtresse. Il avait l'impression qu'il avait bien négocié avec Gaston Maynard même s'il n'avait fait que l'avertir de ne pas tenter d'abuser de la situation. Il avait mis ses limites et la négociation finale serait plus rude. Il n'avait absolument pas l'intention de payer cinq cents dollars parce que, pour lui, André Maynard était en partie responsable de ce qui lui était arrivé. Il n'avait qu'à ne pas embêter son fils.

# Chapitre 5

Pendant que la famille Robichaud vivait ses drames au quotidien, Jacques était complètement indifférent à ce qu'il considérait comme des tracas qui ne le concernaient en rien. Il aurait préféré n'avoir aucune famille. Il venait d'atteindre sa majorité et travaillait toujours à la Banque CIBC, comme son frère Yvan. Il voulait s'éloigner de sa famille et, à force de menacer de quitter la banque, Yvan lui avait obtenu sa mutation de la succursale de Waterloo pour se retrouver à Ormstown comme son frère, jadis. Yvan, qui tenait à sa réputation plus qu'à toute autre chose, avait fait les pressions nécessaires sur le directeur de secteur. Yvan regrettait désormais d'avoir recommandé son frère. Il ne se rappelait plus pourquoi il avait laissé son jeune frère intégrer l'organisation qu'il vénérait alors que Jacques représentait un risque pour sa carrière. Ce dernier n'avait non seulement aucune reconnaissance, mais il était en plus une menace. Il représentait pour Yvan ce que les anglophones appelaient un *loose cannon* (une menace permanente qui pouvait faire feu à tout moment, dans toutes les directions).

Grâce à son intelligence supérieure, Jacques excellait dans son travail et était bien vu par ses patrons. Tous les soirs, il jouait au poker dans un cercle d'anglophones fortunés, les plumait et buvait sec son cognac. Grâce à ses gains au jeu, il avait pu s'offrir une auto sport britannique, une magnifique MGA de couleur vert bouteille. Quand il descendait à Granby, il avait fière allure au volant de sa décapotable et attirait l'œil de quelques prétendantes. Il n'aimait que les femmes cultivées et en avait rencontré une qui l'attirait plus que les autres. C'était une jeune intellectuelle de gauche et, de surcroît, professeure de français. Il l'avait rencontrée dans un lieu que les jeunes radicaux fréquentaient. C'était la première boîte à chansons de Granby et l'endroit foisonnait d'intellectuels auxquels il s'identifiait. Il y retrouvait d'anciens camarades de classe ou du mouvement scout. La plupart était toujours aux études à l'université, se prédestinant à une profession libérale. Il y avait la droite, composée principalement de fils ou de filles de bourgeois, et la gauche, issue de la classe moyenne et de quelques artistes.

C'était un milieu très politisé qui s'affrontait dans des envolées oratoires et qui n'existait quelques années auparavant que dans les grandes villes comme Québec, Montréal ou Ottawa. Il y avait un grand vent de changement dans l'air. Jacques avait adhéré à un mouvement nationaliste : le Rassemblement pour l'indépendance nationale (RIN), un mouvement citoyen créé en 1960. Il admirait le scientifique Raymond Chaput qui voulait former un parti politique avec son organisation naissante. Il avait convaincu sa petite amie de se joindre à lui pour aller assister à une assemblée qui se tiendrait à Montréal.

— T'es sûre que ça te tente, Françoise ? C'est pas bien grave parce que, sinon, Laurent est partant et je n'ai qu'une deux places.

— Je veux vraiment y aller, mais si tu préfères amener Laurent, c'est correct aussi ! Je peux y aller avec Germain. Il ne refusera pas de m'amener, j'en suis certaine.

— Il te fait les yeux doux, j'ai remarqué ! Non, je préfère que tu viennes avec moi si tu es une vraie partisane, tandis que Germain, je ne suis pas certain que ce soit un vrai partisan. Il est beaucoup plus libéral qu'autre chose ! Moi, j'ai voté pour les rouges parce qu'ils veulent nationaliser l'électricité et puis parce que Marcel Chaput ne se décide pas à former le parti. J'ai beau avoir de l'admiration pour lui, il faut qu'il se décide. C'est pour ça que j'y vais !

— T'es vraiment un mordu !

— Oui, mais on peut sortir dans le Vieux-Montréal après ! Ou on pourrait aller à La Butte à Mathieu à Val-David et se trouver une chambre, si ça te tente… Il y a sûrement un bon spectacle de chansonnier, qu'en penses-tu ?

— Difficile de résister à une telle invitation ! C'est sûr que j'accepte ! J'ai le goût de faire l'amour depuis au moins deux semaines. C'est ce qui arrive quand tu ne descends pas à toutes les fins de semaine !

— T'as juste à venir à Ormstown, je vais même payer l'autobus. C'est une belle région rurale que j'aurais plaisir à te faire découvrir ! Qu'est-ce que t'en penses ?

— Je n'aime pas l'idée que tu paies pour moi ! Je peux me permettre le transport parce qu'on n'aura pas de chambre d'hôtel à payer. As-tu tout ce qu'il faut pour faire à manger ? Je n'ai pas que des talents au lit, je suis aussi une excellente cuisinière grâce à une famille où il n'y a que des garçons. Je peux nous mijoter de bons petits plats, tu verras !

— C'est à mon tour d'être séduit, Françoise ! Je vais te prendre au mot si tu continues…

— Ça ferait changement de la routine ! Je pourrais dire à ma mère que je m'en vais visiter une de mes amies qui était avec moi à l'école normale !

— Tu mentirais à ta mère pour coucher avec un vulgaire petit comptable de banque ?

— Quand le vulgaire petit comptable de banque me fait l'amour comme un dieu et qu'il est fou comme un balai ! Pourquoi pas ?

— T'es une vraie coquine, le sais-tu ?

— Juste une coquine ?

— Je peux ajouter une maîtresse et une coquine, si tu préfères ?

— Tu m'en reparleras quand j'aurai passé un week-end avec toi. Tu trouveras peut-être d'autres qualificatifs ?

— Peut-être, mais en attendant, est-ce qu'on file vers Montréal pour la réunion, et après ça, Val-David ? Je ne sais pas qui est en spectacle, mais c'est sûrement un bon *show*.

Françoise acquiesça, car Jacques était tout un numéro et ce n'était pas souvent qu'elle rencontrait quelqu'un d'aussi pétillant. Elle ne s'ennuyait jamais avec lui, et de plus, il était beau garçon. Ils partirent en direction de Montréal et assistèrent à l'assemblée où Raymond Chaput annonça son intention de se porter candidat dans Bourget, lors des élections provinciales, alors que le RIN n'avait pas encore pris la décision de se transformer en parti politique, créant des remous entre le RIN central et lui. Jacques était parmi les plus radicaux des partisans et trouvait déplorable la dissension qui existait au sein de l'organisme. Il croyait qu'il était grand temps de parler d'indépendance, lui qui avait été largement influencé par son expérience de voyage en Gaspésie et dans les provinces maritimes. L'assimilation des francophones avait été un choc décisif dans son orientation politique.

Jacques et Françoise sortirent de cette réunion complètement survoltés. Ils avaient besoin de l'intermède de la route en direction de Val-David pour se calmer. La route 17 traversait l'île Jésus en passant par Cartierville, Chomedey, Sainte-Rose, Sainte-Thérèse, Saint-Jérôme, Prévost, Sainte-Adèle, Val-Morin et, finalement, Val-David. C'était un voyage initiatique pour Françoise qui n'avait jamais mis les pieds dans les Basses-Laurentides et elle trouvait le trajet fascinant et très touristique. Cette région était le cœur du tourisme québécois et les gens fortunés de Montréal avaient souvent une résidence secondaire près des centres de ski.

— Tu aimes ? demanda Jacques.

— J'adore! répondit-elle. C'est très beau et je n'ai pas assez de mes deux yeux pour tout absorber ce que je vois. Quelle belle région!

— On sera bientôt rendu à La Butte à Mathieu et tu verras le beau petit village de Val-David. Beaucoup d'artistes ont commencé à s'installer dans le coin. Je veux t'amener à l'auberge La Sapinière qui est un endroit très chic avec beaucoup de cachet. C'est moi qui régale et je ne veux entendre aucune protestation. D'accord?

— Mais d'où te vient tout cet argent?

— Ça, c'est un secret! Je travaille dans une banque, tu te rappelles?

— Tu n'es qu'un comptable, sapristi! Pas le président.

— À vrai dire, je le vole! C'est une blague… En réalité, je le gagne au jeu, et disons que je suis pas mal habile!

— Sûrement! Pour te promener au volant d'une MGA flambant neuve. Tu fais un peu Ivy League avec ta tenue de l'Est américain.

— C'est exactement l'effet recherché!

Ils se retrouvèrent devant l'hôtel La Sapinière et s'enregistrèrent sous le nom de monsieur et madame Jacques Robichaud. Pendant qu'ils se rendaient à leur chambre sans aucun bagage, Françoise ne put s'empêcher de pouffer de rire face au ridicule de la situation. Il valait mieux prendre à la légère toutes les obligations de cette société dominée par le clergé. Ils étaient adultes tous les deux et étaient obligés de mentir pour pouvoir faire l'amour. Aussitôt la porte refermée, c'est ce qu'ils firent. Jacques la renversa sur le lit, l'embrassa tout en lui palpant les seins qu'elle avait volumineux. Elle ne se fit pas prier longtemps et se mit à détacher le pantalon de Jacques pour le caresser avec ardeur. Les deux amants étaient impatients de se débarrasser de tous leurs vêtements et de se caresser passionnément. Était-ce la réunion politique à laquelle ils avaient assisté qui avait surchauffé leur esprit? L'étreinte fut brève et se termina dans un éclat de rire.

— Ouf! C'était urgent, mais on se reprendra après le spectacle. Qu'en penses-tu, ma jolie fleur?

— L'exercice intense m'a ouvert l'appétit, pas toi? Et, oui, je suis partante pour qu'on remette ça à plus tard. Je me contenterais même de manger juste un peu et de refaire l'amour toute la soirée.

— Là, Françoise! Tu deviens trop gourmande. On n'a pas fait tout ce chemin pour ne pas aller voir le spectacle! Et dire qu'on nous met ça sur le dos, nous les hommes, de ne penser qu'au sexe… Tu es l'exemple vivant que ce n'est que de la foutaise! Qu'en penses-tu, ma jolie?

— Je suis de la génération qui prend sans demander! Est-ce que ça te dérange?

— Au contraire, j'adore! Quand je pense à ma mère ou même à mes sœurs, jamais elles n'auraient osé agir comme tu le fais. Elles auraient bien trop peur de se faire traiter de salopes. À bas le clergé! Vive la liberté!

— Et dire que c'est par le biais de la jeunesse étudiante chrétienne que j'ai commencé à m'émanciper! Tu imagines? C'est une vraie révolution qui se prépare au Québec. As-tu déjà lu le roman de Jack Kerouac *On the Road*? C'est lui qui m'a montré le chemin pour rejeter les valeurs traditionnelles qui m'étouffaient. Il disait que faire l'amour était le chemin qui menait au paradis. Qu'en penses-tu? demanda Françoise.

— Je connais, mais il n'était pas assez politisé à mon goût! J'ai été plus marqué par John Steinbeck avec son roman *Les raisins de la colère*. Ça me parlait beaucoup plus avec toute la misère et la solidarité qu'il exprimait. Il a eu un prix Pulitzer pour ce roman. Le savais-tu?

— Non! Mais prenons une douche rapide et allons souper! Qu'en penses-tu, Jacques?

— Allons-y!

Ce soir-là à La Butte à Mathieu, Raymond Lévesque était en spectacle. La salle était pleine de partisans engagés qui rêvaient de créer un pays. Ses monologues attisaient la flamme nationaliste de l'assistance, et Françoise était aussi survoltée que son amoureux. Les chansons s'enchaînaient: «Les trottoirs», «Le *chum* à maman», «Quand on a du foin », « Les *beans* à m'lasse » ; « La vénus à Mimile » fit sourire Jacques, qui pensa à son père. Évidemment « Quand les hommes vivront d'amour », cette chanson de ralliement, fit lever la salle dans une acclamation à tout rompre. La soirée se termina et ils retournèrent à l'hôtel où ils firent l'amour de nouveau. Ils s'endormirent étroitement enlacés, rassasiés autant physiquement que psychologiquement. Au réveil, Françoise, qui semblait insatiable, réveilla Jacques avec des caresses qui ranimèrent l'ardeur de son amoureux, et leur fougue charnelle s'exprima de nouveau au point de déranger les clients des chambres voisines.

— Quelle belle fin de semaine ! Je recommencerais tout le temps… Pas toi ?

— Évidemment ! répliqua Jacques. C'est le bonheur, le nirvana ! Mais toute bonne chose a une fin, et ce soir, il faut que je retourne à Ormstown, et toi, tu retrouves tes élèves demain matin. Comme le disait Raymond hier, quand on a du foin toute va ben… mais je ne te laisserais pas faire le trottoir comme sa blonde.

— T'es bien mieux, mon salaud ! Je ne suis pas une pute parce que je fais l'amour avec toi. D'ailleurs, tu es le seul à avoir ce privilège.

— Qu'est-ce qui arrive avec le beau Serge ?

— Il est en réserve au cas où tu ne serais pas à la hauteur de mes attentes.

— Oh! Madame a des attentes? Pourrais-je en connaître la teneur?

— Ça, c'est mon secret! Mais disons que tu t'es surpassé au-delà de mes attentes ce week-end, même que je serais volontaire pour te rejoindre à Ormstown quand tu le voudras.

— Affaire conclue! Je t'attends vendredi soir prochain au magasin général qui sert de terminus à Ormstown. En attendant, allons prendre le petit-déjeuner. Tu m'as ouvert l'appétit, et après, on retourne à Granby, à moins que tu me réserves encore quelques surprises comme ce matin…

— Calme-toi, espèce de vieux satyre! Gardons quelques réserves pour le prochain week-end, si tu veux bien. Tu en auras besoin, je te le promets.

— Comme le disait René Lévesque, il n'y a pas longtemps en parlant de l'électricité, c'est de l'énergie renouvelable, et ce n'est pas les Anglais qui ont le contrôle de ma centrale…

Après le petit-déjeuner, ils prirent la route du retour en évoquant le plaisir qu'ils avaient eu durant cette brève escapade. Tous deux avaient sur les lèvres le sourire espiègle de ceux qui viennent de réussir un coup pendable. Ils avaient le rire facile en se remémorant le bruit de leurs ébats et la mine déconfite du directeur de l'hôtel quand il était venu frapper à leur porte. Jacques la laissa au coin de la rue près de chez elle, voulant éviter l'inquisition des parents de Françoise. Il se dirigea par la suite vers la rue Sainte-Rose pour ramasser ses bagages et saluer sa mère avant de repartir vers Ormstown.

— Bonjour, m'man !

— Mon Dieu ! Veux-tu bien me dire où tu étais passé ? J'étais très inquiète, je craignais le pire…

— Voyons, m'man, tu devrais être habituée depuis le temps que je te fais le coup !

— Un cœur de mère s'inquiète toujours, surtout que tu ne m'avais pas avertie ! Où étais-tu passé, ma foi du Saint-Ciel ?

— M'man, tu te répètes ! Et j'ai plus de vingt-et-un ans, tu te rappelles ?

— On vit toutes sortes de difficultés ici et tu ne t'en préoccupes même pas.

— Je vis ma vie comme je l'entends et vos problèmes familiaux ne me concernent en rien, comprends-tu ?

— Pourquoi es-tu aussi méchant, aussi sans-cœur ?

— Je ne suis pas méchant, m'man, mais je ne me sens pas concerné par les problèmes de Gérard, de Marcel ou d'Yvan. Ça ne m'intéresse pas, c'est tout ! Est-ce si difficile à accepter ou à comprendre ?

— Tu es vraiment trop égoïste, Jacques !

— Est-ce que c'est une question de vie ou de mort ? Non ! Alors, j'ai assez de vivre ma vie sans commencer à me préoccuper de la leur. Je ne viendrai pas la fin de semaine prochaine parce que j'ai des obligations à la banque et que je vais travailler tout le week-end.

— Pourrais-tu me dire ce que nous t'avons fait pour être aussi insensible à notre égard ?

— Regardez-vous, m'man, et tu comprendras que je n'ai pas le goût de vivre dans le mélodrame tout le temps. Il y a de plus grands enjeux qui ne vous préoccupent même pas. L'avenir du pays par exemple ? Le fait français ? Est-ce que ça intéresse un seul membre de la famille ? Bien sûr que non ! Ils sont trop préoccupés à se regarder le nombril et à me traiter de fou aussitôt que j'émets une idée politique. Ils n'ont pas de respect pour moi et je n'en ai pas pour eux. C'est aussi simple que ça !

— Oh, va-t'en donc, tant qu'à me faire de la peine !

— Je pense que tu t'en fais trop pour tout le monde, m'man. Ça ne vaut pas la peine…

— On en reparlera quand tu auras des enfants et qu'ils auront des tracas… En attendant, va-t'en !

Sans ajouter une parole, Jacques monta à l'étage et ramassa son sac qu'il avait à peine défait. Il espérait ne pas avoir été trop dur avec sa mère, mais il ne pouvait pas faire autrement. Il ne voulait pas être entraîné dans ces interminables histoires de famille. Il ne se sentait vraiment pas concerné. Il ne les avait pas choisis et avait vu suffisamment de discordes à travers les années pour être dégoûté à tout jamais de cette promiscuité. Il redescendit et embrassa sa mère sur les cheveux.

— *Bye*, m'man !

Lauretta ne lui répondit pas, trop frustrée pour le moment d'avoir un tel fils. Elle essayait de comprendre son comportement, mais n'y parvenait pas. Elle se demanda si quelqu'un de sa famille pouvait avoir des traits de caractère semblables, mais ne trouva personne. Par contre, si elle regardait du côté des Robichaud, c'était assez facile de savoir de qui tenait son fils. Elle n'avait pas à se creuser les méninges bien longtemps. Émile avait cette suffisance innée sans avoir néanmoins les connaissances de son fils. C'était même cet aspect de sa personnalité qui l'avait séduite en tout premier lieu et qui, par la suite, l'avait perdue à tout jamais. Pourquoi les femmes étaient-elles si attirées par les mauvais garçons ? Était-ce purement animal, la recherche du reproducteur qui dominait la meute ? Lauretta payait depuis plus de trente-six ans son erreur de jugement. Elle aurait pourtant pu s'en rendre compte au premier coup d'œil.

Émile, pour sa part, avait finalement trouvé un terrain d'entente avec Gaston Maynard en bataillant bien sûr sur le montant de la facture finale du dentiste. Il prétendait que la prothèse dentaire était beaucoup trop chère. Ils s'étaient rencontrés une nouvelle fois et l'offre d'Émile avait été finale. Gaston n'était pas très content.

— Émile, tiens, la v'là la facture finale du dentiste !

— J'ai pas mes lunettes. Dis-moé combien ça coûte !

— Ça coûte trois cent quatre-vingt-cinq piastres au total, pis vu que tu m'as déjà donné cent piastres, y reste deux cent quatre-vingt-cinq piastres à me payer.

— Trop cher !

— Comment ça trop cher ? C'est le prix que ça a coûté, *batinse* ! Commence pas à m'*gosser* parce que l'entente était que tu payais le total !

— J'ai dit que j'payerais, mais j'ai jamais dit que j'payerais le total !

— T'as menti, Robichaud, mon *crisse* ! Tu vas payer, je t'en passe un papier.

— Tu m'traites-tu de menteur, mon gros baptême ? J'ai pas peur d'le dire, j'vais t'faire ravaler tes paroles ! T'as beau être deux fois plus gros que moé, j'ai jamais eu peur d'un homme !

Émile attrapa son adversaire par le collet et serra tellement fort que Gaston Maynard devint écarlate. Émile eut peur, car il craignait que Maynard soit cardiaque. Il était gros et grand, mais beaucoup trop gras pour être en santé. Il était à peu près du même âge qu'Émile, soit autour de soixante-cinq, soixante-six ans. Ce n'était plus un âge pour se battre physiquement. Émile relâcha sa prise et Maynard put respirer un peu mieux, mais il gardait son teint écarlate tellement il avait eu peur. Gaston trouvait ridicule de régler un différend en utilisant la force. Il n'aurait pas dit non à trente ans et croyait qu'il aurait même pu donner une leçon à ce petit avorton de Robichaud, mais c'était en d'autres temps…

— J'vais t'donner deux cents piastres! C'est à prendre ou à laisser, pis c'est très bien payé. Si t'avais pas appelé la police, j't'aurais pas donné une cenne parce que ton gros lard a juste eu ce qu'il méritait. Tu l'prends-tu ou tu l'prends pas?

— T'es un danger public, Robichaud, mais un beau jour, tu vas payer pour ton orgueil de fanfaron! Avise-toi jamais de m'frapper parce que tu vas faire la manchette des journaux. J'vais te traîner en cour, vieux fou!

— V'là ton deux cents piastres, pis ferme ta gueule! J't'ai-tu touché? demanda Émile en voyant Gérard Tessier apparaître dans l'entrebâillement de la porte de l'arrière-boutique. Gérard! T'es témoin que j'y ai donné deux cents piastres?

— Qu'est-ce que c'est que ces histoires-là? Je vous permets de boire votre bière dans le *back-store*, c'est pas pour vous battre, sinon, je vais tout arrêter ça là. Vous irez la boire ailleurs votre bière, *calvâsse*!

— C'est juste un p'tit différend, Gérard! J'suis toujours ben pas pour m'laisser faire pis d'me laisser voler en plein jour? Qu'est-ce que t'en penses?

— Écoute, Émile, j'veux pas me mêler de vos affaires, mais si vous avez des choses à régler, j'aimerais mieux que ça se fasse ailleurs qu'*icitte*. Ici, c'est un commerce, pis je sers des clients tout le temps. Si madame Brodeur rentre ici pis qu'elle entend crier dans le *back-store*, je suis pas certain qu'elle va revenir… Comprenez-vous, tous les deux ?

— C'est fini, Gérard ! Ça n'arrivera plus, répondit Émile.

— OK ! Je retourne en avant dans le magasin. Arrangez-vous donc pour vous entendre, vous n'êtes plus des enfants, *calvâsse* !

Émile vida sa bière d'une traite et sortit en lançant un regard noir à Gaston Maynard. Il avait glissé deux cents dollars de sa liasse dans la poche de chemise de Gaston avant de partir. En faisant cela, il venait d'épargner quatre-vingt-cinq dollars ou l'équivalent de deux semaines de salaire. Il avait réglé ses comptes, comme toujours à sa manière, et se sentait déjà mieux, même si cela lui en avait coûté trois cents. Il était temps de tourner la page et de revenir à sa préoccupation première qui était de débusquer la traîtresse qui avait dévoilé le plus grand secret des Robichaud. Elle paierait pour toutes les autres.

Jacques était retourné au travail après sa fin de semaine avec Françoise et la réunion du RIN. Dès son retour, il apprit la promotion d'un de ses confrères qui n'avait pour seule qualification que le fait d'être anglophone. Cela le rendit amer et il était outré par les privilèges accordés aux anglophones au détriment des francophones au sein de la banque. Était-ce à cause de ses principes idéologiques et de sa croyance dans le fait français? «À talent égal, opportunité égale» était devenu son slogan quotidien, au grand dam de son frère Yvan, qui voyait bien que son jeune frère se radicalisait de plus en plus. Mais selon Yvan, Jacques avait raison d'être outré. C'était lui qui avait sauvé la mise à son confrère à maintes reprises alors que ce dernier commettait encore des erreurs de débutant, il y avait quelques semaines à peine. Yvan avait reçu un appel du directeur de la succursale d'Ormstown qui se plaignait des récriminations de son frère et lui demandait d'intervenir. Jacques devait respecter la politique de l'établissement ou voir son avancement retardé ou carrément annulé. Yvan appela donc son frère pour tenter de l'apaiser.

— Salut, Jacques, c'est Yvan! Comment vas-tu? Tu aimes toujours ton travail à la banque?

— Le travail, ça va, mais leur *crisse* de politique me lève le cœur! C'est comme si on était des citoyens de deuxième classe chez nous. J'ai bien de la misère avec ça…

— Je le sais! Ton directeur m'a appelé pour m'en glisser un mot. Je n'aime pas tellement ça recevoir des appels semblables!

— Il est trop pissou pour m'en parler directement? Tu vois bien que c'est une *gang* de couilles molles. Je n'ai pas l'impression que ma carrière va être très longue dans ce milieu de lèche-culs…

— Tu peux démissionner quand tu veux, mais essaie donc de ne pas faire de scandale. Ne perds pas de vue que c'est moi qui ai poussé pour te faire entrer à la banque ! OK ?

— T'as peur à ton cul ?

— Ce n'est pas une question d'avoir peur à mon cul, Jacques ! C'est quand même notre nom que tu salirais…

— C'est bien ce que je disais ! Tu as peur que je t'éclabousse, hein ?

— La première erreur que j'ai commise, c'est le jour où je t'ai fait entrer à la banque, et je peux te dire que ce sera la dernière fois. Je n'ai pas besoin de fauteurs de troubles pour nuire à mon avancement !

— Pauvre Yvan ! Tu n'as pas encore compris que c'est le plus haut niveau que tu vas atteindre. À moins que tu divorces et que tu remaries la fille d'un *boss* ? À bien y penser, tu es foutu même si tu divorces parce que le divorce, c'est très mal vu par les pontifes…

— Maudit socialiste ! Si j'étais un pontife comme tu le dis si bien, je serais le premier à te foutre à la porte… On n'a pas besoin de gars comme toi dans l'organisation.

— T'es juste un pion ! Continue à marcher au doigt pis à l'œil et tu vas peut-être recevoir une carte de Noël en anglais du président... Bon ! Si c'est tout ce que tu as à me dire, je ferai le message à mon directeur que tu m'as appelé pour me gronder. Salut !

Jacques raccrocha sans même attendre une réponse de son frère. Il savait qu'Yvan voulait faire carrière et garder un dossier exempt de tache. Il avait un peu pitié de lui et peut-être qu'il se retirerait sans faire d'esclandre le moment venu, mais pour l'instant, il n'était pas prêt à quitter la banque. Il appela Françoise chez elle pour lui faire part de la conversation qu'il avait eue avec son frère. Il fut surpris d'avoir le réflexe de l'appeler pour ventiler sa colère. Une semaine plus tôt, il n'aurait jamais osé le faire, mais l'intimité qu'ils avaient vécue durant la fin de semaine les avait rapprochés. Elle sut trouver les mots qu'il fallait pour lui faire comprendre qu'il avait beaucoup d'autres options dans la vie que de travailler dans une banque. Il le savait lui aussi, mais de se le faire confirmer par quelqu'un d'autre lui fit du bien.

— Eille, Françoise ! Je t'attends toujours vendredi soir à Ormstown ?

— Bien sûr ! À moins que tu aies changé d'idée ?

— Non, je n'ai pas changé d'idée ! Je suis même impatient de te revoir. Es-tu certaine de vouloir faire à manger ? On peut s'offrir le restaurant si tu préfères. Ce sera beaucoup plus facile, tu ne crois pas ?

— J'ai le goût de ne pas sortir de ton logis de toute la fin de semaine, ni même de m'habiller d'ailleurs. As-tu peur ?

— Au contraire, ça me réjouit, mais il faudra prévoir la bouffe d'avance dans ce cas-là…

— Assure-toi d'avoir suffisamment de vin et, en arrivant, peut-être une petite visite à l'épicerie. Tout sera parfait !

— Je t'attends et je brûle d'impatience ! Passe une bonne semaine et à vendredi, donc ! Je t'embrasse !

— Moi aussi !

Jacques avait le cœur léger à la perspective de recevoir Françoise chez lui et de passer une fin de semaine à faire l'amour. Il pouvait désormais oublier le désagrément de sa discussion avec son frère Yvan, l'enquiquineur. Il aurait dû poursuivre ses études au lieu de se laisser charmer par le milieu bancaire qui ne menait nulle part. Il en parlerait avec Françoise au cours de la fin de semaine pour avoir son opinion. Elle serait sûrement de bon conseil, elle qui avait fait l'école normale.

# Chapitre 6

Gérard conduisait des camions du Québec vers la Floride, et même occasionnellement jusqu'en Californie. Il aimait beaucoup son travail qui l'amenait à voir du pays, plus particulièrement quand l'hiver approchait. C'était pour lui une évasion salutaire, lui qui fuyait ses responsabilités. Il aurait pu les affronter si sa femme ne s'évertuait pas autant à le contrarier quand il revenait chez lui. Aussitôt qu'il déposait son sac dans le vestibule de son logement, il perdait son sourire, rentrait les épaules en attendant la première agression verbale.

— Si tu penses que je vais faire ton lavage à chaque fois que tu reviens, tu te trompes. Tu as sûrement une maîtresse à quelque part qui pourrait s'en charger ?

— Je le savais que tu me tomberais dessus dès que je mettrais les pieds dans la maison ! Tu peux pas t'en empêcher, hein ? Ma paye ne te suffit pas ? C'est à peine si j'en garde dix pour cent, pis c'est trop.

— J'arrive pas ! C'est pas dur à comprendre…

— *Asteure* que les enfants vont à l'école, tu pourrais peut-être travailler toi aussi ? Qu'est-ce que tu fais de tes journées ? Sûrement pas du ménage parce qu'à chaque fois que je reviens, la maison ressemble à une soue à cochons !

— Si tu n'es pas content, tu sais ce que tu as à faire? Repars avec ton bagage, pis ça fera pas une grosse différence! Ça fait des mois que tu ne m'as pas touchée.

— Penses-tu que j'ai le goût de te toucher quand tu me reçois comme ça? Non seulement tu m'engueules, mais t'es toujours attriquée comme la chienne à Jacques. Je me demande ce que j'ai bien pu penser quand je t'ai mariée. Où elle est celle qui était toujours coquette et sexy? T'as à peine trente ans, mais on penserait que t'es ma mère. Ça peut pas continuer comme ça, je suis ben écœuré!

— Tu fais ben ce que tu veux, mais je vais faire saisir ton salaire, mon écœurant!

— Menace-moi pas, parce que tu vas perdre au change! Je vais entreprendre les procédures de séparation officielle aujourd'hui même. Prends-toi un avocat, pis essaye donc de me saisir. L'argent que je vais te donner, c'est pour les enfants, pis si tu m'empêches de les voir, je te coupe les vivres. C'est clair?

Gaétane était enragée et elle lui lança tout ce qui lui tombait sous la main, de la vaisselle sale qui traînait dans l'évier ou sur la table. Elle voulait le provoquer jusqu'à ce qu'il la frappe, mais Gérard ne l'avait jamais frappée et il évita de justesse tout ce qu'elle lui lançait. Il savait très bien que s'il perdait le contrôle, ce serait lui qui se retrouverait avec une condamnation pour violence conjugale. Il ramassa son sac qu'il venait tout juste de déposer et ressortit aussitôt de chez lui. Il ne savait pas où aller, mais il savait qu'il pouvait toujours compter sur l'hospitalité de sa mère. Tout en sachant qu'il était dans le pétrin, il avait en même temps l'impression de s'être débarrassé d'un poids énorme. C'était bien malheureux pour ses enfants, mais il n'y pouvait pas grand-chose. Ils seraient des victimes innocentes et Gérard souhaitait de tout cœur qu'ils comprennent un jour que la situation était sans issue et qu'il devait tenter sa chance. Il avait droit au bonheur lui aussi, mais ce ne serait pas facile.

Gérard repartit à pied pour que sa femme puisse garder son auto. Sa mère n'habitait pas très loin et marcher lui ferait le plus grand bien pour réfléchir à son futur immédiat. Il se sentait seul au monde, mais il s'était habitué à la solitude durant ses longs voyages. Il se mit à penser qu'il pourrait toujours travailler davantage pour gagner plus d'argent et s'acquitter de ses obligations. En travaillant sans relâche, il réglerait temporairement son problème de logement. Il deviendrait nomade comme beaucoup de camionneurs l'étaient déjà. Oui, sa décision était prise ! Son patron ne demanderait pas mieux que de le faire travailler encore plus qu'actuellement. Il ne savait pas trop comment s'y prendre pour expliquer sa décision de se séparer de Gaétane à sa mère. Il ignorait comment elle réagirait. Il serait le premier des enfants de Lauretta à se séparer de sa femme.

— Bonjour, m'man ! Comment vas-tu ?

— Bonjour, Gérard, c'est de la belle visite. Que me vaut l'honneur ?

— Je reviens d'un voyage en Floride avec une cargaison d'oranges. C'est pas mal plus chaud là-bas qu'ici. Tu devrais y aller une fois dans ta vie pour voir comment ils vivent là-bas. C'est pas le paradis, mais c'est pas loin…

— À ce que je peux constater, tu aimes ton travail !

— J'aime beaucoup ce que je fais et je vois du pays, mais en même temps, Gaétane n'aime pas ça du tout et elle me pique une crise à chaque fois que je reviens. Je suis ben tanné de ça, au point que je pense à me séparer d'elle.

— As-tu pensé à tes enfants ? Ils n'ont pas demandé à vivre ça les pauvres petits.

— Penses-tu que c'est mieux s'ils nous regardent vivre à couteaux tirés tout le temps ? Je les aime, mais je ne suis plus capable d'endurer les critiques permanentes de leur mère. Je ne fais rien de bien, à l'écouter… Pourtant, je lui donne ma paye presque au complet.

— Où est-ce que tu vas vivre ? T'auras jamais assez d'argent pour te payer un autre logis. Qu'est-ce que tu vas faire ? On peut toujours t'héberger temporairement. Sûrement que Jean-Pierre peut te faire une place en haut ! Quand Marcel descend avec sa femme, il leur laisse son lit. Il est bien d'adon !

— Ce serait très occasionnel, parce que j'ai dans l'idée de travailler presque tout le temps.

— Arrange-toi pas pour tomber malade, mais je sais que tu es très travaillant, fort et en santé. Mon Dieu que ça ne va pas bien dans la famille! Quand ce n'est pas l'un, c'est l'autre… Je me demande bien quand tout ça va arrêter!

— Il y en a d'autres qui ont de la misère?

— Yvan m'a appelée pour me dire que Jacques faisait des caprices à son travail et, évidemment, Yvan est inquiet que ça l'éclabousse. C'est quand même lui qui l'a fait entrer à la banque. Je ne sais pas où il a la tête celui-là! Mais Jacques a toujours fait à sa tête!

— Je ne voulais pas t'accabler avec mes problèmes, mais à qui d'autre qu'à ma mère je peux me confier? Excuse-moi, m'man!

— J'aime autant savoir ce qui se passe dans ma famille que de l'apprendre par les autres. J'ai un autre tracas et je suis aussi bien de te le confier. Imagine-toi donc que Jean-Pierre a appris que Monique était sa vraie mère en nous surprenant à jaser, ton père et moi.

— J'avais oublié que c'était le fils de Monique! Ça fait tellement longtemps… Je ne l'ai jamais considéré autrement que comme mon frère. Veux-tu dire qu'il en fait tout un plat?

— Je ne dirais pas ça, mais disons qu'il a été ébranlé par le fait que nous lui ayons caché la vérité pendant si longtemps. Je le comprends, même si c'était pour son bien. Ça revient à ce que je disais tantôt : c'est préférable qu'il l'ait appris de nous plutôt que par des étrangers.

— Et Monique dans tout ça, est-ce qu'elle réagit bien ?

— Justement ! Elle refuse d'en parler avec Jean-Pierre et je ne comprends pas pourquoi. Elle dit qu'elle s'est battue en vain trop longtemps pour obtenir la reconnaissance que Jean-Pierre était son fils et qu'il est maintenant trop tard. Elle a une famille bien à elle avec Paul et ses trois enfants. Elle prétend que personne n'a rien à y gagner et qu'il vaut mieux laisser les choses telles qu'elles sont.

— Je la comprends, m'man ! Elle a raison de ne pas vouloir remuer le fond de la rivière parce que l'eau deviendrait trouble et il y aurait tellement de questions à répondre à tout le monde. Ça pourrait être très dérangeant pour elle et la plupart des membres de la famille. J'en connais un boutte sur la chicane et les racontars…

— Ton père prétend que la rumeur est déjà repartie et que ça viendrait d'une de ses brus ! J'ai beaucoup de misère à croire ça…

— Voyons donc ! C'est dur à avaler. Pourquoi elle ferait ça ? Je crois pas que ça puisse être Gaétane ! Elle a ses défauts, mais je pense pas qu'elle irait bavasser n'importe quoi contre notre famille. En plus, elle a toujours aimé Monique. Ça peut pas être elle, même si elle m'en veut…

— Te rappelles-tu de l'époque où on venait juste d'arriver en ville ? Patrick, et même Marcel, si je me rappelle bien, avaient dû intervenir pour faire taire les mauvaises langues qui racontaient toutes sortes de ragots concernant Jean-Pierre et Monique. Le monde aime ça les potins et salir les autres. Je rajouterais que ce sont les grenouilles de bénitier qui sont les pires.

— Je suis bien d'accord avec toi, m'man ! Les maudites langues sales ! As-tu pensé à quelle vitesse elles vont se faire aller en parlant de moi et de Gaétane ? Je suis bien content de travailler sur la route parce que j'imagine que ça doit être bien tannant de toujours se faire pointer du doigt aussitôt que t'as le dos tourné. Y'en a qui sont assez effrontés pour t'le dire en pleine face.

— Que veux-tu ? Le pire, c'est qu'ils se croient tous bons chrétiens ! Mais toi, en attendant, qu'entends-tu faire ? J'espère que ce n'est pas encore la guerre entre vous deux ?

— C'est pas l'harmonie, c'est certain ! Est-ce que je peux laver mon linge ici, m'man ? Il faudrait que j'aille chercher le reste de mes affaires avant qu'elle les jette à la poubelle, mais si j'y vais seul, j'ai peur qu'elle m'agresse. Je ne voudrais pas que les filles voient ça !

— Il n'y a pas de problème pour ton linge, je vais le laver, ne t'inquiète pas ! Tu peux toujours demander à Patrick ! Il ne travaille pas à tous les jours ces temps-ci et ça lui fera sûrement plaisir de t'aider…

— Je lui laisse mon auto ! Je peux sûrement emprunter une camionnette ou un *pick-up* de mon *boss*. Je vais appeler Pat pour savoir quand il est libre pour m'aider. Il faut aussi que je parle à mon patron pour savoir s'il peut me donner plus d'ouvrage. C'est la meilleure solution pour moi si je veux me sortir la tête de l'eau.

— Si tu as faim, tu peux te servir ! J'ai du roast-beef pour te faire un sandwich et de la soupe. Il faut que je retourne au travail parce que Monique n'a pas pu venir m'aider aujourd'hui. Son plus jeune a un vilain rhume.

Gérard appela Patrick dans l'espoir qu'il puisse l'accompagner chez lui. Il avait trop peur d'affronter Gaétane seul. Elle pouvait devenir violente et il craignait de perdre patience et de ne pas supporter les coups qu'elle tenterait sûrement de lui infliger. La chance était de son côté. Patrick lui répondit qu'il acceptait volontiers de l'aider. S'il pouvait obtenir un véhicule de la compagnie Maislin pour laquelle il travaillait, tous les deux pourraient régler ce problème avant la fin de la journée. Encore là, il fut chanceux et son patron lui prêta une camionnette. Il se rendit au garage en taxi et alla chercher Patrick qui l'attendait chez lui. Gérard n'avait pas beaucoup de biens à ramasser à son ancien logis. Il y avait des vêtements et ses trophées de bowling auxquels il tenait beaucoup. C'était l'essentiel de ses biens personnels, le reste était indispensable au bon fonctionnement d'un logis. Il ne voulait pas dépouiller ses enfants. L'opération prit trente minutes sans l'intervention de Gaétane qui fit semblant de les ignorer. Elle se contenta d'une seule phrase quand ils quittèrent l'endroit.

— Bon débarras, les Robichaud!

Et Gérard ne put manquer l'occasion de lui répondre:

— Pareillement!

Celui-ci était très reconnaissant que Patrick l'ait accompagné. Ça lui avait évité le pire, pensait-il.

— Eille, merci, Pat! Si t'as le temps, j'apporterais mes bagages chez m'man, pis je te paierais une bière à la taverne du Windsor ou du Granby, c'est comme tu veux! Qu'est-ce que t'en penses?

— La plus proche de chez nous, c'est celle de l'hôtel Granby, mais ça n'a pas d'importance. Rapportes-tu la camionnette avant d'aller à la taverne?

— Non! Mon *boss* me l'a laissée jusqu'à demain matin. De toute façon, il faut que je le voie demain! Je veux qu'il augmente mon horaire. À partir de maintenant, je suis toujours disponible pour les longs parcours. J'aime ça au boutte, pis tous mes repas sont payés. J'ai ce qu'ils appellent un per diem, c'est une allocation par jour qui est plus que le montant que je dépense. En principe, ça couvre toutes les dépenses que je peux faire.

— Moi, je serais pas capable d'être sur la route tout le temps. Il me semble que je m'ennuierais.

— J'ai toujours aimé ça conduire, pis je peux rouler seize heures d'affilée. J'arrête pour les repas dans les *truck-stop*, pis pour prendre une douche. Savais-tu ça qu'aux États, ils ont des douches juste pour les truckeurs ? J'me suis fait pas mal de *chums* qui font la même *job* que moi.

— Qu'est-ce que tu fais pour les femmes ? Es-tu capable de t'en passer ?

— Je m'arrange sans ça, mais il y a des prostituées qui se tiennent autour des *truck-stop*. J'ai un *chum* qui les appelle sur son CB et ils se donnent rendez-vous, pis y font ce qu'ils ont à faire. Ils font ça dans la cabine en arrière. Ça coûte moins cher, mais j'ai pour mon dire que je vois pas pourquoi je payerais pour du cul.

— Si t'es capable de t'en passer, c'est autant d'argent à la banque ! On arrive chez m'man. On poursuivra notre conversation à la taverne, si tu veux ?

En moins de deux, ils avaient déchargé les quelques affaires de Gérard chez leur mère à l'étage du haut. Patrick échangea quelques mots avec Lauretta, puis prétexta une urgence pour partir sans tarder. Les deux frères se dirigèrent vers la taverne de l'hôtel Granby. Il était à peine trois heures de l'après-midi et la taverne était pleine de clients. Ils trouvèrent une petite table et Gérard commanda dix *drafts* pour un dollar. Elle était bonne, elle était fraîche et ils engloutirent la première d'un seul trait.

— À ta santé, mon frère! lança Patrick.

— À la tienne aussi, et merci pour le coup de main! Ça n'aurait pas été aussi facile si t'avais pas été là, c'est certain!

— N'importe quelle femme n'aurait pas été très heureuse dans une situation semblable! Mets-toi à sa place. En tout cas, moi, je la trouverais pas drôle si ma femme me faisait la même chose, mais c'est pas de mes affaires...

— T'as raison, Pat! Mais tu vis pas la même affaire que moi... J'aimerais autant ne plus parler de ça, si tu veux bien! J'ai plus le goût de fêter parce que j'ai pris des décisions et je me sens libéré.

— As-tu une maîtresse?

— Je me suis toujours assez ben débrouillé avec ça! Je peux toujours rallumer des flammes au besoin.

— Dis-moi donc, Gérard, y se passait-tu quelque chose entre toi pis la veuve Marquis dans le temps? C'est une maudite belle femme, même encore aujourd'hui pour son âge.

— Ça fait ben longtemps que j'ai pas tourné autour! Elle a presque l'âge de m'man. Elle était en amour avec moi par-dessus la tête. Ça fait au moins quinze ans quand on est arrivé à Granby. C'est depuis ce temps-là.

— Donc, c'était vrai que tu couchais avec elle?

— J'avais seize ans, pis elle était comme une chatte en chaleur. Ç'a été ma première, et sûrement la meilleure de toutes.

— Je m'en doutais, maudit chanceux! Dis-moi donc, qu'est-ce que tu vas faire avec tes filles?

— J'peux pas *scrapper* ma vie parce que j'ai des enfants. Elles seront pas plus heureuses parce que j'suis là. Au contraire! Je serais tellement malheureux que j'déteindrais sur elles. Tu ne comprends pas? Je ne veux plus parler de ça, Pat!

— Tu fais ce que tu veux de ta vie, Gérard, mais pour moi, mon gars, c'est très important! Pis là, j'arrête! Change d'air et prenons une autre bière à ta santé et à ta nouvelle vie, et surtout, à tes nouvelles aventures…

— Coudonc! Tu me cherches-tu?

— Ben non, j'viens de t'proposer un toast! Envoye, j'te niaise pas *pantoute*! Envoye, lève ton verre!

— Santé! lança Gérard, pas vraiment convaincu que la réplique de son frère n'avait pas un fond de sarcasme.

— J'ai trente ans, bientôt trente-et-un et je pense qu'il est temps pour moi de lever l'ancre et de vivre autre chose avant qu'il soit trop tard.

— Moi, je n'ai que vingt-sept ans et j'aime mon métier de menuisier. C'est bien payé, et l'hiver je peux travailler au noir, continuer à trapper, pis à retirer mon chômage sans me faire écœurer. Ma femme travaille à temps plein. Qu'est-ce que tu veux de plus ? Moi, j'suis pas le gars pour aller vivre ailleurs comme Marcel. J'aime ben trop Granby, pis le bois pour ça !

— Eille, Pat ! Changement d'à-propos, as-tu entendu parler de l'histoire de Jean-Pierre pis de Monique ?

— Non ! Qu'est-ce qui se passe ?

— Il semblerait qu'une des belles-sœurs se serait ouvert la trappe pour déblatérer sur nos histoires de famille. Là, Jean-Pierre sait que sa vraie mère, c'est Monique. Il aurait surpris p'pa pis m'man à parler de la rumeur qui circulerait à propos de lui pis Monique. Au moins, y'est déjà au courant !

— Es-tu sûr que c'est vrai cette histoire-là concernant Monique ? Moi, j'y ai jamais cru que Jean-Pierre c'était son fils. J'ai même donné des claques sur la gueule à quelques gars au sujet de ça, pis t'es en train d'me dire que c'est vrai ? J'ai mon voyage ! Comment ça se fait que tu sais que c'est une des belles-sœurs ? Ça pourrait être ta femme ou la mienne, ou celle de Marcel ou d'Yvan ? J'ai ben de la misère à croire ça…

— Tu l'savais pas ? En ce qui concerne la source du commérage, apparemment que c'est p'pa qui a trouvé ça ! Mais demande-moi pas comment y'en est arrivé à cette conclusion-là, je l'sais pas !

— Moi j'te l'dis, Gérard ! Si j'découvre c'est qui la langue sale, elle va passer un mauvais quart d'heure. J't'en passe un papier! Ça pourrait pas être ta femme? Elle a toutes les raisons de nous haïr après ce que tu viens de lui faire.

— Wow, Pat! La rumeur est partie ben avant aujourd'hui. Ça m'surprendrait ben gros! Monique a toujours été d'son bord, même avant que j'la marie. Rappelle-toi!

— T'as raison, mais j'pense qu'on ne doit pas éliminer personne de prime abord… Qu'est-ce que t'en penses, Gérard?

Ils burent toute la bière et Patrick en commanda une nouvelle tournée. Après les avoir toutes ingurgitées, ils étaient passablement ivres. Le fruit ne tombe jamais loin de l'arbre… Patrick invita son frère à le contacter quand il serait de passage à Granby pour un souper ou un coucher. Gérard apprécia l'invitation de son frère. Il pourrait éventuellement s'en servir si jamais il ne trouvait pas à se loger, et de plus, il s'entendait bien avec sa belle-sœur Thérèse. Son frère et lui étaient désormais des amis. Patrick avait mûri et Gérard aussi. Ils étaient après tout pères tous les deux. Après avoir reconduit Patrick, il se dirigea vers la maison familiale juste à temps pour le souper.

Jean-Pierre était dans sa chambre en train de faire ses devoirs et son père se berçait en attendant que sa femme les invite à passer à table. Lauretta avait prévenu Émile et Jean-Pierre que Gérard passerait du temps à la maison à l'occasion et personne ne fut surpris. Tout le monde se rappelait ses querelles passées avec Gaétane et s'imaginait que ce n'était que temporaire. Il s'installerait dans la pièce servant de vivoir à l'étage. Le père et le fils avaient passablement bu et Lauretta haussa les épaules en le remarquant.

— T'as encore d'la misère avec ta femme ? lui demanda son père.

— Là, c'est plus que d'la misère ! J'me sépare.

— Tu t'sépares ?

— Oui, j'me sépare, et j'ai même sorti mes effets personnels avec Pat après-midi. Inquiète-toi pas pour moi, j'resterai pas longtemps ici ! Juste le temps de m'organiser… J'veux faire plus de transport longue-distance pour pouvoir continuer à payer pour les enfants.

— C'est toi qui sais, mon gars, mais se séparer aujourd'hui, c'est ben mal vu !

— Vaut mieux se séparer que d'vivre une vie de malheureux, p'pa !

— Moi, j'aurais jamais fait ça ! Dans mon temps, ça s'faisait pas, un point c'est toute…

— Émile ! Veux-tu le laisser tranquille avec tes histoires ? Ne m'oblige pas à parler de sujets que je ne veux pas aborder… rétorqua Lauretta.

Émile sentit qu'il avait intérêt à se taire s'il ne voulait pas réveiller de vieilles blessures. Il avait réussi à se hisser hors du gouffre où il avait passé les quinze dernières années, et il n'avait pas l'intention d'y replonger. Il se contenta, pour affirmer son désaccord, de cracher le jus de sa chique dans son crachoir avec force. Il n'avait pas encore retrouvé le droit de parole dans sa maison sans certaines restrictions. Émile fulminait. Lauretta donna le signal que le souper était prêt en invitant Jean-Pierre à descendre.

Ils mangèrent en silence et, aussitôt le repas terminé, chacun retourna à ses activités, à l'exception de Jean-Pierre qui aida sa mère à essuyer la vaisselle. Gérard monta à l'étage pour s'étendre sur le divan et ne tarda pas à s'endormir. Émile descendit dans la cave comme à son habitude, et Lauretta retourna à sa couture après avoir rangé les restes du souper. À neuf heures, tout le monde dormait. Gérard se réveilla le premier et alla déjeuner dans un petit casse-croûte avant de se rendre au travail. Il exposa son problème à son patron et ce dernier, comme prévu, lui proposa de lui donner plus de longs trajets. Il pourrait partir dès le lendemain pour la Californie en faisant quelques arrêts en cours de route pour livrer la marchandise qu'il transportait. Il serait parti pour près de dix jours, si tout allait bien.

Patrick était rentré chez lui après sa sortie avec son frère Gérard. Il était passablement éméché et Thérèse était déjà de retour de sa journée de travail qui se terminait à trois heures. Il lui raconta son après-midi dans le détail sans omettre la fuite sur le secret de Jean-Pierre et de Monique. Thérèse devint cramoisie en l'écoutant raconter son histoire.

— Qu'est-ce que t'as, Thérèse? T'es toute rouge!

— C'est un coup de chaleur! Je ne sais pas ce que j'ai, mais j'ai eu la même chose à la *shop* ce matin. Ça me fait penser aux bouffées de chaleur de ma mère qui est en pleine ménopause, mais ça ne peut pas être ça, je suis beaucoup trop jeune…

Thérèse savait que la rumeur qui circulait à propos de Jean-Pierre et de Monique venait d'elle. Elle se sentait prise au piège et elle espérait que Nicole n'arriverait pas à la conclusion que c'était elle la coupable. Si Patrick l'apprenait, elle aurait droit à tout un sermon. Elle espérait de tout cœur que Nicole en ait parlé à d'autres. Si c'était le cas, elle pourrait s'en tirer… Avoir la famille Robichaud à dos était la dernière chose qu'elle souhaitait. Ils étaient rancuniers et elle n'avait pas du tout envie de goûter à leur médecine. Devait-elle avouer à son mari qu'elle l'avait su par l'entremise de Nicole pour essayer de dissimuler sa culpabilité? Après tout, c'était Nicole la vraie coupable. Elle n'avait qu'à tenir sa langue après tout. Il fallait qu'elle réfléchisse à la meilleure approche et, surtout, au moment le plus propice pour en parler à Patrick. Il pouvait être explosif par moment. Elle devait l'amadouer.

— Qu'est-ce que tu aimerais manger pour souper, mon chéri? Je peux te faire ce que tu veux, c'est à toi de décider! À moins que tu préfères des caresses comme entrée… Qu'en dis-tu?

— Qu'est-ce qui te prend soudainement, Thérèse? As-tu des chaleurs ou t'es en chaleur? Qu'est-ce que tu fais du p'tit?

— Il est chez ma mère et je suis sûre que ça ne la dérangera pas de le garder une p'tite demi-heure de plus. Ça te tente-tu?

Thérèse joignit le geste à la parole en défaisant sa ceinture. Elle releva sa robe et s'assit sur lui à califourchon. Patrick ne résista pas bien longtemps à de telles avances. Tous deux se laissèrent glisser dans un tourbillon de plaisir. Quinze minutes plus tard, c'était déjà terminé. Était-ce le sentiment de culpabilité ou son côté rustre qui la fit décoller vers un orgasme d'une rare intensité? Elle n'aurait su le dire, mais elle avait tout oublié et s'était convaincue que c'était Nicole la vraie coupable. Pour enlever toute ambiguïté à son jugement, elle lui prépara son repas préféré et effaça ainsi jusqu'au souvenir de sa bêtise.

Nicole, au même moment, s'inquiétait pour l'enfant qu'elle portait. Elle avait de nouveau rencontré son médecin et il n'avait pas réussi à la rassurer. Ses consœurs de travail, par contre, étaient parvenues à l'effrayer suffisamment pour qu'elle demande un retrait préventif que son médecin lui accorda sans hésitation. Depuis, elle ne cessait d'épier les moindres signes vitaux et le moindre mouvement du fœtus la rassurait momentanément. Elle trouvait que Serge n'agissait pas normalement avec elle. Savait-il quelque chose qu'elle ignorait à propos de leur bébé ? Était-ce son instinct ou sa paranoïa qui dictait sa conduite ?

Pour se changer les idées et faire un peu d'exercice par la même occasion, elle décida d'aller rendre visite à sa sœur Monique. Si quelqu'un pouvait la rassurer, c'était bien elle, et même plus que sa mère. Elle l'appela pour s'assurer qu'elle ne la dérangerait pas.

— Allo, Monique ! C'est ta sœur préférée qui a besoin de conseils ; j'avais pensé me rendre chez toi, mais je ne veux pas te déranger !

— Ben non, Nicole ! Tu sais bien que tu ne me déranges jamais. C'est loin de chez toi à ici. Es-tu sûre que ce n'est pas trop dans ton état ? À bien y penser, ça m'a toujours fait du bien durant mes grossesses de prendre des longues promenades, en autant que tu ne marches pas trop vite.

— Dans ce cas-là, je serai chez toi dans une trentaine de minutes en prenant mon temps. On est chanceux cette année avec l'hiver qui tarde à venir. Tant qu'à moi, il pourrait arriver à Noël et se terminer aux rois !

— Je t'attends, Nicole, et prends ton temps pour t'oxygéner les poumons. Il me semble que ça me ferait du bien à moi aussi. La prochaine fois, c'est moi qui irai chez toi, si tu es d'accord.

— Mon logis n'est pas aussi beau que ta maison, mais c'est quand même douillet. Je mets mon manteau et j'arrive.

— Je suis en train de faire des tartes ! Elles vont être bien chaudes et délicieuses, je te le garantis. On en prendra une pointe avec un bon thé bien chaud. Qu'est-ce que tu en penses ?

— J'arrive !

Nicole mit son manteau, son chapeau, son foulard et ses gants, puis elle sortit. L'air était frais, mais le soleil était chaud et le ciel sans nuages. Les feuilles jonchaient le sol et quelques vieux raclaient leurs parterres. Le sol ainsi sollicité par les râteaux métalliques exhalait une odeur de terre et d'humus. Il fallait terminer le travail avant la première neige. Elle ne savait pas pourquoi elle était si introspective soudainement, mais c'était un sentiment agréable qui l'habitait avec douceur. Elle observait avec une attention particulière les quelques espèces d'oiseaux qui affronteraient la froide saison tout comme elle. Elle marchait lentement comme si elle flânait sans but précis et, pourtant, elle avait hâte de revoir sa grande sœur qu'elle avait tant enviée parce qu'elle avait des enfants. Ce serait bientôt son tour d'être mère, comme si c'était le couronnement, le but ultime de sa vie. Déjà rendue sur la rue Robinson, elle put apercevoir l'épicerie Tessier.

Nicole était presque arrivée chez Monique quand elle ressentit une douleur vive qui lui déchira le ventre. D'instinct, elle y posa les mains pour soutenir son bébé. Elle s'arrêta sur le trottoir et n'osa faire un pas de plus. Puis, la douleur disparut aussi soudainement qu'elle était venue. Après quelques instants, elle avança à pas prudents, craignant que la douleur revienne sournoisement. Elle se rendit alors compte qu'elle était en sueur. Elle détacha quelques boutons de son manteau et se fit de l'air avec son foulard. Une fois rassurée, elle accéléra un peu sa cadence, tout en restant attentive au moindre symptôme inquiétant. Elle avait hâte d'arriver chez Monique et de s'asseoir. Elle était pétrifiée, et le ciel semblait se couvrir comme si c'était un signe, un avertissement, un mauvais présage. Enfin, elle était parvenue sur le perron de sa sœur.

Monique la vit arriver et remarqua que quelque chose n'allait pas chez Nicole à sa façon d'être. Elle s'empressa de lui ouvrir la porte.

— Qu'est-ce que t'as Nicole ? On dirait que tu as vu un fantôme.

— Je m'en venais tranquillement vers chez toi en appréciant la nature quand tout à coup j'ai ressenti une vive douleur au ventre. C'est comme si c'était mon bébé qui ressentait cette douleur, mais je l'ai ressentie violemment. Je ne peux pas t'expliquer parce que ça n'a duré qu'un bref instant, mais c'était le bébé qui souffrait, j'en suis sûre.

— Calme-toi, Nicole ! On ressent toutes des douleurs qu'on ne peut expliquer durant nos grossesses. Il ne faut pas paniquer, mais plutôt chercher à déterminer la source de la douleur. Tu penses que c'est ton bébé, mais ça peut être un simple mouvement, un gigotement du bébé qui se cherche une position plus confortable et qui donne un coup à un de tes organes.

— J'ai vraiment eu peur, Monique! Je suis certaine qu'il y a quelque chose de pas normal qui s'est passé. C'est une intuition de mère peut-être, mais je suis très inquiète quand même.

— Je ne sais pas quoi te répondre, Nicole. Tu te rappelles quand j'étais enceinte de Maxime et que j'ai dû garder le lit pendant deux mois? Ce n'était pourtant pas mon premier bébé. Après ça, j'ai eu Martine et Michel sans aucun problème. Vérifie donc si tu n'as pas eu de perte à la suite de ta douleur.

— Tu as raison! J'ai envie d'uriner. Je vérifierai en même temps le fond de ma petite culotte.

Nicole se dirigea vers la salle de bain et revint catastrophée à peine quelques instants plus tard.

— Je veux voir un médecin tout de suite! J'ai des pertes noires, je n'ai jamais eu ça auparavant. Je ne sens plus mon bébé, Monique! J'ai vraiment peur qu'il soit mort! s'écria Nicole en pleurant à chaudes larmes, complètement terrorisée.

— Calme-toi, Nicole, ça ne sert à rien de paniquer! Appelons ton médecin, donnons-lui tes symptômes et laissons-le juger de la gravité! Peut-être qu'il te dira que ce n'est rien et qu'il n'y a pas lieu de s'inquiéter, d'accord?

Monique composa le numéro du médecin. Elle lui expliqua la situation et surtout l'inquiétude de sa sœur. Il voulut lui parler et Monique tendit l'appareil à Nicole. Au fur et à mesure qu'elle discutait avec son médecin, Monique constata que sa sœur se détendait. De toute évidence, il avait su se faire convaincant. Nicole prit rendez-vous pour le lundi suivant. À peine deux jours à attendre pour en avoir le cœur net, c'était acceptable. Elle remercia le médecin et coupa la communication. Elle parvint à sourire, un peu gênée de s'être affolée.

— Mon docteur a dit que c'était fréquent d'avoir des pertes foncées parce que c'est un caillot qui est descendu à cause de ma marche. C'était peut-être un peu trop d'exercice, mais il veut me voir lundi. Viendrais-tu avec moi, Monique? Je ne me sens pas totalement rassurée, et je ne veux pas que Serge manque des heures d'ouvrage pour mes niaiseries.

— Ce ne sont pas des niaiseries, Nicole, et j'espère qu'il ne pense pas comme ça! Rassure-toi, je demanderai à maman si elle peut se passer de mes services pendant quelques heures lundi. C'est à quelle heure ton rendez-vous?

— À dix heures!

— Il n'y aura pas de problème, j'en suis certaine, surtout quand je lui dirai que c'est pour t'accompagner chez le médecin. Changement de sujet, il faut que je te raconte ce qui se passe dans la famille. Imagine-toi donc que Gérard se sépare officiellement de Gaétane. Pauvre elle! Je ne sais pas comment elle va s'en sortir. C'est peut-être mieux pour eux, mais les enfants dans tout ça ?

— C'est vrai que les enfants n'ont pas demandé de vivre la séparation de leurs parents. Les pauvres filles…

Elles continuèrent à se raconter les derniers potins qui concernaient la famille Robichaud. Que Jacques pensait à quitter la banque selon Yvan qui, lui, était dans tous ses états. Monique trouva même le courage d'aborder le sujet qui la tracassait tant : Jean-Pierre. Mais elle ignorait que son histoire était au cœur même des potins qui touchaient la majorité des membres de la famille. Sa mère ne lui avait jamais dit que la discussion que Jean-Pierre avait surprise avait été provoquée par une rumeur entendue par son père dans son cercle de connaissances. Nicole avait bien ébruité le fait que Jean-Pierre était le fils de Monique, mais cela faisait tellement longtemps qu'elle n'y pensait même plus. Désormais, elle cherchait à se remémorer à qui elle en avait parlé. La liste était brève.

# Chapitre 7

Nicole se demandait pourquoi Monique se confiait à elle au sujet de Jean-Pierre. Elle connaissait sa réputation. Elle savait bien que Nicole avait de la difficulté à garder un secret. Peut-être espérait-elle qu'en vieillissant, sa sœur aurait changé ? Et puis, ce n'était jamais dans le but de nuire qu'elle répétait les confidences qui lui étaient confiées. C'était le besoin de partager avec quelqu'un des informations qui étaient trop lourdes pour elle, et elle le faisait toujours à une personne qu'elle jugeait digne de confiance. Elle se souvenait exactement de la personne à qui elle avait confié ce lourd secret. C'était sa meilleure amie Thérèse qui était ensuite devenue sa belle-sœur en épousant Patrick. Ce ne pouvait pas être elle, même si après un verre ou deux d'alcool, elle perdait tout contrôle…

Nicole essaierait d'en avoir le cœur net à la première occasion en confrontant Thérèse. Cette dernière nierait sûrement le fait d'être à l'origine de cette nouvelle fuite. À bien y penser, il y avait eu une fuite dès leur arrivée à Granby. Cela ne pouvait donc pas être elle, car elle n'avait que neuf ans et n'était pas au courant de la situation, même si elle se doutait déjà de quelque chose à cette époque. L'absence prolongée de Monique, alors qu'elle était apparemment chez sa tante Françoise à Montréal, lui avait paru suspecte. Soi-disant pour poursuivre des études, mais elle était revenue sans plus jamais mentionner ces fameuses études. La première rumeur avait mis Nicole sur une piste qu'elle avait suivie jusqu'à découvrir le pot aux roses. Sa mère lui avait menti volontairement dans le but d'étouffer l'affaire. Elle ne s'était pas laissé démonter pour autant. Elle avait reconstitué le cours de la fiction qu'on avait tenté de lui faire gober. Elle avait découvert que sa mère avait perdu son enfant à la naissance et qu'il y avait eu substitution de bébés par la suite, puis que Jean-Pierre était devenu son frère et non pas son neveu. C'était pardonnable pour une jeune fille de neuf ans d'avoir voulu creuser une zone sensible qui cachait un grand secret familial. Elle en avait parlé à Thérèse quand elle avait quinze ans, et elle en avait alors vingt-cinq. Se pouvait-il que ce soit Thérèse qui ait ressorti cette histoire après tant d'années?

Cela ressemblait plus à des réminiscences de personnes âgées. Qui avait été la première personne à éventer l'affaire? Sa vieille tante Ernestine, la sœur de son père? La grand-mère Potvin, la mère d'Émile? Non, elle était vraiment trop vieille et trop douce pour médire sur son prochain. Non, elle n'aurait jamais dit du mal, encore moins de sa famille.

— Nicole! Nicole! Tu es bien songeuse tout à coup, tu es dans la lune?

— Je pensais à ce qui m'arrive, c'est tout! Ne t'en fais pas pour moi, je prendrai un taxi pour retourner chez moi. Je vais aller m'étendre un peu. Heureusement que j'ai préparé le souper d'avance. Serge aime bien que son repas soit prêt quand il arrive après avoir joué au hockey.

— Paul agit pareil sauf le samedi comme aujourd'hui. Il ne sait jamais à quel moment ça se terminera. Je laisse son assiette au réchaud et il aime bien ça. Merci d'être passée me voir, j'aime toujours te voir, même quand tu m'inquiètes un peu. Ne t'en fais pas trop! C'est toujours énervant une première grossesse. Je t'appelle un taxi?

— Oui, merci! J'espère que tout va bien se passer entre Jean-Pierre et toi et que la rumeur s'éteindra rapidement. On est vraiment arriéré de s'en faire pour si peu. Je ne sais pas si un jour on passera par-dessus ça. Micheline ne l'a jamais crié sur les toits, mais dans la famille, on savait à quoi s'attendre quand elle a marié Daniel. Est-ce que c'est parce qu'elle venait d'une autre ville que personne n'en a fait de cas? Je me le demande…

— Si c'était à refaire, j'agirais autrement, quitte à me retrouver à la rue. J'ai agi sous la menace sans me demander qui aurait pu m'aider. Je suis certaine que ma tante Françoise m'aurait aidée. Tiens, voilà ton taxi qui arrive! Je serai chez toi lundi matin pour la visite chez le médecin. Ne t'inquiète pas trop d'ici là.

— Merci, et à lundi!

Monique était torturée à cause de sa conversation avec sa sœur. Elle avait ravivé la plaie de son lointain passé.

Comment trouverait-elle le courage d'affronter Jean-Pierre et de lui expliquer calmement la situation dans laquelle ils se trouvaient tous les deux à l'époque sans être obligée d'étouffer ses larmes de tant de regrets ? Et Paul dans tout ça ? Et ses autres enfants ? De Paul, elle pouvait s'attendre à de la compréhension. Si quelqu'un pouvait la comprendre, c'était bien son mari. Ils avaient vécu ensemble les tentatives de Monique d'inverser le cours de l'histoire en voulant récupérer Jean-Pierre en tant que fils légitime. Puis, elle avait essuyé un refus formel et sans appel de la part de son père. C'était juste avant leur mariage en 1952. Beaucoup d'eau avait coulé sous les ponts depuis cette époque. Elle avait l'impression que c'était dans une autre vie.

Et si elle en discutait avec Paul à son retour ? Jusqu'alors, elle avait évité de lui en parler depuis la résurgence de la rumeur et de l'informer que Jean-Pierre connaissait ses origines désormais. Et si l'affaire sortait au grand jour, cela pourrait-il porter préjudice à Paul ? Elle ne savait pas, mais ne voulait pas l'embarrasser avec une situation qui ne le concernait en rien, sauf qu'il l'avait épousée en toute connaissance de cause… Elle se trouvait tellement lâche de ne pas vouloir affronter la réalité en face. Où était passée la femme courageuse qui avait aidé sa mère à se rebeller et à s'émanciper ? Il fallait qu'elle trouve au moins le courage d'en parler à son mari. Elle entreprit de réciter comme un mantra la phrase magique : « Il faut que je lui en parle et j'ai le courage de le faire, il faut que je lui en parle et j'ai le courage de le faire, il faut que je lui en parle…» Elle se sentit déjà plus forte après. Bientôt, les enfants rentrèrent de leurs jeux extérieurs vers quatre heures pendant que Michel faisait sa sieste de l'après-midi. Elle avait eu le temps de préparer son souper et les enfants mangèrent avec appétit après une journée au grand air. Pour sa part, elle mangea sans appétit tant elle était préoccupée par ce qu'elle avait à dire à Paul.

Quand celui-ci arriva, les enfants s'apprêtaient à se coucher. Il les embrassa, leur souhaita une bonne nuit et borda Martine qui ne pouvait pas se passer de ce simple geste, si rassurant, de son père. Pendant qu'elle réchauffait son assiette, Monique engagea la conversation.

— Comment s'est passée ta journée, mon chéri?

— Une grosse journée! C'est incroyable comment ces gens avaient accumulé de biens durant leur vie. Il faut dire qu'ils avaient vécu dans leur maison pendant plus de cinquante ans. Deux beaux vieux qui cassaient maison après avoir élevé leurs huit enfants. La maison était pleine de la cave au grenier. C'était triste à voir! Ils s'en vont vivre dans une résidence pour personnes âgées.

— Pourquoi? Étaient-ils malades?

— Ils étaient tous deux rendus dans les quatre-vingts ans et la dame était malade. Elle ne pouvait plus s'occuper du quotidien et lui était sourd comme un pot et avait de la misère à marcher. Les enfants n'avaient pas de place pour eux, il restait donc le mouroir. La dame pleurait à chaque morceau qu'on vendait tellement elle était envahie par ses souvenirs. Ça m'a crevé le cœur en pensant que ç'aurait pu être mes parents.

— Pauvre chéri! C'est vrai que ça ne doit pas être facile de vider une maison remplie de souvenirs. J'espère ne pas vivre assez vieille pour que ça m'arrive…

— Ne dis pas ça, Monique! Peut-être qu'on n'aura pas à supporter ça. La société évolue tellement rapidement qu'on sera peut-être content de se retrouver avec nos vieux amis et vivre en société plutôt qu'isolé dans notre maison avec les enfants qui ne viennent plus nous voir. On ne sait jamais…

— Arrête, c'est trop triste cette histoire-là! Je te le dis, je ne veux pas vivre l'abandon. Tu vas me dire que c'est très égoïste de ma part, mais j'aime mieux mourir avant.

— C'est à toi d'arrêter, Monique! On ne peut pas prédire l'avenir et tu n'as que trente-et-un ans quand même. Tu ne trouves pas que tu exagères un peu?

— Tu ne comprends rien!

Monique se réfugia dans un mutisme qui lui évita d'affronter ce qu'elle avait à lui dire. Elle jugea que la conversation était mal engagée pour aller plus loin. Ses mantras de l'après-midi n'auraient finalement servi à rien. Cela lui apprendrait à ne pas être plus réceptif à ses états d'âme. Elle se leva de table, alla se planter devant la télévision et écouta une émission quelconque qui ne l'intéressait pas. Elle boudait. C'était rare que Paul lui parlait de cette façon, et surtout avec un ton exaspéré. Que le diable l'emporte s'il n'était pas capable de se rendre compte qu'elle s'apprêtait à s'ouvrir à lui.

Paul termina son repas, lava sa vaisselle et la rangea, puis vint s'asseoir dans son La-Z-Boy. Monique aurait préféré qu'il vienne s'asseoir à ses côtés sur le canapé pour amorcer une réconciliation, mais il n'en fit rien. Il se comporta même comme s'il ne s'était rien passé. Tant pis pour lui! Elle se leva, fit sa toilette et alla se coucher sans lui souhaiter bonne nuit. Peu de temps après, Paul fit de même et se colla contre son corps chaud. Il avait les mains baladeuses et elle l'ignora complètement en feignant de dormir. Découragé, il se tourna et s'endormit rapidement. L'entendre ronfler doucement sans même avoir tenté de la réveiller la rendit furieuse. Elle mit plus d'une heure à s'endormir, jouant avec l'idée de le réveiller pour lui raconter son histoire, mais abandonna, puis sombra à son tour dans les bras de Morphée.

Le lendemain, Paul se leva avant elle, la laissa dormir et fit le déjeuner des enfants ainsi que le sien. Il se prépara ensuite pour la messe en mettant son complet neuf et sa plus belle cravate. Maxime partit livrer le *Dimanche-Matin* et Martine se pomponna dans l'intention d'aller à la messe avec son père et son frère. Maxime revint exténué après avoir livré ses journaux, qui étaient si lourds, à plus de trente portes. Heureusement qu'il avait toujours sa voiturette qu'il attachait derrière sa bicyclette, sinon il en aurait été incapable. Il faisait son parcours comme un marathonien essayant chaque dimanche de battre son record de la semaine précédente. Bientôt, avec l'arrivée de l'hiver, la tâche serait plus ardue. Il serait obligé de faire sa tournée en marchant et en tirant son traîneau. C'était sans compter la livraison quotidienne de *La Voix de l'Est*. Le journal était moins volumineux, mais il devait le livrer six jours par semaine, sans oublier la perception des abonnements.

Quand Maxime revenait, c'était le signal du départ et Paul alla réveiller son épouse afin de ne pas laisser Michel sans surveillance. C'était d'habitude un beau moment de la semaine pour la famille, mais ce matin-là, Monique avait mal dormi, assaillie par des cauchemars, et était d'humeur maussade. Malheureusement, Paul n'avait pas le temps de l'aider à changer d'humeur sinon il serait en retard à la messe. Et pour lui, c'était impensable. Émile les avait dépassés sur la rue qui menait à l'église sans s'arrêter. Il avait déjà demandé à Paul à quelques occasions de monter, mais ce dernier avait toujours refusé, prétextant le besoin de prendre l'air. Il préférait garder ses distances, au grand dam de ses enfants qui auraient bien aimé profiter du trajet en auto, surtout Maxime qui était fatigué après sa livraison de journaux.

En entrant dans la maison au retour de la messe, ils entendirent Michel qui pleurait à s'époumoner. Paul chercha son épouse. Elle s'était réfugiée au sous-sol pour faire le lavage et surtout pour ne pas entendre Michel qui faisait une de ses crises régulières. Maxime et Martine essayèrent de le calmer ou de le consoler. C'était du pur entêtement de sa part et il avait rendu sa mère au bord de l'hystérie. Elle l'avait laissé dans son parc où il était en sécurité, mais livré à lui-même. Quand Paul descendit au sous-sol, Monique pleurait.

— Qu'est-ce qu'il y a, ma chérie ? Michel te fait une de ses crises ? Quelle est la raison cette fois-ci ?

— Je n'en peux plus, il va me rendre folle ! Il se cogne la tête sur les murs, sur le plancher et, cette fois, il a cassé une vitre dans le portique. Tu n'as pas remarqué ? Tout ça parce qu'il voulait un biscuit que je n'avais pas. Je lui ai offert d'autres choses, mais rien ne faisait son affaire. Quand il a cassé le carreau avec sa tête, j'ai failli l'étriper tellement j'étais en colère…

— Je sais qu'il n'est pas facile, mais ce n'est pas une raison de te mettre dans cet état. Tu as les nerfs à fleur de peau, reprends-toi !

— Il peut pleurer des heures s'il n'a pas ce qu'il veut. J'ai l'impression qu'il se moque de moi en se lamentant sans arrêt. On dirait qu'il en profite quand je ne suis pas en forme. Je me retiens, sinon je le battrais. C'est pour ça que je suis descendue dans la cave pour faire le lavage et ne plus l'entendre.

— Calme-toi, je vais m'en occuper ! Tu ne te prépares pas pour aller dîner chez mes parents ? Il est près de onze heures…

— Je ne vais pas chez tes parents aujourd'hui, pas dans cet état-là! Tu m'as vue avec les yeux bouffis? Non! Je ne veux pas que personne me voie quand je me sens comme ça. Je ne serai pas d'agréable compagnie. Tu peux y aller si tu veux, mais amène les enfants. Je vais en profiter pour dormir cet après-midi.

— Qu'est-ce que je vais dire à mes parents pour expliquer ton absence?

— Dis-leur la vérité! Que je suis en train de devenir folle! Dis-leur n'importe quoi…

— Voyons, Monique, ça ne va vraiment pas! Ça me rappelle la fois où tu as mis le feu au garage de ton père. Tu étais dérangée à ce moment-là. Es-tu sûre que tu ne feras pas de bêtise si je te laisse seule cet après-midi?

— Ne t'inquiète pas pour moi, je ne ferai pas de folie. J'ai juste besoin de me reposer, et ce soir, on discutera si tu veux. J'ai des choses à te dire!

— Tu ne peux pas me les dire tout de suite? Ça m'inquiète vraiment!

— Je ne suis pas en état de me confier maintenant! Laisse-moi me reposer et ça ira mieux ce soir. Je te promets que je te dirai tout quand les enfants seront couchés, d'accord?

— Si tu me promets d'être sage et de te reposer, je veux bien! Promis?

— Promis!

— Je vais remonter et préparer les enfants, puis j'appellerai un taxi. Nous serons de retour vers quatre heures.

— Merci, mon chéri, d'être aussi compréhensif. Je ne te mérite pas!

— Ne dis pas ça! Je me trouve bien chanceux...

— Menteur!

Il la prit dans ses bras, tentant de la rasséréner un peu. Il sentait bien que quelque chose la tourmentait, mais il n'avait aucune idée de ce qui pouvait en être la cause. Il le saurait sûrement ce soir-là si elle tenait parole et ne commettait pas de folies d'ici là. Il ne savait pas pourquoi, mais il craignait qu'elle commette un geste extrême. C'était fou, c'était une pensée fugace, mais tout de même présente dans son esprit. Il partit quand même avec les trois enfants en taxi pour se rendre chez ses parents.

— Bonjour, Paul! Bonjour, les enfants! Où est Monique?

— Elle se sentait pas bien et a préféré rester à la maison pour se reposer.

— J'espère que ce n'est qu'un petit malaise passager... répliqua sa mère, inquiète. Tu n'as pas l'air dans ton assiette toi non plus, mon garçon! Qu'est-ce qui ne va pas?

— Je pense à ma femme et je n'aime pas l'idée de la laisser seule à la maison. Je suppose qu'elle a vraiment besoin de se reposer et avec trois enfants grouillants dans la maison, ce serait peine perdue.

— C'est tout à ton honneur de te préoccuper ainsi pour ta femme, mais souvent, on a besoin de s'isoler, et avec une marmaille, ce n'est pas facile de trouver un peu de temps pour soi.

— Merci de me réconforter, maman ! Je ne suis pas habitué à sentir sa fragilité, elle qui est toujours forte. J'avoue que je me sens un peu désemparé…

— Va rejoindre les autres au salon et laisse-moi les petits ! Ils vont se joindre à leurs cousins et cousines. Il y en a qui sont assez âgés pour s'occuper d'eux. Ne t'inquiète pas outre mesure, mon garçon !

— Qui est arrivé ?

— Alexandre et Maurice, Lise et Simone, Annette et il ne manque que Jean-Claude. Gaston habite trop loin, on ne le reverra probablement pas avant les fêtes…

Paul se retrouva au salon avec tous les hommes de la famille. Les femmes s'affairaient dans la cuisine à préparer le repas dominical, entourées des enfants. Les hommes parlaient politique, et le cœur du débat tournait autour de la nationalisation de l'électricité. Les libéraux de Jean Lesage avaient lancé une élection prématurée sur ce thème. Daniel Johnson

avait toute une pente à remonter à la tête de l'Union nationale. Des accusations de corruption couraient encore sur
le dos des anciens collaborateurs de Maurice Duplessis. Le
scrutin aurait lieu le mercredi suivant, soit le 14 novembre. La
famille était libérale, mais la circonscription était aux mains
de l'Union nationale, avec Armand Russell comme député
depuis 1956.

— Salut, Paul! Aimé m'obstine que Russell va rentrer
pareil, même si les libéraux vont gagner l'élection. Qu'est-ce
que t'en penses? demanda Maurice.

— Il ne sera pas facile à battre parce que notre candidat
n'est pas assez connu dans le monde rural. J'ai bien confiance
en René Lévesque avec la nationalisation de l'électricité,
mais est-ce que ça va être suffisant pour déloger Russell? J'en
doute…

— Le même prix pour tout le monde! C'est à nous autres
l'électricité, baptême… lança Aimé.

— On a toujours voté pour l'homme dans le comté,
indépendamment du programme ou des enjeux. C'est pour
ça que je pense que Russell va passer encore une fois. On a
élu un libéral au fédéral alors que Diefenbaker est au pouvoir
depuis 57. Ça donne une idée…

— Bon! Le dîner est prêt. Assez parlé de politique et
approchez-vous, les hommes!

L'appel de la grand-mère avait été suffisant pour mobiliser tous les hommes de la maison. Comme toujours, le repas était délicieux, et tout le monde mangea avec appétit. Paul avait l'air préoccupé et ne parlait pas beaucoup, contrairement à son habitude. Son attitude ne passa pas inaperçue. Aussitôt le repas terminé, les hommes se retirèrent de nouveau au salon. Maurice prit Paul à part et lui demanda ce qui n'allait pas.

— Je suis inquiet à propos de ma femme. Il y a quelque chose qui la tracasse en ce moment et je ne sais pas ce que ça peut être. Il faut dire que je travaille beaucoup ces temps-ci. Il est possible que je ne saisisse pas tout ce qui se passe dans son entourage familial. Comme tu le sais, Maurice, la famille Robichaud est très présente dans sa vie.

— Je comprends, Paul! En plus, vous vivez voisins de ton beau-père. Est-ce que je peux aborder un sujet délicat avec toi, mais peut-être que je fais fausse route?

— Tu peux aborder le sujet que tu veux avec moi, Maurice, si ça peut m'éclairer le moindrement. Nous vivons comme cul et chemise avec le beau-père et la belle-mère. Je dois avouer que c'est plus Monique que moi, parce que le beau-père et moi, c'est plus comme chien et chat.

— Tu connais la mentalité de Granby? C'est vraiment plus un gros village qu'une p'tite ville. Les potins courent plus vite que les meilleurs chevaux, et justement, je crois que ta femme est victime de commérages. Il n'y a pas de secret pour nous que Monique a eu un enfant avant que tu la maries et on s'en fout. La rumeur est ressortie du tiroir il n'y a pas longtemps.

— Tu veux dire que ma femme est encore victime de ces maudits ragots-là ? Je comprends maintenant qu'elle soit dans cet état-là. Ça prend-tu des langues sales ! Tu comprends-tu ça, toi, Maurice ?

— Je le sais ! Le monde est foncièrement méchant, et s'ils peuvent salir quelqu'un pour se faire valoir, ils vont le faire, crois-moi !

— Je me demande qu'est-ce que ça peut bien leur donner. Monique est une femme très à sa place. Elle est gentille et généreuse envers tout le monde. Maudit monde pourri !

— Tu devrais avoir une bonne discussion avec ta femme ! Laisse-la parler et dis-lui que nous sommes tous derrière elle et qu'on l'aime. Ça peut peut-être l'aider…

— Merci, Maurice ! J'ai hâte de retourner chez moi pour la serrer dans mes bras et lui dire que je l'aime et que je me fous des ragots. C'est sûr que c'est quelque chose comme ça pour la rendre malade à ce point-là.

Paul ne tarda pas trop à partir quand il s'aperçut que sa sœur Lise quittait avec sa petite famille. Il salua et remercia ses parents et leur avoua son inquiétude concernant l'état de santé de son épouse, sans pour autant rentrer dans les détails. Il se fit aider par Marie-Laure pour habiller Michel et trouver les manteaux de Martine et de Maxime. Il avait appelé un taxi tellement il avait hâte de retrouver sa femme. Quand ils arrivèrent à la maison, Monique dormait, et il donna la consigne à ses deux plus vieux de jouer avec Michel parce qu'il voulait discuter avec leur mère sans être dérangé. Les enfants s'enfermèrent dans la chambre des garçons et jouèrent ensemble sans plus de questions.

Monique les avait entendus arriver, mais elle ne s'était pas levée, poursuivant sa sieste. Paul alla la rejoindre après avoir donné ses directives aux enfants. Il s'étendit à ses côtés et la prit dans ses bras sans dire un mot. Il voulait qu'elle sente l'intensité de sa tendresse à son égard.

— Mon amour, dis-moi ce qui ne va pas. Je t'en prie! Je n'aime pas te voir dans cet état. Tu sais qu'il n'y a rien que tu ne peux pas me dire. Il n'y a rien de plus important que ton bonheur, car le mien dépend du tien. Tu peux me faire confiance, tu le sais…

— Ça concerne Jean-Pierre! avoua Monique.

— Je le sais! Tu sais pourtant bien que je n'ai aucun problème avec lui. Nous nous sommes même battus ensemble pour régulariser la situation. Tu as peur que les commérages m'affectent? Tu sais que je suis plus fort que ça, ma chérie. Je suis capable de me défendre si quelqu'un va trop loin.

— Tu n'as vraiment pas remporté le gros lot avec moi, ne trouves-tu pas? Toujours des problèmes, sans parler de mes dépressions.

— Ne dis pas ça, Monique! Je ne te changerais pas pour tout l'or du monde. Pourquoi tu parles de dépression? Tu es forte! Il est normal que tu sois émotive dans certaines situations. Je réagirais de la même façon, et peut-être même avec violence si j'étais victime de ragots. Ignore-les! C'est la meilleure attitude à prendre, et dis-toi que je suis derrière toi.

— Jean-Pierre le sait!

— Qu'est-ce qu'il sait?

— Que je suis sa mère...

— Qui lui a dit?

— Il a surpris une conversation entre mon père et ma mère.

— Comment a-t-il pris ça?

— Il a beaucoup pleuré, semble-t-il, mais il a fini par accepter la situation. Il veut m'en parler et je ne me sens pas capable de l'affronter en ce moment. Il est trop tard, maintenant que nous avons trois enfants. Il faudrait leur expliquer à eux aussi... Non! Non! Non! Je ne veux pas leur imposer ça! Vont-ils pouvoir comprendre sans me traiter de traînée ou de sans-cœur?

— Arrête, Monique! Jamais tes enfants ne te traiteraient comme ça! Tu es pleine d'amour pour eux! Et puis, ils sont trop jeunes pour avoir des pensées aussi tordues que les adultes.

— Tu penses? demanda Monique.

— J'en suis certain! Arrête de t'en faire pour rien et fous-toi du reste!

— Je ne me sens pas prête à affronter Jean-Pierre. Est-ce que tu comprends?

— Écoute, ma chérie, Jean-Pierre le sait déjà! Que crains-tu? Il t'aime, et tout ce qu'il veut, c'est comprendre. Si tu prends le temps de lui expliquer calmement ce que tu as vécu, il te comprendra, j'en suis sûr. C'est un garçon au grand cœur, tu sais.

— Je ne suis pas prête!

— Vous ne pourrez pas passer votre vie à vous éviter, Monique! Ramasse ton courage, et quand tu seras prête, rencontre-le en privé, juste vous deux.

— Quand je serai prête, c'est ce que je ferai! Tu es certain que les ragots ne te dérangeront pas? Ça peut devenir intense si tout le monde s'en mêle.

— Je t'ai dit qu'il n'y avait pas de problème, et ma famille est derrière nous à nous soutenir sans réserve. D'ailleurs, les cancans, ça touche qui? Le petit cercle des Robichaud? On s'en fout!

— Je me sens soulagée! Il faudrait que je me lève pour préparer le souper. Les enfants vont avoir faim et toi aussi sûrement!

— Tu n'as pas un restant qui ferait l'affaire ? Les enfants ont beaucoup mangé ce midi chez mes parents. Pourquoi pas des crêpes ? Je pourrais les préparer et les enfants adorent ça. Qu'en penses-tu ?

— Tu es certain que ça ne te dérange pas ?

— Je ne sais pas faire à manger, mais je sais faire des crêpes, et ça me ferait vraiment plaisir d'en faire avec le sirop d'Alexandre ou d'Aimé pour arroser le tout. En échange, on pourrait se faire des câlins quand les enfants seront couchés. Qu'en dis-tu ?

— Tu n'as pas besoin de préparer des crêpes pour qu'on se fasse des câlins. J'en ai autant besoin, sinon plus que toi. J'ai besoin que tu me serres fort dans tes bras, de sentir que tu m'aimes, que tu me désires comme aux premiers jours. Tu te rappelles ?

— Bien sûr que je me rappelle puisque je n'ai jamais cessé de t'aimer comme aux premiers jours. Tu te souviens de notre première sortie sur les bords de la rivière Mawcook ? Comme je te désirais, c'était fou…

— Je me souviens à quel point je te désirais moi aussi. Je t'aurais laissé me faire l'amour dans l'eau si Jean-Pierre n'avait pas été là. Ça faisait presque mal de me retenir…

— Cessons d'en parler, veux-tu ? Sinon, je ne réponds plus de moi. Je vais aller préparer les crêpes et voir comment les enfants se débrouillent.

Ces derniers s'amusaient bien sagement. Maxime jouait seul avec son jeu de minibrix pendant que Martine montrait à Michel la façon de colorier sans déborder du dessin. Quand Paul proposa des crêpes aux enfants pour le souper, ce fut très bien accueilli et il s'exécuta pendant que Monique se rhabillait dans sa chambre. Elle avait retrouvé le sourire et le ciel était moins noir depuis que Paul était revenu en l'encourageant à ne pas se laisser abattre, mais surtout avec des promesses de réconfort physique plus tard en soirée. Ce serait beaucoup plus sain qu'une satanée pilule. Elle retrouverait pendant quelques instants sa jeunesse qu'elle n'avait en fait jamais vraiment eue. Sa jeunesse, elle l'avait vécue trop tôt ou trop tard? Peut-être les deux à la fois, parce que quand Paul était entré dans sa vie, tout avait basculé.

Paul et Monique s'arrangèrent pour se libérer des enfants le plus tôt possible. Pendant qu'ils s'amusaient, Monique s'assura que Martine et Maxime seraient prêts pour l'école le lendemain en sortant à l'avance leurs vêtements. Paul lava la vaisselle et sortit le nécessaire pour le déjeuner du lendemain. Les enfants s'installèrent pour regarder *Le merveilleux monde de Disney*, et après, ce serait le dodo. Paul alla prendre sa douche et Monique le suivit tout de suite après. Quand le film se terminerait, ils seraient fin prêts pour les jeux coquins qu'ils se promettaient. Enfin arriva l'heure de coucher leur belle marmaille! Paul et Monique vibraient à la seule pensée de se retrouver dans leur chambre et de se caresser.

— Ah, mon chéri! J'ai tellement envie de toi!

— J'étais vraiment impatient que les enfants aillent se coucher ! Mais en même temps, je trouvais ça très excitant de me retenir. Viens dans mes bras, ma chérie, que je t'embrasse et te caresse. Tu es tellement belle quand je retrouve cette petite lumière au fonds de tes yeux…

Monique ne se fit pas prier pour se vautrer sur le corps tendu de Paul. Elle se lova dans ses bras et il lui enserra les fesses à pleines mains. Il la souleva légèrement de terre et la fit tomber délicatement sur le lit. Ils s'embrassèrent goulûment. Une frénésie s'empara d'eux et ils essayaient d'être le plus discret possible afin de ne pas réveiller les enfants, mais la passion dévorante qui les animait s'adaptait mal au silence.

Quelques minutes plus tard, ils étaient en sueur tous les deux, et Monique éclata d'un rire nerveux bientôt suivi par celui de Paul.

— Ouf ! s'écria ce dernier. Quelle intensité ! Ça me rappelle les premières fois que nous avons fait l'amour. Tu te souviens ?

— C'était même meilleur ! Merci, mon chéri, d'être un aussi bon amant !

— Je n'ai rien fait si ce n'est de répondre à ton urgence ! C'est toi qui es une maîtresse extraordinaire.

— La vie est bonne pour nous malgré toutes les embûches, ne trouves-tu pas, mon amour ?

— J'aime mieux quand tu parles comme ça! On s'aime et c'est ça qui est important, ma chérie. Je suis certain que ça va durer toujours jusqu'à ce que la mort nous sépare.

— Tu me le jures?

— En doutes-tu?

— Non, mon amour! Tu me redonnes la force de continuer et d'oublier mes malheurs. Merci d'être là dans ma vie, qui sans toi serait un long calvaire.

— Ne dis pas ça, ma chérie! Il faut que tu sois forte pour nous tous, ta famille.

Monique se colla étroitement contre son corps sans répondre. Paul l'enlaça de ses bras puissants en la serrant doucement et en la berçant, comme pour l'endormir. Elle ne tarda pas à s'assoupir. Il relâcha son étreinte, puis s'endormit à son tour. Le lendemain matin, Paul se réveilla frais et dispos. Il déposa un baiser sur le front de sa femme qui s'étira comme un félin en lui faisant un sourire ensommeillé. Maxime s'habilla en vitesse pour aller livrer le journal. Il avala une rôtie et un verre de lait, puis partit. Paul reprit sa routine matinale des jours où il travaillait. Monique changea la sienne en se levant peu de temps après son mari. Pendant qu'il se rasait, elle fit du café. En sortant de la douche, il trouva son petit-déjeuner prêt et plus élaboré que d'habitude. Monique lui avait servi des œufs et des rôties accompagnés d'un café chaud.

— Comme tu es attentionnée ce matin, ma chérie !

— C'est pour te remercier de la belle soirée d'hier. Tu as su chasser mon cafard. Tu as des méthodes bien particulières que j'apprécie beaucoup, mon chéri.

— Tu sais que je suis toujours partant pour ce genre d'activité. Tu n'as qu'un signe à faire ou un mot à dire et j'accourrai pour te satisfaire, mon amour. Tu vas travailler chez ta mère aujourd'hui ?

— Oui ! J'enverrai Michel chez Irène quand Martine partira pour l'école. Je crois que ma mère a amplement de travail en ce moment. À l'approche des fêtes, elle en a toujours beaucoup plus, et si je ne l'aide pas, elle refusera des contrats. Ce n'est pas dans mon intérêt, car le petit surplus d'argent paiera pour les cadeaux de Noël.

— Je dois partir moi aussi, et je dois t'avouer que j'aime te voir dans cet état d'esprit. Tu es tellement plus jolie quand tu souris. Bonne journée, ma chérie !

— Bonne journée, mon amour ! Qu'aimerais-tu manger pour le souper ?

— Ce que tu voudras ! Je dois partir, je vais être en retard.

— N'oublie pas ton *lunch* !

— Merci ! Je ne sais pas où j'ai la tête ce matin.

— J'ai ma petite idée là-dessus…

Paul fila au travail. Il détestait être en retard. Il n'avait pas à pointer comme le reste du personnel, mais il en faisait une question de principe d'être là quand la cloche sonnait à l'usine.

# Chapitre 8

En ce lundi matin, la majorité des Robichaud travaillaient déjà ou se préparaient à se rendre au travail. Jacques n'avait qu'à descendre l'escalier de son logement situé juste au-dessus de la banque. Il commençait à huit heures en déverrouillant la porte de la succursale d'Ormstown. C'était en échange du privilège qu'il avait d'habiter le logement gratuitement. C'était une vieille coutume qui lui convenait très bien. Au même moment, Yvan entrait dans la succursale de Granby, comme s'il en était le propriétaire. Il avait un regard inquisiteur et s'assurait de la propreté des lieux. Il surveillait étroitement le personnel par souci de toujours offrir le meilleur service. Il s'assurait que leur conduite était irréprochable au travail comme dans leur vie privée. La fin de semaine était pour lui synonyme d'ennui. Juliette, son épouse, faisait des pieds et des mains pour l'égayer, mais rien n'y faisait. Il ne se sentait bien que lorsqu'il gérait sa banque et rencontrait des clients importants. Il y avait quelques exceptions comme quand Juliette se mettait en tête de le séduire, mais le plaisir était si éphémère. Son corps pouvait s'abandonner à une heure de luxure quand sa femme usait de ses charmes, mais son esprit revenait vite à son vrai plaisir, le travail.

Yvan avait deux sources de contrariété. En premier lieu, les agissements de son frère Jacques dont il s'était fait le mentor à son grand regret. Puis, il y avait sa sœur aînée, Monique.

Ce n'était pas tant elle que les rumeurs qui circulaient à son sujet. Patrick s'était calmé et Daniel n'avait jamais créé de vagues qui auraient pu ternir son image de directeur de la banque CIBC. Quant à Gérard, Yvan ne savait pas encore qu'il s'était séparé de sa femme et qu'il se préparait à divorcer. Marcel était à Montréal et il préférait qu'il y reste. Il se méfiait de lui et entretenait une certaine rancune à son égard depuis qu'ils étaient jeunes parce qu'il avait du panache, alors que lui était l'image du garçon pondéré et rangé. Il ne restait que son autre sœur Nicole qui travaillait toujours à la Miner, sauf que pour l'instant, elle était en arrêt de travail à cause d'une grossesse difficile. Il l'aimait bien celle-là. Elle ne l'avait jamais embêté même si elle était une fan finie de son frère Daniel le sportif, alors que lui n'avait jamais eu d'intérêt pour aucun sport. Elle avait même épousé un athlète et semblait heureuse de sa vie. Elle n'avait aucune autre ambition que celle de vivre pour élever une famille, comme la majorité des femmes de son époque. Elle ne voulait pas d'une grosse famille comme sa mère. Nicole visait un nombre limité d'enfants, préférablement des garçons, qui seraient eux aussi des athlètes comme leur père et dont elle deviendrait la plus grande fan.

Yvan sortit de sa rêverie et revint à son malaise initial en la personne de Jean-Pierre. Il l'aimait bien, mais il risquait d'être une source d'embarras si jamais la rumeur se répandait dans tout Granby. Il aurait pu facilement faire abstraction de sa situation particulière puisqu'il l'avait toujours considéré comme le petit dernier de ses frères, mais il était tellement sensible aux qu'en-dira-t-on qu'il craignait constamment qu'un de ses clients aborde le sujet. Il n'aurait pas su quoi répondre et aurait sûrement rougi de honte. C'était impensable. Il surveillerait attentivement les possibilités d'avancement dans une plus grosse succursale. Cela le mettrait à l'abri des commérages et augmenterait son prestige par le fait même.

Nicole avait bien d'autres tracas. Elle avait un rendez-vous chez le médecin à dix heures, et Monique avait promis de l'accompagner. Elle s'était levée en même temps que Serge, son mari. Il commençait à travailler à sept heures et devait par conséquent se lever au plus tard à six heures. Nicole avait mal dormi. Son bébé l'inquiétait de plus en plus. Une mauvaise intuition l'empêchait de se détendre. Après le départ de Serge, elle se mit à imaginer un scénario des plus pessimistes en attendant sa sœur qui la prendrait en passant pour l'amener chez le médecin. Elle aurait pu à la rigueur s'y rendre seule, mais elle préférait que sa sœur soit présente au cas où les nouvelles ne seraient pas bonnes comme elle l'appréhendait.

Monique s'était rendue chez sa mère dès huit heures. Elle savait qu'il y avait beaucoup de travail à l'atelier de couture, mais elle était sûre que sa mère serait d'accord pour qu'elle accompagne sa sœur chez son médecin. Lauretta l'aurait bien accompagnée elle-même si Nicole le lui avait demandé, quitte à fermer l'atelier le temps du rendez-vous.

— Bonjour, maman! Nicole m'a demandé de l'accompagner chez son médecin. Son rendez-vous est à dix heures. Pourras-tu te passer de ma présence jusqu'à midi? Elle a vraiment besoin de réconfort et de solidarité. Elle a la trouille et je la comprends!

— Bien sûr, Monique! Soutenir un membre de la famille est prioritaire. Reviens-moi vite avec de bonnes nouvelles. Dis-lui que je vais prier pour elle en souhaitant que le bon Dieu m'écoute...

— J'ai une heure trente à t'accorder avant d'aller la chercher chez elle. Telle que je la connais, elle attend déjà en se faisant du mauvais sang. Pauvre chouette! Elle n'a vraiment pas besoin de cette inquiétude supplémentaire.

— Pourquoi tu dis *inquiétude supplémentaire*?

— J'ai dit ça comme ça parce que j'ai senti qu'il y avait autre chose qui la tracassait, mais elle ne m'a pas dit ce que c'était, et je n'ai pas osé lui demander ce qui l'inquiétait.

— Je vais dire comme toi, pauvre petite! Sa première grossesse et déjà des ennuis. J'espère que ça va bien se terminer. Bon, au travail! Si tu pouvais me tailler quelques patrons et le tissu que j'ai épinglé aux patrons correspondants. Fais attention à la grandeur, car c'est un tissu coûteux.

— Ne t'inquiète pas, maman! J'ai tous mes esprits aujourd'hui grâce à Paul.

— Tu es bien chanceuse, ma fille, d'avoir un si bon mari. Tu es bien mariée et tu le mérites. Au travail !

L'heure et demie passa si rapidement que c'est Lauretta qui avertit Monique qu'elle serait en retard si elle ne quittait pas le travail. Et Nicole paniquerait probablement. Elle abandonna sa besogne immédiatement et appela un taxi. Quinze minutes plus tard, le taxi arrivait devant le logis de Nicole qui sortit aussitôt. C'était la preuve que cette dernière attendait avec impatience.

— Excuse-moi d'arriver si tardivement ! J'étais prise par le travail, mais ne t'inquiète pas, on arrivera à temps. En plus, les médecins sont toujours en retard sur leurs rendez-vous.

— Tu crois ? Oui, tu as raison, mais il suffit qu'on soit en retard pour que lui soit à temps…

— Je suis d'accord ! Comment te sens-tu ce matin ?

— Nerveuse !

— Attends d'avoir vu le médecin avant de t'inquiéter. Peut-être t'en fais-tu pour rien !

— Espérons ! Je ne tiens plus en place et mon bébé qui ne bouge pas… J'ai un mauvais pressentiment et je ne peux pas me contrôler. C'est plus fort que moi.

— Nous arrivons ! Attends-moi, je vais t'aider à sortir.

Monique paya le chauffeur et alla aider sa sœur à sortir du taxi. Nicole était au bord de la panique, mais sa sœur sut se faire rassurante en l'entraînant vers le bureau du médecin. Il était en consultation et il y avait une patiente avant elle. Nicole se détendit un peu. L'attente ne fut pas très longue. Le médecin sortit de son cabinet en même temps que sa patiente et invita l'autre à entrer. Il eut un petit mot pour Nicole.

— Ce ne sera pas long, madame Gosselin! Quelques minutes à peine…

Nicole fut surprise de se faire appeler madame Gosselin, mais sa surprise fut de courte durée. Son anxiété reprit le dessus. Elle prit la main de Monique, cherchant un peu de réconfort. Sa sœur l'étreignit pour la rassurer.

— Veux-tu que j'entre dans le cabinet avec toi ou veux-tu être seule avec lui?

— Non, non! Je veux que tu entres avec moi. J'ai peur de ne pas comprendre ce qu'il va me dire! J'ai peur de m'évanouir s'il m'annonce une mauvaise nouvelle.

— Arrête de t'en faire pour rien, Nicole! Tu supposes beaucoup trop. On le saura très bientôt.

La porte du cabinet s'ouvrit et le sang se figea dans les jambes de Nicole. Elle avait de la difficulté à se lever de son siège. Monique l'aida en la soutenant de son bras. Les deux sœurs entrèrent dans le cabinet. Le médecin les invita à s'asseoir pendant qu'il consultait le dossier. Il l'étudia longuement avant d'inviter Nicole à monter sur la table d'examen. Il l'ausculta et la palpa. Il prit un air inquiet, mais ne dit rien. Il semblait réfléchir, puis recommença à palper le ventre proéminent de Nicole. Il secoua finalement la tête.

— Madame Gosselin, votre bébé est bien tranquille. J'entends à peine battre son cœur, mais il est bien vivant. Ce qui m'inquiète, c'est que quand je vous palpe pour le déranger et l'amener à changer de position, il bouge, mais revient dans sa position initiale.

— Qu'est-ce que ça veut dire, docteur ? demanda Nicole, complètement affolée.

— Pour en avoir le cœur net, j'aimerais faire une radiographie de votre bébé. Peut-être que c'est le cordon ombilical qui l'empêche de bouger librement ? J'appelle mon confrère à l'hôpital Saint-Joseph. Je n'aime pas avoir recours à des radiographies à ce moment-ci de la grossesse, mais c'est la seule façon de savoir vraiment ce qui ne va pas.

Nicole se mit à pleurer. Le médecin venait d'admettre qu'il y avait un problème avec son bébé. Elle était dévastée et son instinct ne l'avait pas trompée. Elle se mit à prier silencieusement tout en continuant à pleurer à chaudes larmes. Monique comprenait le désarroi de sa sœur. Elle était effondrée que le malheur s'acharne encore sur sa famille. Quelle sorte de malédiction pouvait donc les poursuivre ainsi ? Elle devait cependant cacher ses craintes pour soutenir sa sœur qui n'en menait pas large.

— Laisse-moi appeler maman pour lui dire que je me rends à l'hôpital avec toi. On saura ce qu'il en est aujourd'hui… Je serai là pour toi tant que tu auras besoin de moi. Je te le promets, Nicole!

— Le docteur Dumoulin vous attend, mesdames! Présentez-vous à la réception et on vous guidera vers la salle des rayons X. J'irai vous rejoindre dès que j'aurai terminé mes consultations. Je dois de toute façon faire mes visites à mes patients hospitalisés. Je ne tarderai pas, et j'ai averti le radiologiste de m'appeler sur l'intercom dès qu'il aura les résultats. Ne vous en faites pas trop, madame Gosselin, c'est peut-être un problème bénin.

— Merci, docteur! Vous croyez que ça peut être un problème bénin? demanda Nicole qui s'accrochait désespérément à toute forme d'espoir.

Elle le voulait son bébé et, idéalement, en santé.

— Nous verrons, madame Gosselin, nous verrons. Bon courage! Soyez positive…

Nicole et Monique reprirent un taxi pour aller à l'hôpital. Elles se rendirent à la salle de radiologie. Nicole se déshabilla, enfila une jaquette, enleva tous ses bijoux et alla rejoindre sa sœur dans la salle d'attente. Bientôt, on l'appela, et Monique se retrouva seule à espérer que tout se passe bien. Son attente fut brève. Nicole sortit rapidement et alla se rhabiller, puis attendit la visite de son médecin. L'heure du dîner était passée et elles avaient faim toutes les deux. La cafétéria de l'hôpital était fermée. Elles devraient prendre leur mal en patience. Elles entendirent le nom du médecin sur l'interphone. Les radiographies étaient prêtes pour consultation. Elles l'aperçurent au bout du corridor se dirigeant dans leur direction. Il fit un signe de tête et leva le doigt leur signifiant de l'attendre pendant qu'il regardait les radiographies.

L'attente parut longue, mais il ressortit au bout d'un moment.

— Veuillez me suivre, mesdames, dans un endroit où nous pourrons être tranquilles pour vous expliquer les résultats.

Elles le suivirent docilement et ils entrèrent dans une salle. Le médecin referma la porte, alluma un panneau lumineux et y installa les radiographies. Elles pouvaient voir le bébé, et le médecin commença son exposé.

— Madame Gosselin ! Je n'ai pas de bonnes nouvelles pour vous. Votre bébé est un garçon, mais il a une malformation de la colonne vertébrale. En fait, il lui manque deux vertèbres lombaires : L4 et L5. C'est donc l'explication de son manque de tonus. Il ne peut pas fonctionner normalement. Il faudrait voir avec des spécialistes de Sainte-Justine ou du Montreal Children's Hospital de l'Université McGill ce qu'on peut faire dans un cas semblable. Il vous faudra beaucoup de courage.

— Est-ce que l'enfant peut vivre avec deux vertèbres manquantes ? demanda Monique.

— Probablement, mais il faudra voir avec les spécialistes. Je vais entreprendre les démarches pour rencontrer un ortho-pédiste que j'ai connu lors de ma formation à l'université. C'est un des meilleurs au pays dans sa spécialité. Je crois que votre bébé souffre de ce qu'on appelle le spina bifida.

— Ça ne répond pas à ma question, docteur ! Est-ce que le bébé peut espérer vivre normalement après une opération ? réitéra Monique.

— Le spina bifida, c'est le développement incomplet de la colonne vertébrale. Il s'agit d'une malformation qui survient avant la naissance, causant souvent la paralysie ou la perte de sensibilité des membres inférieurs. Cette maladie peut causer également des problèmes de fonctionnement de la vessie et des autres organes d'élimination. Elle peut aussi entraîner des pertes de coordination des mains, de la vue et de l'ouïe et engendrer des problèmes d'apprentissage.

— Qu'est-ce qui peut causer cette maladie ?

— Là, vous m'amenez sur un terrain que j'aurais préféré laisser à mon confrère. Je ne veux pas vous affoler sans raison. Le docteur Goldman est plus au fait des derniers progrès de la médecine sur le sujet.

Nicole écoutait en pleurant, incapable de prononcer le moindre mot. Elle était vraiment contente que sa sœur soit là pour parler à sa place et poser les bonnes questions, même si cela lui fendait le cœur d'entendre le docteur énumérer les conséquences possibles de cette maladie inconnue. Elle n'arrivait pas à croire que le malheur la frappe si cruellement. Un coin de son esprit voulait s'abandonner à la superstition en mettant la totalité de cette calamité sur le dos de son commérage. Si elle avait pu se taire au sujet de Jean-Pierre et de Monique ? Il fallait qu'elle se confesse à sa sœur pour sa faute et qu'elle obtienne son pardon afin de se retrouver en état de grâce. Dans l'épreuve, il fallait que sa foi chrétienne tienne de nouveau le haut du pavé.

— Pouvez-vous me donner une vague idée des causes possibles ?

— Le bagage génétique est une des causes, ainsi que l'alimentation de la mère avant la conception et durant la grossesse, l'environnement du fœtus, mais aussi beaucoup d'autres facteurs que j'ignore. S'il vous plaît, madame, vous feriez mieux d'attendre de rencontrer le spécialiste. Je vous promets de mettre en priorité cette rencontre avec le docteur Goldman.

— Merci, docteur ! Nous attendrons votre appel avec impatience. Vous comprenez que ma sœur est catastrophée par vos révélations. Si vous tentez de la rejoindre sans succès, téléphonez chez ma mère. Qu'en penses-tu Nicole ? Es-tu d'accord ?

— Oui, oui ! Je ne sais pas où je serai… J'aurai sûrement besoin de compagnie pour traverser cette épreuve, répondit Nicole entre deux hoquets.

Monique soutenait sa sœur du mieux qu'elle le pouvait. Elle-même était très ébranlée. Elle appela un taxi et attendit en regardant dehors pendant que Nicole pleurait toujours, assise sur une chaise dans le hall de l'hôpital.

— Veux-tu venir chez maman, Nicole? Je serais plus rassurée si tu étais tout près de nous. De toute façon, notre journée de travail est foutue. On va te préparer un bon repas et tu pourras te reposer après si tu veux…

— Je n'ai pas faim, Monique! J'ai des choses à te dire, et s'il te plaît, ne m'en veux pas. Je n'ai pas fait exprès, je te le jure.

— Ce que tu as à me dire peut attendre, Nicole. La priorité est de te calmer, c'est essentiel pour le pauvre petit que tu portes. Il y a peut-être une solution. Comme on dit souvent: «Tant qu'il y a de la vie, il y a de l'espoir.»

— Ce que j'ai à te dire, je dois te le dire absolument! Je pense que c'est moi la cause du commérage à ton sujet concernant Jean-Pierre. Je l'ai dit à Thérèse, la femme de Pat. C'était ma meilleure amie et je n'ai jamais pensé qu'elle en parlerait à d'autres. Ça fait plus de dix ans que j'ai bavassé…

Monique resta bouche bée devant cet aveu. Elle ne savait comment réagir. Elle reconnut que sa sœur avait choisi le meilleur moment pour lui en parler. Elle ne pouvait quand même pas la réprimander dans de pareilles circonstances. Après réflexion, elle se dit que Nicole n'était pas la seule cause de ce retour en force du commérage. Le ragot existait avant Nicole. Monique n'eut par conséquent aucune réaction face à cet aveu, et le reste du parcours se passa dans le silence.

— Dis quelque chose, Monique ! Engueule-moi puisque je le mérite tellement. Je suis sûre que mon bébé va naître infirme à cause de ça !

— Ne dis plus jamais une bêtise pareille parce que, là, je ne te le pardonnerai jamais. Ne sombre pas dans la superstition comme ton père ! J'ai eu à vivre toute ma vie avec ces bêtises-là et je ne veux pas que ça recommence. M'as-tu comprise ?

Le ton de Monique exprimait de la colère. Et ce n'était pas à cause du commérage, mais plutôt de cette satanée superstition héritée de leur père. Elle était tellement exaspérée qu'elle en avait même oublié que c'était la cause de cette absurdité. Monique aurait préféré effacer de sa mémoire toute cette période de sa vie. Nicole n'aurait pu choisir meilleur moment pour se confesser, pensa-t-elle. C'était Émile qui écoperait à sa place. Son père avait l'habitude d'être condamné depuis si longtemps et Nicole lui avait toujours tout pardonné ou presque. En eux coulait le même sang…

Bientôt, elles furent devant la maison familiale et le taxi les déposa à la porte. Lauretta, tout en travaillant, surveillait la fenêtre de son atelier pour voir qui arrivait. Quand elle aperçut ses deux filles, elle lâcha sa couture et se dirigea rapidement vers la porte de côté pour les accueillir. Elle était curieuse de connaître le résultat de leur rendez-vous chez le médecin. Les docteurs et les hôpitaux lui avaient toujours inspiré de la crainte.

— Dites-moi ce qu'il en est! Est-ce que tout s'est bien passé? leur demanda-t-elle avec empressement.

— Assoyons-nous, maman! Nicole doit être fatiguée.

Les questions de sa mère provoquèrent une nouvelle vague de pleurs chez Nicole. La cruauté de la réalité qui s'acharnait sur elle la frappait de nouveau. S'il survivait, son fils serait handicapé. Elle imaginait son bébé prisonnier d'un corset pour une bonne partie de son existence. Elle ne pouvait concevoir qu'on perce son petit corps pour lui insérer des plaques de métal.

— Écoute, maman, le bébé de Nicole a une complication à la colonne vertébrale. Il faut attendre un rendez-vous avec un spécialiste qui rendra son diagnostic pour la suite des événements. Évidemment, il n'y a pas ce genre de spécialistes dans une p'tite ville comme Granby.

— Oh, mon Dieu! Quel malheur! C'est à peine croyable que le malheur s'abatte encore sur nous. Qu'avons-nous fait pour mériter tant de souffrances? Pauvre fille! Il faut que tu sois forte et que tu pries le bon Dieu. Dans sa miséricorde…

— Arrête, maman! Crois-tu que ce soit du bon Dieu que Nicole ait besoin en ce moment? Elle a besoin de réconfort, pas de prières…

— Toi, Monique, tu as toujours été une impie, mais ça ne veut pas dire qu'on est tous pareils. On peut trouver du réconfort dans la prière et dans la foi quand le malheur s'abat sur nous. Qu'en penses-tu Nicole ?

— Laisse-la tranquille avec tes jérémiades, maman ! C'est dans la médecine qu'il faut espérer trouver une solution, pas dans la foi. La foi ! La foi ! Tu n'as que ce mot à la bouche… Dès qu'un malheur nous frappe, tu fais appel à Dieu ! Il s'en fout pas mal de nos difficultés ton dieu.

— Arrête de parler comme ça dans ma maison, Monique ! Tu peux penser ce que tu veux, mais chez nous, on croit en Dieu, que ça te plaise ou non. Je ne veux plus t'entendre blasphémer.

Lauretta avait haussé le ton à son tour pour défendre ses croyances, mais cette prise de becs affectait Nicole au plus haut point. Si sa mère et sa sœur se disputaient, cela ne l'aiderait certainement pas. La chaleur humaine dont elle avait tant besoin se transformait en querelle et la peinait encore plus. Monique, en colère, réagissait en sortant ses griffes alors que sa mère implorait un dieu qui la punissait, elle, Nicole. Elle aurait mieux fait de rentrer chez elle et de se laisser aller à son malheur, seule. Pleurer la soulageait d'une certaine manière en desserrant les griffes qui étouffaient son cœur. Elle aurait préféré se retrouver dans les bras de son mari plutôt qu'au beau milieu d'une crise entre sa mère et sa sœur. Elle se demandait comment Serge accueillerait la nouvelle. Serait-il empathique ou déçu d'elle ? La tiendrait-il pour responsable de cette situation ou verrait-il plutôt un accident génétique qui aurait pu arriver à n'importe qui ?

— J'aimerais mieux être chez moi que de vous entendre vous quereller. Me retrouver dans mon lit et attendre que Serge arrive du travail. Je vais appeler un taxi !

— Nicole, sois raisonnable ! Je te promets que nous ne nous querellerons plus, déclara sa mère.

— Non, vraiment ! Je veux aller chez moi. Ne vous inquiétez pas, je serai mieux chez moi. Excuse-moi Monique de ne pas avoir décidé plus tôt, c'était une erreur ! Il faut que je me ressaisisse. Que va penser mon mari en ne me trouvant pas à la maison sans une note explicative ? Il va imaginer le pire…

— Tu as raison, Nicole ! Je n'ai pas réfléchi beaucoup moi non plus en t'entraînant ici. Il te faut du temps pour réfléchir, et ce n'est pas ici que tu le pourras. Maman t'a vue et est capable de se faire une idée de ta situation. Et toi, maman, je tiens à m'excuser pour mes paroles. Je suis révoltée par ce que vit Nicole.

— Tu es sûre que tu seras mieux chez toi ? Veux-tu que Monique t'accompagne jusque chez toi et qu'elle revienne ici une fois que tu seras installée confortablement ? Pense à l'escalier que tu devras monter…

— Il n'y a aucun problème, maman! Il n'y a aucun changement dans mon état sinon que maintenant je sais à quoi m'attendre. Je serai mieux dans mes affaires à attendre Serge.

— Comme tu veux, c'est toi qui sais!

Le taxi arriva, Nicole monta dedans et fila en direction de chez elle. Elle avait cessé de pleurer, mais ses yeux étaient boursouflés d'avoir versé tant de larmes. Tout en roulant, elle parvint à se ressaisir. Elle était soulagée à la pensée de se retrouver enfin seule. Sa mère et sa sœur l'avaient plus excédée que soulagée. Elle monta l'escalier lentement en tenant la rampe. Une brise violente se leva quand elle arriva à la porte de son logis, à tel point qu'elle chancela. «C'est un vent qui annonce de la neige», se dit-elle. Nicole se débarrassa de son manteau, enleva ses chaussures et contempla son intérieur. Elle regarda ensuite la chambre fraîchement aménagée pour accueillir le poupon et détourna la tête pour ne pas se retrouver en larmes. Elle devait être forte pour affronter l'avenir. C'était une battante, elle l'avait prouvé à maintes reprises dans le passé. De plus, elle était désormais libérée du poids d'avoir trahi sa sœur en alimentant la rumeur sur Jean-Pierre et Monique. Elle n'avait plus à se préoccuper de Thérèse non plus. Monique verrait à régler ce différend en la punissant ou en l'ignorant.

Lauretta et Monique n'étaient pas très fières de leur attitude. Au lieu d'aider Nicole, elles avaient l'impression de lui avoir nui. En réalité, elles avaient galvanisé sa résilience. Nicole avait retrouvé le courage d'affronter ce qu'elle s'apprêtait à vivre. Elle n'avait que plus d'amour pour le petit être qui se battait en elle. Elle lui donnerait toutes les chances de survivre en lui consacrant toutes ses pensées positives pour l'aider dans son combat. Jamais elle ne l'abandonnerait. Son instinct de mère lui donna la force de préparer son mari à apprendre la vérité, et peut-être réussirait-il à l'aimer malgré tout, même si leur enfant naissait handicapé...

Lauretta et Monique reprirent le travail tout en pensant à leur dispute. Lauretta en vint à penser qu'elle n'aurait pas dû parler de Dieu avec autant de conviction devant Monique. Et Monique, de son côté, se blâmait d'avoir été aussi intolérante envers sa mère. Elle avait l'impression d'avoir abandonné sa sœur à elle-même.

Tout en travaillant, elle se rappela l'aveu de sa sœur qui se croyait responsable des cancans qui l'affligeaient. Elle devait absolument pardonner les commérages de Nicole qui était suffisamment accablée avec ce qu'elle venait d'apprendre sur son bébé. Monique prit la décision de passer outre ces futilités et de laisser les gens se repaître de mesquineries si ça pouvait satisfaire leur goût pour la bêtise.

La journée au travail fut brève pour Monique puisqu'elle avait passé pas mal de temps avec sa sœur. À son retour, elle n'avait pas suffisamment de concentration pour être efficace. À quatre heures, elle partit pour aller chercher Michel chez sa voisine Irène et accueillir ses enfants à la fin des classes. Elle se pressa pour préparer le souper. Grâce à Nicole, elle était sortie de son état dépressif des derniers jours. En se comparant, elle s'était consolée. Ses préoccupations étaient futiles comparativement à celles de sa sœur. Il lui restait son incapacité à affronter Jean-Pierre, mais elle se promit d'y travailler.

— Bonsoir, mon chéri, comment a été ta journée ?

— Un lundi normal, mais très occupé comme la plupart des lundis. Et toi ?

— J'ai accompagné Nicole tel que prévu et ce n'est pas des bonnes nouvelles.

— Comment ça ?

— Après le rendez-vous chez le médecin, nous avons dû nous rendre à l'hôpital pour des radiographies. C'est là que le verdict est tombé. Son enfant naîtra infirme. Il lui manque deux vertèbres et il ne pourra pas marcher à moins d'être opéré régulièrement durant sa croissance. Elle doit rencontrer un orthopédiste de Montréal pour en savoir plus.

— Pauvre fille ! Elle n'est pas chanceuse... Bénissons le Seigneur de nous avoir donné des enfants en santé.

Les dernières paroles de Paul l'avaient agacée, mais comme elle venait tout juste de se quereller avec sa mère sur le même sujet, elle ne voulait pas répéter l'expérience.

— Je suis bien d'accord avec toi, elle n'est vraiment pas chanceuse. Je ne sais pas comment son mari va prendre la nouvelle. J'espère qu'il sera assez solide pour la soutenir dans cette terrible épreuve.

— Tu as raison, ma chérie. Quand des épreuves semblables frappent un couple, parfois ça le détruit. Il faut beaucoup d'amour ou de foi pour passer au travers de ces grands malheurs.

— Changeons de sujet, veux-tu ? J'ai passé la journée dans cette ambiance lugubre et c'est suffisant. Qu'en penses-tu ?

— Aucun problème ! Ça sent très bon, qu'est-ce que tu nous prépares ?

— Un bon vieux ragoût dont tout le monde raffole.

— C'est parfait, mais viens ici que je te serre dans mes bras. Je suis content de retrouver ma p'tite femme que j'aime. Avoue qu'on est chanceux et que la vie n'est pas trop dure avec nous.

— Tu as raison, Paul ! Nous sommes chanceux, et quand je me plaindrai à l'avenir, tu n'auras qu'à me rappeler les épreuves que ma sœur devra traverser.

La routine reprit le dessus. Ils soupèrent, puis vinrent les devoirs de Maxime et de Martine. Paul écouta le bulletin de nouvelles de Radio-Canada avec l'animateur Jean-Paul Nolet. Il y aurait un débat télévisé plus tard en soirée avec Raymond

Charrette. Les chefs en découdraient sur les enjeux de l'éducation, les ressources naturelles et le Trans-Canada *pipe-line*. Les élections provinciales étaient prévues pour le mercredi 14 novembre, soit deux jours plus tard. Il était persuadé que les libéraux remporteraient les élections, mais que Russel serait réélu dans Shefford pour l'Union nationale. Paul déplorait le fait que la circonscription soit toujours dans l'opposition ou presque. Il savait qu'une circonscription dans l'opposition était moins choyée par le gouvernement. Si l'organisation libérale de la circonscription était solide, ils avaient de bonnes chances de ne pas trop en souffrir. Paul aimait vraiment les têtes d'affiche du parti avec René Lévesque, Paul Gérin-Lajoie, le premier ministre Jean Lesage. Il croyait beaucoup à la création de la Société générale de financement, en Gérard Filion de la commission Parent et en Jacques Parizeau. Il sentait depuis qu'ils avaient pris le pouvoir que le Québec vivait vraiment une révolution tranquille. « Maître chez nous » devenait une réalité.

Monique n'était pas très intéressée par la politique, mais elle épaulait son mari dans son action militante. Qu'on montre la porte aux communautés religieuses dans la gestion des écoles et des hôpitaux ne pouvait que la réjouir.

Nicole avait d'autres préoccupations. Elle était installée dans son salon, elle aussi, avec son mari Serge, mais n'écoutait pas le débat des chefs. Elle venait de raconter sa journée chez le médecin, à l'hôpital, chez sa mère, puis finalement son retour à la maison en taxi. Elle lui raconta que sa sœur Monique l'avait accompagnée tout au long de cette journée pénible. Serge était catastrophé, mais ne le laissait pas paraître. Quand elle lui avait dit que leur bébé était un garçon, il avait encaissé le coup, mais avait fait une croix sur le jeune sportif qu'il aurait aimé entraîner au fil du temps. Il n'était pas certain de pouvoir s'adapter à la situation. Il ne comprenait pas pourquoi le hasard les avait choisis pour vivre cette épreuve. Il se demandait surtout comment le bonhomme Gousy avait pu deviner le malheur qui les frappait avant le fait. Il n'y avait pas d'histoire familiale qui rapportait d'enfant taré à ce qu'il sache et, d'après Nicole, pas plus de son côté à elle.

Nicole n'aimait pas qu'il utilise le terme *taré* quand il parlait de leur enfant, mais force était d'admettre malheureusement que leur fils souffrait de certaines tares qu'elle ne pouvait associer à l'hérédité de sa famille non plus. Elle essayait de percer la réaction de son mari. Il lui tenait la main et semblait plein de compassion. Plus elle avançait dans sa narration, plus elle sentait par moments de la pression sur sa main. Serge ne se rendait pas compte que sa réaction broyait la main de Nicole chaque fois. Il encaissait le coup comme un boxeur qui attendait désespérément la fin du round de peur de s'écrouler.

# Chapitre 9

Les élections provinciales du 14 novembre 1962 étaient sur toutes les lèvres. La météo était même reléguée au second plan dans les conversations. La vieille garde était optimiste pour la circonscription, mais pessimiste au niveau provincial. Tout le reste de la population sentait que les élections provoquées par le premier ministre Lesage amèneraient un changement positif. La position de Jacques était ambiguë. Il acceptait les libéraux comme un moindre mal. Il suivait avec beaucoup d'intérêt la carrière de Marcel Chaput qui s'était présenté comme candidat indépendant et indépendantiste. Le RIN l'avait appuyé, mais ne voulait pas le faire ouvertement. À l'exception de l'aide de Pierre Bourgault et de Gilles Grenier, il était livré à lui-même. Jacques était furieux et le disait ouvertement. Il écrivit un article dans le journal du RIN, *L'indépendantiste*, dénonçant la léthargie de ses membres. Avec Henry Somerville comme député dans Huntingdon, la circonscription de résidence de Jacques étant majoritairement anglophone, il ne pouvait donc pas espérer grand changement de ce côté.

À la demande de Françoise, Jacques était descendu à Granby la fin de semaine précédant les élections et avait pris une semaine de congé pour militer. Il eut tout le temps de se familiariser avec les problèmes qui affectaient sa famille. Il fut impressionné de constater le chaos qui y régnait. Chacun pour soi semblait être le mot d'ordre. Évidemment, quand son frère Yvan apprit qu'il était à Granby, il s'organisa pour le voir afin de le sermonner. Yvan se présenta chez sa mère à l'impromptu. Jacques n'y était pas, mais il remarqua un exemplaire du journal *L'indépendantiste* qui traînait dans la cuisine. Il le feuilleta et sa mère lui annonça fièrement que Jacques avait écrit un article dans ce journal. Il prêta une attention toute particulière et repéra l'article de son frère. Plus il lisait, plus la colère montait en lui.

— C'est vraiment une tête brûlée cet imbécile! Je vais l'étriper ce misérable!

— Qu'a-t-il donc fait pour te mettre dans un tel état? lui demanda sa mère.

— C'est un crétin, maman! Il n'a jamais saisi qu'il travaillait pour une banque canadienne et, de surcroît, majoritairement anglophone. Il se permet d'écrire dans un journal indépendantiste. Il mériterait de se faire renvoyer, et c'est ce qui va arriver si jamais la direction tombe sur ce torchon. Il est fou ou quoi?

— Voyons, Yvan! C'est quand même ton frère!

— C'est un innocent! Qu'est-ce que tu veux que je te dise, maman?

— Je te défends de parler comme ça de ton frère. Il a le droit à ses idées comme toi tu as droit aux tiennes.

— Oui, mais maman, il faut être cohérent dans la vie! On ne peut pas faire ce qu'on veut sans penser qu'un jour on pourrait nous confronter avec nos idées.

— Il faut être indulgent, Yvan! Il est jeune à une époque qui est plus permissive que dans mon temps et même que dans le tien.

— N'essaie pas de le défendre à tout prix! Nous n'avons que sept ans de différence entre nous. La vie n'a pas tant changé en si peu de temps. C'est juste qu'il se fout de tout depuis son voyage en Gaspésie. Il a trop fréquenté d'anarchistes à Percé.

— Je ne pourrais pas te le dire, mais on ne peut pas nier qu'il est très intelligent, répondit sa mère.

— L'intelligence ne sert à rien si elle n'est pas utilisée à bon escient. Jacques est l'exemple parfait d'un talent gaspillé, maman.

— Il n'a que vingt-et-un ans, donne-lui une chance de faire ses preuves, Yvan.

— Je n'aurais pas de problème avec ses agissements s'il ne portait pas atteinte à ma réputation à la banque. Dis-lui que je veux le voir le plus tôt possible, mais ne l'avertis pas de mes raisons, sinon il va se défiler.

— D'accord, d'accord! Tu es tellement intransigeant que je ne te comprends plus. Je te dirais que nous avons d'autres problèmes familiaux plus prioritaires que vos différends à Jacques et toi. Le bébé de Nicole va naître infirme et elle est vraiment malheureuse. Est-ce que tu réalises que vos problèmes sont bénins comparativement à ceux de Nicole ?

— Je suis désolé pour Nicole, mais qu'est-ce que j'y peux ? Qu'en est-il de la fameuse rumeur qui circule au sujet de Monique ?

— La pauvre Monique a fini par accepter la situation puisqu'elle ne peut rien y changer. Son mari la soutient même si ça peut nuire à ses ambitions de devenir commissaire de la commission scolaire. Le curé lui a même demandé s'il était intéressé à devenir marguillier de la paroisse.

— Veux-tu bien me dire qu'est-ce que j'ai fait pour tomber dans une famille semblable ? On n'est jamais tranquille ! Il y a toujours un scandale qui plane dans l'air avec vous autres…

— Tu ne fais plus partie de notre famille, mon garçon ? Quand tu dis *vous autres*, tu ne t'inclus pas ?

— Ce n'est pas tout à fait ce que je voulais dire, mais il faut que tu comprennes que mon poste au sein de la banque dépend en grande partie de ma réputation et de la réputation de ma famille. Si j'avais un frère voleur de banque, par exemple, ce ne serait pas gagnant, tu comprends ?

— Ce que je comprends, Yvan, c'est que tu as honte de nous ! Ne sois pas si faraud…

— Je vais demander un transfert pour changer de ville le plus loin possible. Ainsi, je n'aurai plus à me faire enguirlander par ma mère ni à me faire traiter de sans-cœur.

— Je n'ai jamais prononcé ce mot! C'est toi qui te juges sévèrement comme tu le fais avec tout le monde d'ailleurs, répliqua sa mère. J'espère que l'enfant de Nicole ne nuira pas à ta carrière et à ton avancement…

— Là, tu m'insultes, maman! Tu n'as pas prononcé le mot *sans-cœur*, peut-être, mais tu fais tout pour me le faire sentir. Je reviendrai quand tu seras dans de meilleures dispositions à mon égard. Salut!

— C'est ça! Sauve-toi, parce que ton attitude me peine beaucoup.

Lauretta avait rejeté l'insolence de son fils en lui tenant tête. Pour elle, personne n'était supérieur à personne. Elle les aimait tous également, quelles que soient leurs forces ou leurs faiblesses. Le seul facteur qui la faisait changer d'opinion, c'était quand l'un d'eux était frappé par le malheur ou par la maladie. Elle mettait alors toute son énergie à le ou la soutenir, et pouvait même ameuter sa tribu pour s'assurer que le soutien serait maximal. Elle rêvait d'une famille plus unie, mais se rendait bien compte que ce n'était pas facile à atteindre comme objectif. Émile avait causé beaucoup de dommages avec ses agissements dans le passé. Au moment où les enfants étaient jeunes, il les avait trahis en faisant preuve d'égoïsme. Ils avaient bien vu qu'il était avare, ivrogne, arrogant et très intransigeant. Qu'aurait-elle pu faire de plus que ce qu'elle avait fait ? Le modèle était défaillant et elle s'en rendait bien compte, à présent qu'ils étaient tous adultes. Ils avaient tous un petit quelque chose qui ressemblait au caractère d'Émile. Il n'avait pas que des mauvais côtés, loin de là. Yvan avait hérité du côté travaillant de son père, mais aussi de son côté égoïste. Il avait peut-être même hérité de son côté avaricieux, mais à un degré moindre. Néanmoins, il accordait beaucoup trop d'importance à l'argent, tout comme Émile. La valeur ne se comptait pas à l'épaisseur du portefeuille, et Lauretta le savait. Elle souhaitait sincèrement que son fils Yvan soit heureux, mais le serait-il un jour ?

Puis, elle pensa à Monique qu'elle aimait beaucoup puisqu'elle avait été la première victime de l'intransigeance d'Émile. Ce faisant, elle avait hérité de son caractère têtu et, par moment, de son incapacité à reconnaître ses faiblesses. Lauretta ne comprenait pas la réticence de sa fille à faire face à Jean-Pierre et à s'asseoir avec lui à présent qu'il savait la vérité sur sa naissance. Non ! Lauretta ne comprenait pas, mais elle ne pouvait pas la forcer à assumer un rôle qu'elle avait réclamé à cor et à cri pendant une grande période de sa vie, toujours bloquée par la pugnacité de son père. Peut-être que les choses s'arrangeraient si Jean-Pierre la forçait à l'évidence quand il serait adulte à son tour. Elle le souhaitait ardemment puisque c'était déjà un secret de Polichinelle. De toute façon, cela ne pouvait intéresser que quelques mégères ou méchants bougres en mal de médisance. Lauretta pensait à sa belle-sœur Ernestine qui aimait évoquer certains aspects de la moralité de Monique, de son caractère, de ses actes ou de son comportement d'impie et exposer ses défauts dans les assemblées auxquelles elle participait. Lauretta ne comprenait pas pourquoi Ernestine agissait ainsi, si ce n'est à cause de son corps d'arthritique qui la faisait beaucoup souffrir et de son cœur desséché de veuve acariâtre. Même Émile la détestait, alors que leur mère était si douce. Lauretta n'avait jamais connu le père d'Émile, et elle aurait été bien curieuse de le rencontrer de son vivant, mais il était décédé quand Émile était encore tout jeune.

Nicole était chez elle et attendait impatiemment l'appel du spécialiste ou de quelqu'un de l'hôpital qui faisait le suivi de son dossier. L'inquiétude la tenaillait, et elle s'inventait les scénarios des plus macabres. Attendre que le téléphone sonne était un vrai calvaire. Le moindre mouvement du bébé l'alarmait et elle ne pouvait pas s'étendre puisqu'elle n'avait qu'un téléphone mural. Le temps qu'elle se relève pour se rendre au téléphone qui était dans la cuisine, il serait trop tard pour décrocher. Le plus énervant, c'était sa ligne téléphonique multiple : la même ligne desservait quatre maisons avec des tonalités différentes. Son signal à elle était deux longues sonneries et une courte. Chaque fois que le téléphone sonnait, elle pensait toujours que c'était pour elle. De temps à autre, elle vérifiait que la ligne n'était pas occupée par un voisin, et si c'était le cas, elle le suppliait de la libérer parce qu'elle attendait un appel urgent de l'hôpital. C'était à rendre fou.

Finalement, deux longs, un court… c'était pour elle !

— Oui, docteur !

— *It's not the doctor but the Montreal Children's Hospital admission office. May I speak with Mrs. Nicole Gosselin, please?*

Nicole n'avait rien compris, mais elle savait que c'était l'hôpital.

— *Yes, yes, it's me !*

— *Could you be at the hospital by Thursday the 15? Bring a suitcase and be ready in case of an operation.*

— *I don't understand, I don't understand…*

Nicole se mit à pleurer. La réceptionniste constatant le désarroi de celle-ci demanda à une de ses consœurs qui était bilingue de prendre l'appel. Quand elle comprit que Nicole était en larmes, elle tenta de la consoler.

— Calmez-vous, madame Gosselin ! Je travaille pour le Montreal Children's Hospital ; seriez-vous disponible pour vous présenter à l'admission jeudi matin à 10 heures ?

— Oui !

— Il est conseillé que vous apportiez avec vous une robe de chambre et des pantoufles. Il se peut que le docteur Goldman décide de vous garder sous observation. Il se peut aussi qu'il veuille provoquer l'accouchement. Vous comprenez ?

— Oui, je comprends! Je serai là accompagnée par mon mari. D'accord?

— Parfait! Je vous donne l'adresse : 2300, Tupper street. On vous attendra, merci!

Nicole était tellement énervée qu'elle en avait des crampes. Elle se calma un peu, puis appela chez sa mère.

— Allo, maman! J'ai eu mon rendez-vous. C'est pour jeudi! Je suis tellement énervée que je ne tiens plus en place. Elle m'a dit d'apporter une robe de chambre et des pantoufles, qu'ils allaient peut-être me garder sous observation et provoquer l'accouchement. Comment je vais faire pour me rendre là? J'ai jamais mis les pieds dans Montréal…

— Calme-toi et prends le temps de t'asseoir, on va trouver une solution. Ne t'inquiète pas! Jacques ne travaille pas cette semaine, mais je ne crois pas que son auto soit appropriée. Est-ce que Serge va t'accompagner?

— J'le sais pas, mais j'peux pas y aller toute seule en autobus!

— On va trouver une solution. Ne t'inquiète plus de rien et repose-toi, ma grande. D'accord? Tu peux te fier sur ta famille.

— Oui, maman! Je vais aller m'étendre parce que je suis pas mal fatiguée à force d'attendre l'appel. Tu vas me rappeler?

— Ne t'inquiète pas! Attends ton mari, et c'est certain que je vous appelle ce soir. Va t'étendre!

— C'était Nicole? demanda Monique.

— Oui! Elle ne tient plus en place, pauvre chouette.

— Penses-tu que papa prêterait son auto à Jacques pour qu'il les amène à Montréal? Il doit connaître ça Montréal, tel que je le connais.

— Sûrement, mais est-ce qu'il va vouloir? Ça, c'est une autre paire de manches…

— Laisse-moi lui parler et je te garantis qu'il va prêter son auto pour descendre à Montréal, aussi vrai que je m'appelle Monique.

— On va commencer par lui demander poliment et, s'il refuse, je te laisserai t'arranger avec lui. Il va vouloir, jamais je croirais…

— Si tu veux tenter ta chance, vas-y maman, mais s'il regimbe le moindrement, tu m'appelles.

Lauretta et Monique continuèrent à travailler tout en élaborant des scénarios pour organiser le transport de Nicole vers Montréal. Ce n'était pas une mince affaire. Lauretta se voyait mal demander à Émile de prêter son auto à quelqu'un, même à un de ses fils. Son automobile était sacro-sainte à ses yeux. Il ne s'en servait même pas pour se rendre au travail. De plus, elle ne voulait pas trop se compromettre avec lui, de crainte que sa demande soit mal interprétée. Il fallait qu'il comprenne clairement que c'était pour venir en aide à sa propre fille et que ce ne serait pas un étranger qui conduirait son auto, mais son propre fils. Si cette tentative échouait, il y aurait toujours Yvan qui avait, lui aussi, une automobile.

Soudain, Lauretta se rappela que Patrick venait tout juste de s'acheter une voiture lui aussi, une Ford Thunderbird, si sa mémoire était fidèle. Ce serait peut-être plus facile avec Patrick. Elle tenterait sa chance avec Émile, puis se rabattrait sur Patrick si cela ne fonctionnait pas. Son idée était faite. Dès qu'Émile serait de retour du travail, elle lui demanderait. Il n'y avait pas de temps à perdre, car le rendez-vous à l'hôpital était prévu le surlendemain.

— Monique! J'ai eu une idée. Je demande à ton père s'il veut prêter son auto, et s'il refuse, je demanderai à Patrick. Je suis certaine qu'il acceptera.

— C'est vrai, il vient de s'acheter une auto! Je ne l'ai même jamais vue. Tel que je le connais, ça doit être une belle auto confortable. Je suis presque certaine que ton mari ne voudra jamais prêter son auto, même au pape s'il le lui demandait.

— Je n'aime pas ça quand tu dis *ton mari* en parlant de ton père. Il est malgré tout ton père, Monique.

— Excuse-moi, maman! J'ai parlé sans réfléchir.

Enfin quatre heures! Monique traversa chez elle en attendant que les enfants rentrent de l'école. Elle prépara le souper et fit un peu de ménage. Paul aimait que la maison soit impeccable et elle aussi. Émile finissait sa journée à trois heures, mais il faisait toujours sa tournée quotidienne chez l'épicier Paré, puis chez Tessier. Il était rarement chez lui avant cinq heures. Finalement, il arriva avec un air renfrogné et un peu ivre. Cela n'augurait pas bien, mais Lauretta se lança quand même.

— Bonjour, Émile, je t'avais mentionné que Nicole devrait se rendre à l'hôpital à Montréal éventuellement. Elle a eu la confirmation de son rendez-vous pour jeudi matin, mais il y a un problème… Serge n'a pas d'automobile, mais Jacques pourrait les amener. Son auto est seulement une deux-places. Pourrais-tu lui prêter la tienne pour la journée ?

— T'es-tu folle Lauretta ! Mon Buick ? Jamais ! Y'a pas de famille, lui ? J'ai pas peur d'le dire ! Qu'ils s'arrangent et qu'ils ne comptent pas sur mon char…

— T'es donc bien sans-cœur, Émile Robichaud ! C'est ta fille et ce n'est pas pour une frivolité, c'est un rendez-vous avec un spécialiste pour son bébé, ton petit-fils.

— Ils peuvent prendre le train ou l'autobus. Y'a jamais personne qui a chauffé mon char, pis y'en aura pas non plus. C'est-tu clair ?

— Je te revaudrai ça, Émile ! Et tu ne perds rien pour attendre. Tu te feras à souper tout seul et que je ne te vois pas fouiller dans mes chaudrons. Tu mangeras du fromage de ta meule sur le comptoir et tu descendras dans la cave pour finir de te saouler.

La conversation était close, mais Lauretta n'était pas surprise outre mesure par l'attitude égoïste de son mari. Elle passa au plan B et appela Patrick. Elle lui expliqua la situation et ce dernier accepta aussitôt tout en précisant qu'il ne savait pas comment s'y rendre. Il lui proposa d'appeler Marcel qui connaîtrait sûrement le chemin. Et c'est ce qu'il fit.

— Marcel?

— Oui!

— C'est Pat! Notre p'tite sœur a besoin d'aide. Elle a des examens au Montreal Children's Hospital sur la rue Tupper. C'est moi qui va la reconduire avec Serge, mais j'ai aucune idée comment m'y rendre. Le sais-tu, toi?

— Salut, Pat! C'est très facile. Tu n'as qu'à suivre la route 1 et suivre les indications pour Montréal, et ensuite le pont Jacques-Cartier. Rendu de l'autre bord du pont, continue jusqu'à la rue Sherbrooke, tourne à gauche sur Sherbrooke. T'as un bon boutte à faire sur Sherbrooke, mais surveille la rue Saint-Marc à ta gauche. Tu vas voir l'Université McGill avant ça. La rue Tupper se prend par la rue Saint-Marc. Ça ne devrait pas être trop difficile à trouver.

— Recommence ça tranquillement que je prenne des notes. Je ne me rappellerai jamais de tout ça.

Marcel reprit lentement le parcours en attendant que son frère lui dise de continuer. Quand ce fut fait, ils purent reprendre la conversation.

— Dis-moi donc, Pat! Comment ça se fait que Nicole vienne pour des examens à Montréal?

— Tu l'savais pas? Son bébé va être infirme! C'est pour ça que tout le monde est sur le pied de guerre. Imagine-toi donc que m'man a demandé à p'pa de prêter son char à Jacques. Y'a jamais voulu! Je pense qu'elle aurait été à l'article de la mort qu'il aurait dit non pareil. Tu parles d'un vieux *sacrament*...

— Tu viens pas juste de découvrir ça, Pat?

— Non, mais j'aurais pensé que pour une affaire pareille, il aurait pu changer son fusil d'épaule et faire une exception.

— Son char, c'est son bébé, pas Nicole...

— Y'a des bonnes chances qu'ils la gardent parce qu'ils lui ont demandé d'apporter sa robe de chambre pis des pantoufles.

— S'ils la gardent, pourrais-tu me rappeler pour m'le dire? J'imagine que le beau-frère va vouloir rester avec elle? Je pourrais l'héberger le temps qu'il faut. Il pourrait dormir sur le divan, mais dis-lui que je reste loin dans l'est de la ville. Je pourrais aller le chercher en rendant visite à Nicole, mais le lendemain, il faudra qu'il prenne l'autobus pour retourner à l'hôpital.

— Je vais y dire ça ! Il va sûrement être ben content que tu lui offres.

— Oublie pas de me rappeler ! Je vais te laisser le numéro à la *shop*…

Tout s'organisait, mais c'était tout une aventure pour des gens d'une petite ville de province. Patrick voulait annoncer lui-même à Nicole que ce serait lui qui irait les conduire à Montréal, son mari et elle. Il l'appela et c'est Serge qui répondit.

— Salut, l'beau-frère, c'est Pat ! Je voulais vous annoncer que c'est moi qui irai vous mener à Montréal. J'ai tout arrangé ça avec Marcel. Si jamais tu dois coucher à Montréal, Marcel fait dire qu'il peut te loger le temps qu'il faut.

— T'es ben fin, Pat, mais j'espère revenir avec toi. Il faut que je travaille pour payer les factures. Ce sera pas gratis cette affaire-là.

— Tu parles de l'hôpital ?

— Ouais !

— C'est sûr que ça va coûter un bras, mais t'as pas le choix ! As-tu un peu d'argent à la banque ?

— Tu connais ta sœur! Si elle pouvait couper une cenne en quatre, elle le ferait. On avait en tête de se bâtir une maison nous autres aussi. Y va falloir fouiller dans ce compte-là, on n'aura pas le choix.

— Passe-moi donc ma sœur que je lui parle un peu!

— Nicole! C'est Pat et y veut te parler pour Montréal. Bon ben, merci Pat, j'te la passe.

— Allo, Pat!

— Comment ça va, ma p'tite sœur?

— Ça pourrait aller mieux comme tu sais!

— Je voulais juste te dire de ne pas t'inquiéter pour jeudi matin. J'ai parlé à Marcel, pis y m'a expliqué comment m'y rendre. Il va falloir qu'on parte de bonne heure. Qu'est-ce que tu penses de sept heures?

— Nous serons prêts! Merci, Pat, c'est très gentil de ta part.

— C'est rien! Si je ne peux pas aider ma p'tite sœur quand elle a besoin de moi, où est-ce qu'on s'en va? Je serai chez toi jeudi matin à sept heures.

Nicole se tourna vers son mari et constata qu'il faisait une tête d'enterrement. Elle avait pourtant l'impression qu'il avait accepté la situation. Son fils serait infirme et il ne pouvait rien y faire. Elle voulait savoir ce qui le contrariait autant.

— Qu'est-ce qui ne va pas, Serge ? Tu ne veux pas venir à l'hôpital avec moi ?

— Non, c'est pas ça ! Dans ma tête, c'est comme un rêve qui tourne au cauchemar. J'ai peur ! Je sais que ce n'est pas très courageux de ma part, mais c'est comme ça, je n'y peux rien…

— Moi non plus, si tu savais… Je me sens comme si j'attendais une sentence de condamnée à mort ! Je veux qu'il le sorte de mon ventre pour que je puisse le voir. Des fois, je me dis que j'aimerais mieux qu'il meure plutôt que de souffrir toute sa vie. Et puis, si je le vois, je vais m'attacher à lui et je vais vouloir qu'il vive.

— As-tu pensé à tous les sacrifices que nous allons devoir faire ? C'est ça ma peur ! Souffrir de le voir souffrir, c'est sans fin…

— Serge ! Attendons d'avoir rencontré le spécialiste et nous aurons tout le temps de pleurer sur nos malheurs. Il faut que je t'avoue quelque chose…

— Qu'est-ce que tu veux m'avouer ?

— Je pense que c'est de ma faute si notre bébé est infirme. Si je n'avais pas bavassé à propos de Monique et Jean-Pierre, rien de cela ne serait arrivé.

— Qu'est-ce que tu dis là ? Ne dis pas de bêtises comme ça ! T'es rendue aussi superstitieuse que ton père. C'est impossible ce que tu racontes ! Si tu continues à penser ça, on va finir par t'enfermer à Saint-Jean-de-Dieu. C'est pas ça que tu veux ?

— C'est moi qui ai parti la rumeur en racontant à Thérèse tout ce que je savais sur Jean-Pierre. C'est drôle qu'elle se soit mariée avec Pat et que ce soit Pat qui vienne nous reconduire à l'hôpital où on va connaître le verdict de mon incorrigible défaut.

— Tu vas arrêter ça tout de suite, Nicole ! T'es en train de devenir folle, ma foi du Christ. Je ne veux plus jamais t'entendre parler comme ça. As-tu compris ? Jamais plus !

Nicole éclata en sanglots. Elle était inconsolable, mais Serge se réfugia dans le salon, claustré dans un silence impénétrable. Il la laissa pleurer, trop en colère face à sa bêtise. Comme si c'était possible ? pensait-il. Il était temps que le bébé cesse de la hanter. Il devait sortir de son utérus au plus vite avant qu'il ait complètement empoisonné son esprit qui était déjà fragilisé par la superstition. Quelle folie !

Pendant que Nicole pleurait silencieusement depuis plus de trente minutes, assise à la table de cuisine, Serge sortit du salon sans lui adresser la parole et alla se coucher. Il tourna longtemps dans leur lit avant de trouver le sommeil. Il espérait toujours qu'elle vienne le rejoindre, mais lui était trop en colère pour se lever et aller la chercher. Finalement, le sommeil arriva subrepticement pendant que Nicole s'endormait d'épuisement, toujours assise à la table de cuisine. Elle se réveilla quelques heures plus tard, toute courbaturée et alla rejoindre Serge.

La nuit fut courte et agitée. C'était jour d'élection, mais Serge devait aller travailler quand même. Il avait la mine basse et fit attention pour ne pas réveiller sa femme. Il lui en voulait, mais lui souhaitait de dormir suffisamment pour chasser les idées noires qui l'assaillaient constamment. Une dernière journée avant de se rendre à l'hôpital. Après, il avait l'impression qu'une page serait tournée définitivement. C'était se leurrer, car même si une page se tournait, une autre serait là et apporterait son lot de souffrances.

Nicole fut réveillée par le téléphone. Elle se leva péniblement. La sonnerie était si insistante qu'elle lui vrilla la tête jusqu'à lui donner une migraine. Elle regarda l'horloge murale, elle indiquait dix heures.

— Allo?

— Nicole, c'est toi?

— Oui!

— J'espère que je ne t'ai pas réveillée! Il est dix heures. Maman est inquiète que tu sois seule aujourd'hui et je suis de son avis. Tu ne devrais pas rester seule. Veux-tu que j'aille te tenir compagnie? Je pourrais t'aider à faire ta valise et te préparer un repas.

— C'est pas nécessaire, Monique! Merci quand même.

— J'insiste, Nicole! Il faut te secouer les puces et chasser cette morosité pour être en forme demain. As-tu peur?

— Qui n'aurait pas peur dans ma situation? Je suis terrifiée!

— Attends-moi! J'arrive que tu le veuilles ou non!

— C'est comme tu veux!

Monique se tourna vers sa mère et lui confirma qu'elle irait chez Nicole pour la réconforter si elle le pouvait. Elle partit à pied pour une marche de quinze minutes. Plus elle approchait du logis de sa sœur et plus elle savait ce qu'elle lui dirait pour soulager sa conscience torturée. Elle devait convaincre Nicole qu'elle n'était pas la source de la fuite qui l'avait embarrassée si cruellement. Elle trouva la jeune femme dans un piteux état, complètement déprimée.

— Mon Dieu, Nicole! Prends-toi en mains, tu ne peux pas te laisser aller comme ça… Tu vas d'abord prendre une bonne douche chaude et lave-toi les cheveux. Je m'occupe du reste en commençant par un coup de balai. Ensuite, je te sécherai les cheveux et te mettrai des bigoudis pour donner du volume à ta chevelure. Allez hop!

Nicole obtempéra et entra sous la douche. Monique commença par épousseter les meubles, puis donna un coup de balai. Il y avait de la vaisselle accumulée dans l'évier. Elle se promettait de remettre un peu d'ordre dans le logement avant la fin de la journée. Elle constata que Serge ne participait pas aux tâches ménagères. Elle aurait une conversation avec lui aussi à la première occasion. Il ne pouvait pas s'attendre à ce que Nicole fasse toutes les corvées dans son état actuel, elle qui normalement tenait son logis impeccablement. Monique s'était donné comme mission d'aider sa sœur à reprendre confiance en elle. Déjà, cet objectif devrait chasser le cafard et atténuerait peut-être sa peur du lendemain si elle y réussissait.

La douche fit le plus grand bien à Nicole et elle sortit de la salle de bain avec une serviette entourant ses cheveux.

— Assieds-toi sur cette chaise, Nicole, je vais t'essuyer les cheveux. Laisse-moi te dorloter un peu. On ne peut pas s'attendre à ce qu'un homme sache comment faire, n'est-ce pas ? Je vais démêler tes cheveux et ensuite te mettre des bigoudis. Montre-moi tes ongles ! Ouais, ça fait longtemps que tu ne t'en es pas occupée ?

— J'avais la tête ailleurs ! C'est tellement secondaire…

— Ce n'est pas toi ça, Nicole ! Je ferai tes ongles et pourquoi pas tes ongles d'orteils aussi. Le spécialiste ne pourra que constater que tu as pris soin de ton corps, tu verras !

Monique entreprit de redonner à sa sœur la fierté qu'elle portait si haut avant que cette calamité lui tombe dessus sans crier gare. Elle essuya, démêla, brossa les cheveux de Nicole, puis lui mit des bigoudis et un filet. Pendant que ses cheveux séchaient lentement sous le séchoir, Monique décapa les ongles des pieds et des mains de sa sœur. Nicole se sentait comme une momie, mais c'était agréable de ne pas pouvoir bouger et de se laisser dorloter.

— Où est ton vernis à ongles et ta trousse de maquillage ?

— Dans ma chambre, sur ma maquilleuse.

Monique trouva facilement ce qu'elle cherchait et fut impressionnée par l'ampleur du choix qui s'offrait à elle. Elle choisit une teinte rosée pour le vernis et le rouge à lèvres. Un fond de teint serait essentiel aussi pour cacher le teint blafard de Nicole. Monique s'amusait à choisir tous ces produits et traitait sa sœur comme si elle était une poupée. Elle voulait que Serge soit impressionné par la transformation quand il reviendrait du travail, et aussi que sa sœur retrouve son air de battante, ce qui était sa vraie nature. Elle voulait que Serge ressente la flamme de l'amour et non pas uniquement de la pitié.

— Qu'est-ce que tu penses de mon choix de couleur, Nicole ? Assez discret, mais de bon goût ! Ça te va ?

— Ce que tu veux ! Tout sauf le rouge criant parce que je n'ai pas le cœur à la fête et que je ne veux pas séduire personne arrangée comme je le suis en ce moment. Je suis tellement grosse que je ne me vois même plus les pieds. Mes ongles doivent être longs, non ?

— Je vais te faire une manucure complète. Ne t'inquiète pas, sœurette !

— Je te laisse faire! Ça me fait du bien de ne pas me préoccuper de rien, tant que tu ne m'arranges pas comme Loulou qui reste au bout de la rue Sainte-Rose.

— C'est une idée! Je te verrais assez bien déguisée en Loulou la pauvre créature... Hi! Hi!

— Monique! Ne me fais pas rire. Hi! Hi! Hi! Hi! Je m'imagine déguisée en Loulou... Hi! Hi! Hi! Oh! Ça fait mal!

— C'est bon de te dérider un peu! Le rire chasse les idées noires et te rend plus belle.

— Tu n'auras pas assez de la journée pour me rendre belle à nouveau!

— Ne dis pas ça, Nicole! Tu es jolie et même belle, mais tu passes par un mauvais moment, c'est tout.

— J'aimerais mieux que ce soit toi qui m'accompagnes plutôt que Serge. Quand il se sent impuissant, il devient agressif, et c'est bien la dernière chose dont j'ai besoin, demain.

— J'aimerais bien t'accompagner, mais ton mari doit être là absolument pour signer les papiers d'hospitalisation. Ton médecin ne te l'a pas dit?

— Es-tu sérieuse?

— Je te le dis, c'est comme ça! On ne pèse pas lourd dans la balance, nous les femmes, quand tu penses à ça. Le jour où tu te maries, c'est ton mari qui devient ton maître et seigneur.

— Je ne te crois pas, voyons donc! On est en 1962, pas en 1800…

— Réveille-toi, Nicole! C'est la loi, un point c'est tout! J'espère juste que ça va changer avant que je meure. Si ton mari est parti sur un chantier par exemple, ton père peut le remplacer pour signer. C'est ce qu'on appelle la Grande Noirceur, et je peux te dire que c'est loin d'être fini… On va changer de sujet si tu veux parce que ce n'est pas très réjouissant.

— Je n'avais jamais réalisé qu'on était si arriéré au Québec! Tu as raison. On est mieux de changer de sujet parce que je vais me mettre en colère sans pouvoir rien changer.

— Laisse-moi vérifier si tes cheveux sont secs. Je ne veux pas laisser tes bigoudis trop longtemps sur ta tête. Je veux juste donner à ta chevelure une allure légèrement vaguée plutôt que bouclée qui ne te va pas du tout.

Après vérification, Monique jugea que les cheveux étaient suffisamment secs pour obtenir le résultat qu'elle cherchait. Elle éteignit le séchoir et le replia pour le ranger dans la garde-robe de la chambre. Ensuite, elle déroula les bigoudis, puis brossa les cheveux jusqu'à leur donner un lustre. Quand elle fut satisfaite, elle appliqua le fond de teint, rehaussa l'arcade sourcilière d'une teinte brune qui s'agençait avec la couleur de la chevelure. Elle compléta son travail avec un peu de fard sur les pommettes en l'estompant efficacement jusqu'à ce qu'il se fonde, lui donnant ainsi une allure rayonnante.

— Regarde comme tu es jolie, Nicole !

— Ça fait longtemps que je ne me suis pas vue sous cet angle ! C'est vrai que je suis encore pas mal.

— Pas mal ? Beaucoup plus que pas mal. Tu es très jolie. Si seulement tu réussissais à cacher cette tristesse au fond de tes yeux, tu serais formidable !

— Tu crois ?

— Je ne me contente pas d'y croire, je le vois, sœurette !

— Tu crois que Serge va me trouver belle à nouveau ?

— À moins qu'il soit aveugle, il va te trouver sublime ! Ne le laisse pas te toucher, mais il peut toujours rêver. Ce n'est jamais mauvais pour un homme de rêver à des jours meilleurs auprès de celle qu'il aime. J'ai eu trois enfants avec Paul, et il y a eu des périodes où je ne payais pas de mine, mais le souvenir allié à l'espoir peut faire des miracles pour un couple.

— Tu me fais tellement de bien ! Tu le sais que je n'ai jamais voulu te faire de la peine en parlant de toi et de Jean-Pierre à Thérèse, n'est-ce pas ? Je t'aime beaucoup trop pour vouloir te blesser. Je me rappelle de tout ce que tu as fait pour la famille, même si j'étais très jeune quand nous sommes arrivés à Granby.

— Tu n'avais que cinq ou six ans quand la maison a brûlé à Stanbridge-East. Tu ne peux pas te rappeler de tout ça !

— Oui ! On avait beaucoup de misère, et papa était tellement dur que je n'oublierai jamais ça ! Maman et toi, vous étiez toujours là pour nous ! Comment veux-tu que je puisse oublier ça ? Moi et ma maudite mémoire ! Tout ce qui m'arrive, c'est à cause d'elle…

— Calme-toi, Nicole ! Tu en as peut-être parlé à Thérèse, mais le commérage part bien avant ça. Quand nous sommes arrivés à Granby en 46, c'est là que tout a commencé avec ceux de l'autre génération. Quand je suis tombée enceinte, toutes les familles de maman et de papa l'ont su. N'importe qui aurait pu s'échapper, déblatérer, appelle ça comme tu voudras, mais passer l'information à tout le monde.

— Je comprends, Monique, mais c'est très important pour moi, pour ma conscience…

— Je t'ai dit d'oublier toutes ces niaiseries ! Tu n'as rien à voir là-dedans ! La vérité est sortie de la bouche de papa et Jean-Pierre a entendu dire que c'était moi sa mère et non pas maman. C'est là que je suis incapable d'accepter d'être forcée à lui confirmer que c'est bien vrai, affronter son regard et ses questions. J'aurais choisi un autre moment...

— Mais maintenant, il le sait! Selon maman, il le prend bien après le choc initial. Ça lui ferait du bien que tu lui parles.

— Je ne suis pas capable! Tout le monde pense que je suis forte, mais c'est tout le contraire. Je suis tellement faible, si tu savais! Tout ce que j'ai fait pour la famille, c'est parce qu'il n'y avait personne d'autre pour aider maman à passer au travers de la crise de l'arrivée en ville.

— C'est ça le courage, Monique! Je t'ai toujours prise comme modèle. J'ai toujours aimé tes enfants comme s'ils étaient les miens. J'ai toujours rêvé d'avoir un jour des enfants comme eux, en santé comme eux!

— Nicole! Mon but aujourd'hui était de t'égayer, de te rendre joyeuse, même si la situation n'est pas rigolote. Je ne veux pas qu'on règle l'histoire familiale. Je t'ai dit que je ne t'en voulais pas. Point à la ligne! Veux-tu que je te taille les ongles? On pourrait faire comme dans les films, te laisser tremper les pieds dans l'eau chaude et savonneuse. Qu'en dis-tu?

— Tu as raison! C'est sûrement très agréable.

Monique se leva et prit une bassine en plastique pour les pieds et une plus petite pour les mains, puis les remplit d'eau chaude en y versant un peu de savon à vaisselle. Elle y fit tremper les pieds de sa sœur. Cette diversion était bienvenue, car les sujets de conversation de Nicole la troublaient au plus haut point. Monique entreprit ensuite de lui faire une manucure, de repousser ses cuticules, de limer ses ongles, puis d'y appliquer du vernis. Elle retrouva son entrain en s'activant sur les mains, les pieds, à les rendre beaux. Quand elle eut fini, elle demanda à Nicole ce qu'elle en pensait.

— Si tu savais comme je me sens bien en ce moment! Tu m'as traitée comme une reine. Je ne sais pas de quelle façon te remercier.

— Ton sourire et ton visage détendu me suffisent largement!

# Chapitre 10

Sept heures le jeudi matin ; Patrick se gara dans la cour de Nicole. Elle sortit presque aussitôt, suivie de son mari Serge qui tenait une petite valise à la main. Il verrouilla la porte et descendit l'escalier. Nicole paraissait extrêmement nerveuse et Serge n'était guère mieux. Le manque de sommeil se lisait sur leurs visages. Patrick trouva sa sœur jolie malgré tout. Elle avait pris le temps de se maquiller. C'était un grand jour, même si le verdict qu'elle attendait ne pouvait qu'être négatif. Son bébé, son fils n'échapperait pas à une vie dominée par l'infirmité. Il ne serait jamais un grand nageur, ni un hockeyeur. Au mieux, il vivrait d'opération en opération avec des intervalles de récupération. Nicole était certaine qu'il connaîtrait la souffrance physique et psychologique. Il envierait les autres enfants en les regardant jouer dehors.

Nicole essaya de chasser ces pensées lugubres et salua son frère.

— Bonjour, Pat ! Merci d'être là pour nous. Je suis très nerveuse ce matin. J'espère que nous n'aurons pas de difficulté à nous rendre à l'hôpital.

— Ne t'inquiète pas, sœurette. Tout ira bien avec le trajet que Marcel m'a expliqué. Nous avons trois heures pour nous y rendre, et d'après Marcel, on sera sur place en moins de deux heures.

— Tant mieux si tu es confiant! Je vais m'asseoir à l'arrière et laisser Serge être ton copilote. Il est sûrement plus capable que moi!

— Comme tu veux! Thérèse a pensé à mettre des coussins à l'arrière pour toi. Je ne suis jamais allé à Montréal. Je me demande si c'est aussi gros que les gens le disent.

— Moi non plus, je n'y suis jamais allée. Et toi, Serge, es-tu déjà allé à Montréal?

— Non! Je l'ai vu en photos et c'est gros en *batinse*! Il y a des édifices en hauteur comme c'est pas possible.

— Eille, on est une belle *gang* de colons! Y'en a pas un qui a mis les pieds à Montréal, déclara Patrick.

— On n'est pas les seuls à n'avoir jamais mis les pieds à Montréal! répondit Nicole.

— Dans la famille, il y a Monique, Gérard, Marcel, Yvan, Jacques et nous autres, reprit Patrick.

— Penses-tu que maman et papa sont déjà allés à Montréal? demanda Nicole.

— J'le sais pas! Sûrement, mais je ne suis pas certain. M'man a une sœur qui habite à Montréal. Elle l'a peut-être déjà visitée, dit Patrick.

— En tout cas, dans ma famille, y'a jamais personne qui a déjà été à Montréal, répliqua Serge.

— Il y a Paul qui est déjà allé à Montréal, même à New York et en Europe. Monique et lui sont allés faire leur voyage de noces à Niagara Falls. Serge et moi, on est allé à Québec. Tu te rappelles, Serge ?

— Ouais ! Y'a du monde qui dépense sans compter. C'est pas notre cas avec les p'tits salaires de la Miner.

— On fait une belle vie quand même, non ?

— Avec deux salaires, ça va ! Mais avec un seul salaire, on n'arrivera pas, tu sais ça, Nicole ?

— Eille, les amoureux, changez donc de sujet ! Ça va faire les idées noires… Profitez donc du paysage à la place. Pis toi, Serge, assure-toi que j'me trompe pas de chemin !

— C'est la route 1 tout le long ! Y'a juste quand on va approcher de Montréal qui va falloir faire attention, mentionna Serge.

C'était une belle journée d'automne pour voyager. La saison des pommes était terminée. Nicole regardait par la fenêtre les vergers qui longeaient la route. Les pommiers avaient pratiquement tous perdu leurs feuilles. Quand ils eurent dépassé Rougemont, les vergers disparurent. Il ne restait que des champs vides. Le soleil brillait, mais la nature tombait tranquillement en dormance. Plus ils approchaient de Montréal, plus Nicole devenait nerveuse. Elle se demandait pourquoi on lui avait conseillé d'apporter une valise contenant une trousse de toilette, une robe de chambre et des pantoufles. Son médecin ne lui avait peut-être pas tout dit. Se pouvait-il qu'on l'opère, qu'on provoque son accouchement comme lui avait mentionné la réceptionniste de l'hôpital? Elle eut un frisson à cette pensée. Elle n'était pas contre, mais avait très peur du dénouement de toute cette affaire.

Patrick et Serge discutaient assis à l'avant pendant qu'elle était à l'arrière, perdue dans ses pensées. Elle éprouvait beaucoup de difficultés à sortir de son monde intérieur, car c'était elle qui passerait sous le bistouri ou qui subirait toute action qu'ils jugeraient nécessaire ou souhaitable. Le plus inquiétant, c'était qu'elle ne savait pas qui était le spécialiste et quand elle disait «ils», en parlant du personnel de l'hôpital, elle ne connaissait personne. Elle serait livrée à eux qui feraient d'elle ce qu'ils voudraient sans qu'elle ait son mot à dire. Elle n'avait jamais été opérée, mais elle se rappelait l'hospitalisation de Daniel quand il s'était cassé la jambe. Elle se souvenait de l'odeur de désinfectant et de cette odeur âcre qu'elle avait associée à la maladie. Elle eut un autre frisson même s'il faisait chaud dans la Thunderbird de Patrick. L'odeur du neuf lui donnait la nausée. Elle baissa la fenêtre pour respirer un peu d'air frais.

— Là, Pat, il y a des indications pour le pont Jacques-Cartier, ne va pas trop vite, mentionna Serge.

Il y avait un rond-point à Chambly qui les amenait sur la route 16. Serge était bien embêté, mais il conseilla à Patrick de garder sa gauche, puis il vit que la route 1 et la route 16 se fondaient en une seule qui longeait une importante voie ferrée. Incertains, ils continuèrent malgré tout en suivant les indications qui menaient au pont Jacques-Cartier. Patrick s'affolait un peu, car il y avait beaucoup plus de circulation à l'approche du pont qu'il n'en avait jamais vu dans la petite ville de Granby. Il roulait lentement et les automobilistes s'impatientaient en klaxonnant pour qu'il accélère. Dans l'affolement, il faillit manquer l'entrée du pont. Il se retrouva sur une route à trois voies dans chaque sens.

— Wow! As-tu déjà vu autant de chars que ça, Serge? Ça fait peur! J'sais pas comment ils font pour ne pas virer fou. La patate me bat à cent mille à l'heure, *sacrament*. Eille! Il faut qu'on paye pour traverser le pont? Marcel n'a jamais dit un mot là-dessus! Es-tu sûr qu'on est à la bonne place? Serge, *sacrament*, dis quelque chose!

— J'le sais pas plus que toi, *batinse*! J'ai un trente sous, t'auras juste à le mettre dans le panier, pis attends la lumière verte avant de continuer. Il faut traverser le pont, veux, veux pas!

Quand ils eurent passé le poste de péage, Patrick se calma et sentit sa pression revenir tranquillement à la normale. Serge était aux aguets afin de ne pas manquer les indications pour l'avenue De Lorimier.

— Pat! Essaie de te tasser vers la voie de gauche qui nous amène sur De Lorimier, et garde la voie de gauche jusqu'à Sherbrooke et tourne encore à gauche.

— Pas trop d'informations en même temps ! Ils conduisent comme des vrais malades, pis j'ai pas l'goût de faire *poquer* mon char neuf, *sacrament* !

— Lâche pas, Pat, ça va ben ! Pis toi, chérie, es-tu correct ?

— Ça va, ça va, mais j'ai hâte qu'on arrive ! J'ai envie de pipi...

— Peux-tu te retenir encore un peu ? J'ai jamais vu autant de trafic, *batinse*. J'serais jamais capable de vivre dans une ville comme ça. Y'en a-tu des chars ou ben y'en a pas ? C'est pas croyable...

Ils étaient tous impressionnés par la métropole. Tout était démesuré pour eux, l'hôpital Notre-Dame avec le parc Lafontaine qui était si grand. Patrick était incapable de voir quoi que ce soit tellement il était stressé rien que de conduire. C'était encore l'heure de pointe à neuf heures du matin. Patrick voulut se garer sur la rue Sherbrooke pour reprendre ses esprits, mais c'était difficile de trouver un espace vacant. Il en trouva un finalement au milieu des autos qui klaxonnaient pour qu'il se tasse ou accélère.

— J'serai jamais capable de retourner à Granby tout seul, *sacrament* ! C'est sûr que j'vais me perdre, calvaire !

Patrick était excédé. Il tremblait de colère et de nervosité. Il se demandait bien pourquoi il avait été si téméraire d'accepter de conduire sa sœur au Montreal Children's Hospital. C'était au-dessus de ses forces et il venait de le comprendre en plein cœur de la ville. Il prenait conscience qu'il n'était qu'un petit provincial qui serait incapable de vivre dans une grande ville comme Montréal. Il essaya de se calmer en sortant de son auto pour fumer une cigarette. L'envie d'uriner de Nicole s'était atténuée. C'était probablement la nervosité de son mari et de son frère qui l'avait provoquée. Tirer sur sa cigarette eut l'effet recherché par Patrick. Il retrouvait son calme au fur et à mesure que sa cigarette se consumait. Il trouva le courage de poursuivre la route en se disant qu'ils étaient presque arrivés. Serge devait surveiller la rue Saint-Marc, et là, Patrick devrait tourner à gauche encore une fois. Il avait tellement hâte que Serge l'avertisse de tourner. Ils croisèrent Saint-Denis, Saint-Laurent, puis aperçurent finalement l'Université McGill. Patrick ralentit de nouveau au son des klaxons des autos qui le suivaient. Il leur fit un doigt d'honneur et aurait aimé en découdre avec un de ces impatients.

Serge vit finalement l'indication mentionnant la rue Saint-Marc.

— Pat, Pat, c'est là! C'est la prochaine à gauche, tourne, *batinse*! Je ne comprends pas qu'on doive tourner à gauche. Marcel a bien dit que c'était pas loin d'Atwater pis Sainte-Catherine…

— C'est-tu assez stressant c'te maudite ville-là! Y'a ben trop de monde, *sacrament*! J'peux pas virer, regarde les piétons qui s'*crissent* de moi. Je vais finir par en écraser trois, quatre si l'écœurant qui me suit n'arrête pas de klaxonner…

— Calme-toi, Pat, ils vont attendre! Il faut que tu laisses passer les piétons parce qu'ils n'ont pas l'air de vouloir s'arrêter. Mets-toi pas dans le trouble pour rien. On a du temps en masse…

— Serge a raison, Patrick! On a du temps pour se rendre à l'hôpital. Laisse-les klaxonner, ce sont des taxis pour la plupart. Essaie de relaxer un peu parce que ça m'énerve assez que j'ai peur d'accoucher.

— Accouche pas dans mon char, *baptême*! Y est neuf! J'me calme, retiens-toi, si tu peux.

Nicole avait prononcé ces paroles en sachant que cela le ferait se calmer un peu. Elle connaissait suffisamment son frère pour savoir que si elle le laissait s'énerver, il exploserait littéralement. Avec la menace de Nicole d'accoucher, ce dernier s'était mis à craindre qu'elle salisse son auto neuve et il se calma. Quelques minutes plus tard, ils arrivaient dans le stationnement de l'hôpital. Patrick déposa sa sœur et Serge devant l'entrée.

— Enfin! Pas fâchée d'être arrivée, mais en même temps, j'ai eu très peur! Il faut que j'aille à la toilette, c'est urgent!

— Suis-moi, chérie, je vais te trouver ça! Prends mon bras et donne-moi ta valise, je vais la porter.

— Je cherche un stationnement et je vous rejoins! dit Patrick, soulagé.

— Tiens, regarde! Il y a une toilette par là, allons-y!

Nicole tentait de suivre son mari qui marchait très rapidement. Il la traînait pratiquement tellement il avait peur qu'elle s'échappe et se ridiculise. Elle n'avait pas prévu de robe de rechange. Elle y arriva de justesse. Enfin soulagée, son anxiété diminua d'un cran. Elle prit son courage à deux mains et se présenta à la réception. Elle déclina son identité et mentionna qu'elle avait un rendez-vous avec le docteur Goldman à dix heures. La préposée consulta une liste et confirma l'inscription.

— Vous êtes bien inscrite, madame Gosselin. Vous devez vous rendre dans le département d'obstétrique où le docteur Goldman vous recevra. Prenez l'ascenseur à votre droite et montez au sixième et suivez les indications.

— Merci, madame!

Patrick arriva entre-temps et se tint à côté de Serge pendant que Nicole discutait avec la réceptionniste.

— Je pense que c'est juste des Anglais dans cet hôpital-ci et pas une seule capine. À la réception, elle parlait français avec un accent, mais j'ai compris, dit Nicole en revenant près de son mari et de son frère.

— Qu'est-ce qu'elle t'a dit? demanda Serge.

— Il faut monter au sixième étage au département d'obstétrique et suivre les indications.

Le trio prit l'ascenseur et se retrouva au sixième étage, puis suivit les indications. Cet hôpital était beaucoup plus grand que celui de Granby. Ils marchèrent sur une longue distance, tournèrent vers une aile qui les mena au département d'obstétrique. Nicole tendit la feuille que la préposée lui avait remise à la nouvelle préposée du département. Cette dernière s'affaira à remplir de la paperasse après les avoir invités à s'asseoir dans la salle d'attente. L'attente dura trente minutes, puis on appela Nicole à l'interphone. Cette dernière se leva et son mari lui emboîta le pas.

— Madame Gosselin! Et vous êtes monsieur Gosselin, je suppose?

— C'est bien ça!

— J'ai besoin de vous faire signer des documents pour permettre au docteur Goldman d'examiner votre femme et une décharge de l'hôpital comme quoi vous permettez que votre femme reçoive les traitements jugés appropriés par le docteur. Avez-vous de l'assurance, monsieur Gosselin?

— J'ai de l'assurance-vie, si c'est ce que vous voulez dire.

— Non! Je parle d'assurance hospitalisation.

— Non! Je ne pense pas…

— À votre travail?

— Qu'est-ce qu'il y a à mon travail?

— Souvent, l'assurance hospitalisation est retenue à la source par votre employeur qui en paie une partie et qui couvre tous les membres de votre famille. Non?

— Non! J'en ai jamais entendu parler. Toi, Nicole?

— Non, moi non plus!

— Vous savez qu'il y aura des frais?

— J'imagine, mais on a des économies.

— D'accord! Allez vous rasseoir, ça ne devrait pas être long.

Une autre demi-heure sans aucune nouvelle du médecin. Patrick commençait à s'impatienter sérieusement. Il faisait les cent pas dans le couloir en jetant un coup d'œil à la préposée. À onze heures trente, le médecin se présenta avec un dossier.

— Madame Gosselin? Docteur Goldman! Veuillez me suivre s'il vous plaît! Lequel est votre mari? Il peut venir aussi s'il le désire.

Nicole et Serge se levèrent et suivirent le médecin dans une salle d'examen. Nicole tremblait de peur et était au bord des larmes. Serge lui prit la main pour la rassurer, mais il n'en menait pas large lui non plus.

— J'ai étudié les radiographies que mon collègue, le docteur Dumoulin, m'a fait parvenir et j'arrive à la même conclusion. Votre bébé a une malformation du tube neural, dans laquelle soit le cerveau et la colonne vertébrale, soit la colonne vertébrale seulement ne se développent pas normalement dans l'utérus. Il existe trois sortes de spina bifida, différenciées par la gravité de la malformation. C'est un cas très rare, et pour cette raison, je voudrais pousser un peu plus loin mon étude.

— Mon bébé sera infirme toute sa vie?

— Je ne veux pas vous donner de faux espoirs, madame. C'est pour cette raison que je veux procéder à d'autres analyses, peut-être d'autres radiographies. Vous comprenez?

— Qu'est-ce qui provoque cette malformation, docteur?

— La cause exacte du spina bifida reste, à ce jour, inconnue. Une erreur se produit au cours des deux premiers mois qui suivent la conception, mais nous ignorons pourquoi.

— Est-ce qu'il peut mourir?

— Comme je commençais à vous l'expliquer plus tôt, il existe trois sortes de spina bifida, différenciées par la gravité de la malformation : la myéloméningocèle qui est la forme la plus grave, caractérisée par la saillie de la moelle épinière et de ses membranes (les méninges) par une ouverture dans la colonne vertébrale. Une autre forme est la méningocèle : seules les méninges font protrusion, et la troisième forme est le spina bifida occulta qui est la plus bénigne ; la brèche dans les vertèbres est recouverte par la peau.

— Vous parlez chinois, docteur, je ne comprends rien à ce que vous dites, rétorqua Serge, exaspéré.

— Je suis désolé, mais avant de me prononcer, il faut que j'étudie plus à fond le cas de votre femme, monsieur

Gosselin. À combien de semaines êtes-vous rendue dans votre grossesse, madame Gosselin?

— À trente-deux semaines!

— On pourrait provoquer l'accouchement en procédant à une césarienne pour éviter d'aggraver les lésions. À ce stade de votre grossesse, votre bébé est suffisamment mature, mais laissez-moi m'assurer de quelle forme il est atteint. Êtes-vous prête à me faire confiance?

— Ai-je le choix, docteur? Nous ne connaissons rien en médecine et nous espérons un miracle…

— Je ne fais pas de miracle malheureusement, mais je peux vous éclairer sur ce à quoi vous pouvez vous attendre. S'il a la forme la plus bénigne, ce que je souhaite, il aura une vie pratiquement normale. N'extrapolons pas trop, car vous risquez d'être très déçus. Je vous garde à coucher. Je vous reverrai plus tard dans la journée.

Nicole était trop ébranlée pour s'opposer à quoi que ce soit. Elle devait faire confiance à ce spécialiste qui l'avait étourdie avec tous ces termes scientifiques. Elle voulait connaître le fin mot de l'histoire et elle acquiesça à sa demande. Avait-elle le choix? Elle repartirait peut-être avec un bébé dans les bras, qui sait? Une préposée s'occupa de la mener vers les chambres. Celle qu'elle choisit était une chambre commune avec six lits. Nicole était la sixième patiente et toutes s'apprê-taient à accoucher ou avaient déjà accouché. Elle se sentait mieux même si certaines geignaient de douleur à cause des contractions. Elle ne voulait pas se retrouver seule. Son mari avait promis de revenir en soirée avec Marcel à l'heure des visites. Patrick s'apprêtait à retourner à Granby et se demandait avec découragement s'il serait capable de retrouver son chemin jusque chez lui.

— Bon ben, moi, je vais essayer de redescendre à Granby sans passer par Québec. Qu'est-ce que tu veux que j'dise à m'man ?

— Dis-lui tout simplement qu'ils me gardent et qu'ils vont sûrement me faire une césarienne. Demande-lui qu'elle prie pour nous.

— OK, Nicole, je vais lui dire ça. Bonne chance !

— Merci beaucoup, Pat, de nous avoir conduits jusqu'ici !

Vers trois heures, on vint chercher Nicole sur une civière pour l'amener à la salle de rayons X. Il y avait une légère attente dans le corridor où les curieux s'arrêtaient et se renseignaient sur la raison de ces radiographies avec tous les conseils d'usage, déclarant que ce n'était pas bon pour la santé et particulièrement pour les femmes enceintes. « Avez-vous pensé au bébé ? » lui demandaient certains. Nicole se contentait de se laisser déplacer selon le bon vouloir des préposés. Elle vivait d'espoir même si elle n'en avait pas beaucoup. Une fois les radiographies prises, ce fut le repas, puis peu de temps après, la visite du médecin.

— Madame Gosselin, j'ai reçu les nouvelles radios et ce n'est guère plus précis que celles de l'hôpital Saint-Joseph de Granby. Il manque deux vertèbres, mais c'est trop flou pour déterminer si les muscles ont recouvert la section manquante.

— Qu'est-ce que ça veut dire, docteur ?

— Ça veut dire que je ne peux pas déterminer avec précision à quel type de spina bifida nous avons affaire. J'aurais tellement aimé le savoir avant votre accouchement.

— Vous voulez provoquer mon accouchement ?

— Ce serait préférable ! À Granby, ils ne sont pas équipés pour ce genre de cas. Et puis, il n'y a pas d'orthopédistes spécialisés dans des cas aussi rares. Ce n'est pas comme remettre en place un fémur, un tibia ou une clavicule. Là, les vertèbres sont manquantes. Il faut donc envisager un corset ou des plaques de métal si le bébé est assez fort pour supporter une telle opération. Je vous laisse réfléchir et je vous revois demain. Bon courage, madame… dit-il en lui caressant la main.

— Quelles sont ses chances, docteur ? demanda Serge.

— Je vous l'ai dit, il faut déterminer le type avant tout. Je ne veux pas vous énerver avec les risques ou les chances. Il est trop tôt ! Pensez plutôt à déterminer si vous voulez être opérée demain, sinon lundi, ou si vous préférez attendre, mais c'est plus risqué, surtout si vous habitez à l'extérieur de la métropole. Reposez-vous maintenant et réfléchissez, madame Gosselin.

Quel enfer! pensa Nicole. Pourquoi ne décidait-il pas pour elle? Elle avait tellement peur de se tromper qu'elle ne savait plus que faire. Elle ferma les yeux et se mit à prier. Elle était sûre que sa mère prierait pour elle et que les autres auraient au moins une pensée pour elle et son petit bébé qui naîtrait dans la douleur.

Un peu plus tard en soirée, Serge, Marcel et Violette, son épouse, la trouvèrent endormie. Serge se pencha au-dessus de Nicole et l'embrassa sur le front le plus délicatement possible. Elle ouvrit les yeux et aperçut son mari tendre et affectueux. Son regard lui réchauffa le cœur. Elle se sentit moins seule.

— Regarde, ma chérie, la belle visite qui est venue pour te voir! Marcel et Violette. Comment te sens-tu? Veux-tu que je ferme le rideau pour un peu plus d'intimité?

— Bonjour, Violette, et salut, Marcel! Vous êtes bien gentils d'être venus me voir, mais ce n'était pas nécessaire de vous donner tant de tracas.

— Je t'ai apporté du chocolat et un photo-roman! J'espère que tu aimes ça, dit Violette.

— Merci, Violette! Qui n'aime pas le chocolat?

— Et toi, p'tite sœur, est-ce que ça va? Je viendrai te voir aussi souvent que je le pourrai en finissant de travailler, déclara Marcel.

— Je n'ai pas encore décidé si je me faisais opérer! Toi, mon amour, qu'est-ce que tu en penses?

— À ta place, j'irais pour l'opération. Ça ne sert à rien d'étirer la situation plus longtemps que nécessaire. Le docteur a dit que le bébé était prêt à sortir. Pourquoi attendre?

— Tu as sûrement raison, mais je me donne la nuit pour y penser. Est-ce que tu retournes à Granby ce soir ou demain?

— Marcel et Violette m'ont offert l'hospitalité pour aussi longtemps que nécessaire. C'est très chic de leur part. Si tu décides de te faire opérer, je retournerai à Granby tout de suite après l'opération parce qu'il faut que je retourne travailler, tu comprends?

— Je sais que ça coûte cher d'être hospitalisée quand on n'a pas d'assurance. C'est pour ça que je ne veux pas rester ici trop longtemps pour rien. Le docteur m'a dit qu'il pourrait peut-être m'opérer demain ou lundi au plus tard, si je me décide.

— Pauvre Nicole, c'est bien de la pression pour toi! compatit Violette. Je vais venir te voir moi aussi pendant ta convalescence.

— Et vous autres? Comment ça va? demanda Nicole pour détourner la conversation.

— Tu sais, nous, on travaille beaucoup, et en plus, tu peux compter trois heures de transport en autobus par jour pour moi, répondit Violette. Marcel est plus chanceux, il travaille maintenant à Pointe-aux-Trembles, pas loin du quartier où nous habitons.

— Je ne t'envie pas, Violette! Moi, je travaille à dix minutes de chez moi à pied, déclara Nicole. Serge avait pensé acheter une automobile, mais ça dépendra de combien va coûter l'opération et mon séjour à l'hôpital.

— Je trouve ça bien triste ce qui vous arrive. On aimerait bien ça nous aussi avoir un enfant, mais avec ce qui t'arrive, il faut y penser à deux fois, répondit Violette.

Ils discutèrent encore un peu jusqu'à ce qu'une infirmière vienne leur dire que Nicole n'avait pas droit à plus de deux visiteurs à la fois. Ils lui firent donc leurs adieux en lui souhaitant que tout aille bien pour elle. Serge l'embrassa en lui disant qu'il reviendrait le lendemain matin. Nicole les regarda partir, prit un chocolat et feuilleta le photo-roman. Elle sentit le sommeil l'envahir. La journée avait été longue et remplie d'émotions.

À Granby, dans la famille, Nicole était le sujet de conversation sur toutes les bouches. Personne n'avait jamais entendu parler d'un problème semblable. Nicole opta pour la césarienne et donna naissance à un petit garçon qui était paralysé des deux jambes et qui devrait se déplacer en fauteuil roulant quand il serait en âge de marcher. Il était trop tôt pour déterminer si les nerfs qui commandent le fonctionnement des intestins et de la vessie étaient endommagés, ce qui entraînerait différents problèmes comme une constipation importante ou de l'incontinence et de fréquentes infections.

Le bébé avait en plus une malformation dans la partie supérieure de la moelle épinière ou du cerveau, entraînant une accumulation critique de liquide céphalo-rachidien dans les ventricules du cerveau. C'est ce que le médecin appelait une hydrocéphalie et qu'on nommait plus communément une tête d'eau. Le docteur Goldman avait procédé à une intervention chirurgicale pour refermer la fissure de la colonne vertébrale, mais le temps dirait si ce serait un succès ou pas. Le bébé demeura à l'hôpital pendant un mois pour qu'on puisse surveiller sa réaction à l'opération. Nicole retourna chez elle après une semaine, mais fit la navette toutes les semaines pour voir son bébé qu'ils avaient prénommé Robert. Elle logeait deux ou trois jours par semaine chez Marcel et Violette qui la dorlotaient. Mais Nicole était inconsolable, et tout le monde se demandait si un jour elle retrouverait sa joie de vivre habituelle. Peut-être qu'avec le temps...

La période des fêtes de la fin de l'année 1962 chez les Robichaud avait été entachée par le malheur qui avait frappé Nicole et Serge. Le bébé allait d'infection en infection et faisait régulièrement des séjours à l'hôpital. Nicole se faisait tranquillement à l'idée qu'il ne survivrait pas. Elle en venait même à souhaiter qu'il meure afin que ses souffrances soient abrégées. Elle n'était pas retournée au travail depuis l'accouchement parce que le petit Robert nécessitait trop de soins.

Puis, vint le dénouement qui frappa toute la famille. Le petit garçon de Nicole décéda peu de temps après sa sortie de l'hôpital, frappé par une méningite fulgurante. Elle fut très affectée par son décès, mais comprit que c'était égoïste de sa part. Son bébé aurait eu une vie misérable tant il était handicapé. Serge, lui, se sentit libéré d'un poids énorme parce que son couple battait de l'aile depuis que Nicole consacrait tout son temps au bébé. Pour tenter de la consoler, il lui promit qu'ils auraient d'autres enfants aussitôt qu'elle se sentirait prête.

— Comment peux-tu penser que je voudrais prendre une autre chance d'avoir des enfants?

— Écoute, Nicole, les chances sont à peu près nulles que ça nous arrive à nouveau. C'est le docteur qui a dit ça et il doit savoir de quoi il parle.

— Tu en es certain? Je ne me rappelle pas de l'avoir entendu dire ça! Je vais vérifier et, si c'est vrai, j'aimerais tellement avoir de beaux enfants comme Monique ou Daniel et même Thérèse, la femme de Pat. Ce serait bien injuste si on ne pouvait pas en avoir!

— Moi, je veux une équipe de hockey au complet. On ne peut pas s'arrêter après un seul échec! Tu vas t'en remettre et on va consulter des spécialistes si tu as des doutes, répliqua Serge.

— Je pensais que tu m'en voulais et que tu me blâmais pour la déficience de notre petit garçon.

— Je n'ai jamais pensé ça! Mais avoue que tu n'avais plus beaucoup de place pour moi depuis que Robert était revenu à la maison. Tu n'avais plus le goût de faire l'amour tellement tu avais peur. Tu étais tout le temps épuisée…

— C'était très difficile de m'occuper de notre bébé et de faire autre chose en même temps. J'avais à peine le temps de faire le ménage… Je l'aimais tellement malgré qu'il soit infirme ou peut-être parce qu'il l'était. C'était la chair de ma chair malgré tout !

— Je comprends ce que tu dis, ma chérie ! On va se reprendre ! Ce n'est pas la Nicole que j'ai mariée qui était une vraie force de la nature. Dis-moi que tu es d'accord ?

— On va laisser passer quelques années pour se refaire une santé financière et peut-être se bâtir une maison ? Si on essayait de vivre sur ton salaire, on pourrait épargner le mien puisque je retourne travailler à la Miner. Qu'est-ce que t'en penses ?

— On va être serré financièrement, mais je suis prêt à essayer, répondit Serge.

— Serais-tu favorable à ce que je prenne la pilule anticonceptionnelle pour éviter une grossesse non désirée ?

— Qu'est-ce que c'est que ça ? J'ai jamais entendu qu'on pouvait empêcher une grossesse avec une pilule.

— L'Église est contre, mais à ma connaissance, ça existe depuis quelques années. Il y a une fille à la *shop* qui l'utilise depuis plusieurs années. Elle dit que c'est moins risqué que les condoms. Je ne sais pas, mais c'est certain que de mettre un condom, ça peut briser l'inspiration…

— Là-dessus tu as raison! Rappelle-toi les premières fois que nous avons fait l'amour et qu'on n'avait pas de condom, on prenait des chances…

— Je vais en demander à mon médecin, et s'il refuse, j'irai voir le docteur de ma *chum*. Qu'est-ce que t'en penses?

— Je suis d'accord! Tu n'auras qu'à dire qu'à cause de ton premier accouchement, tu ne veux plus prendre de chance. Il me semble qu'on aurait l'esprit plus tranquille avec la pilule dont tu parles, en autant que ça fonctionne. Que dirais-tu qu'on se serve d'un condom en attendant? J'ai vraiment le goût!

Serge passa de la parole aux actes. Tous les deux avaient besoin de tourner la page sur le passé et de se retrouver en amoureux. Deux semaines après l'enterrement de son fils, Nicole retourna à la Miner. Tout le monde savait que le malheur s'était abattu sur son mari et elle, mais personne n'aborda le sujet. Le petit Robert avait vécu moins de six mois.

# Chapitre 11

Malgré le malheur qui avait frappé Nicole et Serge, Gérard poursuivait son travail de camionneur et était lui-même déconnecté de ses propres problèmes familiaux. Il était sur la route quelque part en direction de la Californie. Pour la période des fêtes, il avait laissé de l'argent à sa mère pour qu'elle puisse acheter des cadeaux pour ses filles. Ce fut Monique qui hérita de la corvée. Elle avait voulu entraîner Nicole dans ce tourbillon d'achats de cadeaux, mais rien n'y fit. Nicole était restée prostrée dans sa douleur. Jacques travaillait toujours à la banque, mais préparait sa sortie, épaulé par la belle Françoise. Ils se voyaient de plus en plus régulièrement. Il était fou d'elle et de sa libido débridée. Elle lui répétait constamment qu'il devait retourner aux études et faire son droit puisqu'il était si articulé. Lui hésitait entre le journalisme et le droit. À sa connaissance, il n'y avait pas de formation en journalisme comme telle, on apprenait sur le tas. Déçu des élections provinciales et du traitement qu'on avait réservé à Marcel Chaput, il se radicalisa encore plus au contact de Raoul Roy. Françoise étant elle-même une extré- miste de gauche, elle n'eut pas beaucoup de difficultés pour le convaincre. Jacques découvrit qu'il avait une mémoire photo- graphique et qu'il pouvait lire jusqu'à trois livres par semaine et se rappeler précisément tout ce qu'il avait lu.

— Jacques, tu ne peux pas gaspiller un talent comme le tien en le mettant au service d'une banque qui opprime la classe ouvrière !

— Pourquoi dis-tu ça, Françoise ? Les banques sont nécessaires à la croissance économique du Québec.

— En réalité, ils te prêtent un parapluie quand il fait beau soleil et te l'enlèvent quand il pleut. C'est ça que tu appelles une nécessité pour la croissance économique du pays ? Ils font des profits énormes. Rappelle-toi du roman de Steinbeck, *Les raisins de la colère* ! Ce sont les banques qui ont poussé des milliers de fermiers sur les routes de l'Ouest.

— Tu as raison, mais quand j'ai eu besoin d'argent pour acheter mon auto, la banque m'a prêté le nécessaire et on se balade depuis ce temps grâce à leur fric.

— Ils te l'ont prêté parce que tu es dans leur camp et pour aucune autre raison. D'ailleurs, ce n'est pas leur fric, mais le nôtre. À la rigueur, les Caisses Desjardins sont au moins des coopératives qui profitent aux familles de travailleurs.

— D'accord, mais elles ne prêtent pas pour des frivolités comme ma MGA !

— Tu as peut-être raison sur ce point, mais si tu étais un travailleur d'usine comme la majorité, tu n'aurais pas besoin de ta MGA. Les prolétaires ne se promènent pas en voiture sport, mais rêvent d'avoir une maison.

— Je ne serai jamais un prolétaire comme le prône Raoul Roy avec son parti socialiste. Je suis trop individualiste et je ne me sens pas vraiment lésé personnellement.

— Si tu retournais aux études, tu verrais rapidement l'injustice de la société. Les étudiants universitaires sont presque tous des gosses de riches. Oh, il y a toujours des exceptions! Des jeunes gens déterminés à réussir et à aller jusqu'au bout de leurs convictions. Serais-tu prêt à faire ce sacrifice? Le premier diplômé universitaire de ta famille, ce n'est pas rien...

— Tu as raison, Françoise, mais comment m'y prendre? Je n'ai pas un rond qui m'adore.

— Si on habitait ensemble? Je pourrais t'aider financièrement et tu pourrais te mériter une bourse ou un prêt, peu importe...

— L'université, c'est soit Montréal ou Sherbrooke, et tu enseignes à Granby. C'est incompatible!

— J'ai un couple d'amis qui le fait. Florence enseigne à la même école que moi et son mari va à l'Université de Montréal. Il voyage trois jours par semaine. Tu pourrais faire la même chose, non?

— Il faudrait se meubler!

— Je pourrais obtenir un logement de mon père à prix très modique et tu n'aurais qu'à vendre ton auto, comme ça, tu aurais un bon montant d'argent pour démarrer. Ne t'inquiète pas du reste, je m'en occupe !

— En septembre prochain ?

— Tu pourrais t'inscrire à la session d'été et faire ton droit en accéléré. Je sais que tu en es capable ! Fonce, Jacques, et je serai toujours derrière toi. Tu n'auras pas de problème. Je t'aime et je crois suffisamment en toi. Fonce !

— Tu es sérieuse ?

— Très sérieuse, et en échange, j'aurai un homme à portée de la main quand j'en aurai besoin comme en ce moment. Viens éteindre le feu qui me dévore !

Depuis l'automne précédent, Jacques avait découvert en elle un volcan en éruption constante. Il ne se lassait pas de la satisfaire. Le plus intéressant, c'était qu'elle était belle, volontaire et cultivée. Jacques avait découvert la force que l'amour pouvait revêtir. Il ne serait plus le mâle pourvoyeur que son éducation lui avait enseigné à être, mais bien un partenaire égal à part entière. Ce qu'elle lui proposait prouvait même qu'elle était prête à investir en lui, temps et argent. Plusieurs membres de sa famille désapprouveraient sûrement sa décision, mais n'en avait-il pas toujours fait à sa tête ? Il n'en avait rien à « foutre » comme il aimait à le dire. C'était son expression favorite et elle faisait frémir son frère Yvan. C'était d'autant plus excitant…

La misère qu'éprouvait sa sœur Nicole le touchait un peu, mais sans plus. Il n'avait pas d'enfant et ne prévoyait pas en avoir avant longtemps, si jamais il en avait. La seule autre personne qui méritait son respect, c'était son autre sœur Monique parce qu'elle l'avait pratiquement élevé. Elle aussi était aux prises avec des problèmes d'éthique, comme Yvan, qui n'avaient pas leur raison d'être. Pourquoi s'entêter à cacher des erreurs passées plutôt que d'assumer au grand jour la vérité ? C'était pour lui enfantin toutes ces cachotteries. Qu'est-ce qu'elle en avait à faire de ce que les autres pensaient d'elle ? Si elle voulait vivre prisonnière d'un carcan, libre à elle de le faire, mais il ne pouvait cautionner cette attitude et tous les malheurs du monde.

En y réfléchissant, Jacques voyait en lui des ressemblances avec son père Émile. Il aimait aussi prendre un coup comme son père, et il était dur et égoïste comme lui, mais avec des nuances… Par contre, il n'était pas radin et était beaucoup plus intelligent. C'est en tout cas ce qu'il pensait. Il était plus cultivé, c'était certain, mais il avait des idées très arrêtées, tout comme Émile. Il était aussi intransigeant que son père dans ses jugements, ce qui l'amenait à être à l'autre extrême dans ses positions idéologiques. On pouvait dire sans se tromper qu'il était imbu de lui-même et n'en faisait qu'à sa tête.

C'était pour cette raison qu'Yvan avait postulé pour un poste de directeur dans n'importe quelle succursale pourvu que ce soit à l'intérieur des frontières du Québec. Les frontières du Québec, c'était une des conditions imposées par son épouse qui ne parlait pas la langue de Shakespeare. Il eut beau lui faire miroiter la beauté des provinces de l'Ouest, l'attrait des provinces maritimes, d'une maison sur le bord de la mer ou en Ontario, à proximité des Grands Lacs, des cours d'anglais... Rien n'y fit. Yvan se sentait coincé et il n'avait jamais vu venir le piège qui le guettait. Il avait enclenché un processus irréversible à la banque, et c'était celui de la chaise musicale. Tous les directeurs qui convoitaient un nouveau poste au Canada pouvaient postuler et évincer un autre directeur selon certains critères comme l'ancienneté et les compétences. Yvan avait une excellente réputation dans le redressement et l'augmentation de la clientèle. C'était une arme à double tranchant, car les directeurs de district pouvaient considérer ses qualités comme une raison suffisante pour le repêcher.

Si Yvan avait su que Jacques se préparait à quitter la banque, il aurait pu vivre avec le scandale généré par sa sœur Monique et probablement réussir à l'étouffer. Quand il eut vent que Jacques se préparait à entrer à l'université et qu'il n'attendait qu'une confirmation de son admission pour quitter la banque, le piège se confirma.

— Depuis quand le sais-tu, maman?

— Quelques semaines tout au plus. Pourquoi?

— Le petit salaud! Il aurait pu m'en parler qu'il se préparait à quitter la banque. Ça m'aurait sauvé bien des ennuis.

— Imagine, Yvan! Le premier et sûrement le seul de ma famille à se rendre jusqu'à l'université. Tu devrais être fier au lieu d'être jaloux de lui.

— Je ne suis pas jaloux, maman, mais avoir su, je n'aurais jamais postulé pour un transfert. Quelle merde !

— En quoi la décision de Jacques t'affecte ? Tu n'as qu'à rester à Granby !

— C'est trop tard maintenant parce que, si je change d'idée, je réduis grandement mes chances d'avancement. Je serai considéré comme instable et pas fiable.

— Pauvre garçon ! Comme tu es compliqué. Ton comportement frise l'obsession. Tu me fais penser à ton père quand tu agis comme ça.

— S'il te plaît, maman ! N'en rajoute pas en m'insultant et en me comparant à ton mari. Je ne suis pas comme lui !

— Il est grand temps que tu regardes la vérité en face, mon garçon ! Tu ne bois pas comme lui, mais tu es envieux autant sinon plus que lui. Tu es celui qui a le mieux réussi et tu trouves encore le moyen de déprécier tes frères et sœurs. C'est très navrant !

— Je ne suis plus un enfant pour que tu me fasses la leçon ! Regarde les exemples que j'ai eus. Vous étiez toujours en guerre papa et toi. Tout le monde essayait de m'écraser, j'avais une sœur qui était fille-mère, un frère délinquant, un autre qui n'était qu'une bête en rut. Je me suis fait moi-même…

— J'ai mentionné l'envie, mais tu es aussi orgueilleux et égoïste que lui. Ça me fait vraiment de la peine de constater que tu es aussi marqué par ton enfance. J'ai vraiment tout fait ce que je pouvais pour toi. Te rappelles-tu à quel point j'insistais pour que tu aies toujours des vêtements neufs pour aller à l'école?

Yvan écouta sa mère et dut reconnaître qu'elle avait raison sur plusieurs points. Il se rappelait la guerre entre son père et elle concernant son habillement tout le temps neuf alors que les autres portaient les vêtements usagés des plus vieux ou du comptoir de la paroisse. C'était pourtant désolant de se faire réprimander à vingt-neuf ans par sa mère. Vraiment, rien n'allait plus pour lui, mais il ne comprenait pas comment il avait pu se retrouver dans une situation si inconfortable. Il devrait peut-être mettre un peu d'eau dans son vin s'il voulait reconquérir l'estime de sa mère.

— Écoute, maman, je m'excuse, mais je suis excédé par le scandale de Jean-Pierre et de Monique. Et voilà que Jacques que j'ai parrainé à la banque ne me vaut que des reproches ou des mises en garde. Même Juliette, pour couronner le tout, me lance des ultimatums pour avoir demandé un transfert. Qu'est-ce que j'ai fait pour mériter tout cela? Je n'aurais jamais dû me marier avec elle pour commencer et attendre une jeune fille de bonne famille qui m'aurait aidé dans ma carrière au lieu de me mettre des bâtons dans les roues tout le temps.

— Sois plus humble et accepte ta famille avec ses qualités et ses défauts. Rappelle-toi que tu étais bien pressé de la marier ta Juliette, mon garçon. Tout le monde commet des erreurs à un moment donné ou à un autre, et tu n'es pas à l'abri des faux pas toi non plus. Il faut que tu vives avec les conséquences de tes actes, tout comme moi au bout du compte. Tu as tout pour être heureux et je constate que tu ne l'es pas. Ça me désole tellement, tu ne peux pas t'imaginer. Sois plus humain et tu verras le bon côté des choses, et de cette façon, tu auras une chance d'être satisfait.

— Encore une fois, je m'excuse ! Je vais réfléchir à tout ce que tu viens de me dire et j'accepterai mes responsabilités. Il faut que je retourne chez moi, sinon Juliette va s'inquiéter…

Yvan prit sa mère dans ses bras et l'embrassa. Elle ne se rappelait pas la dernière fois qu'il avait fait ce geste. Il sortit de la maison familiale la tête basse, comme s'il pensait déjà à ce que sa mère venait de lui dire. Lauretta le suivit du regard et espérait ne pas avoir été trop dure avec lui. Elle se disait que ce n'était pas facile d'être la mère d'une famille si nombreuse avec un père absent…

Jean-Pierre arriva de l'école surexcité. Il avait trouvé un petit emploi à temps partiel qui l'intéressait beaucoup. Au premier essai dans sa recherche d'emploi, il avait frappé dans le mille. Après une période sombre depuis la découverte de ses origines, voilà que le soleil se remettait à briller de nouveau pour lui. À son âge, le malheur ne durait jamais bien longtemps, à moins d'y être prédestiné, mais Jean-Pierre avait hérité d'une bonne nature. Il était sain de corps et d'esprit.

Il était toujours prêt à aider et avait d'excellents amis qui avaient les mêmes valeurs que lui.

— M'man! M'man! J'ai trouvé du travail à l'imprimerie Leader Mail.

— Voyons, Jean-Pierre! Tu ne veux pas lâcher l'école?

— Ben non! C'est un travail pour les fins de semaine. Si j'aime ça et que je m'applique, je pourrai travailler tout l'été à temps plein. Pour commencer, je vais travailler à l'encartage, et cet été, comme assistant-pressier. C'est un bon métier, tu sais!

— Tu n'as pas le goût de poursuivre tes études et te rendre à l'université comme ton frère Jacques s'apprête à le faire? Tu es bon en classe, tu pourrais facilement réussir!

— Écoute, m'man! J'ai pas l'goût de faire des études. J'ai hâte de gagner de l'argent et d'être indépendant. Je ne peux pas me contenter de livrer des commandes d'épicerie une fois de temps en temps!

— Je comprends, Jean-Pierre, mais tu es le dernier de la famille! Je pourrais t'aider en payant tes frais d'inscription et un peu plus. Tu n'aurais qu'à te trouver un petit travail comme tu viens de le faire à l'imprimerie. Je pourrais même demander à Marcel s'il pourrait te loger…

— Je ne veux pas déranger personne. Je veux m'arranger tout seul le plus possible.

— Pourquoi tu ne veux pas que je t'aide ?

— Parce que je pense que tu en as fait suffisamment pour moi ! Tu ne trouves pas ?

— Est-ce que c'est parce que tu viens d'apprendre que je ne suis pas ta vraie mère, mais plutôt ta grand-mère ? Je t'ai élevé comme mon propre fils, tu le sais !

— Mais non, m'man ! Je viens de te dire que j'ai trouvé un travail sans aide. C'est seulement pour la fin de semaine, et toi, tu me vois déjà à l'université. Je n'ai que quinze ans et je vais d'abord finir mon secondaire. Je ne veux pas te vexer, mais je n'ai jamais pensé à passer par l'université pour gagner ma vie. C'est trop d'années à passer sur les bancs d'école, je ne suis pas sûr que ça me tente !

— T'as bien raison, Jean-Pierre ! On va prendre ça un an à la fois. Il se passe tellement de choses dans une seule année. Qu'en penses-tu ? Tu deviens un homme à une vitesse verti-gineuse et, bientôt, tu vas te marier. Je vais me sentir bien seule quand tu vas partir, et je suis là à t'inciter à t'en aller à l'université. Je suis bien sotte !

— Ne dis pas ça, m'man ! Tu n'es pas sotte. C'est Jacques qui t'a tourné la tête avec ses projets. Ce n'est pas encore fait, mais tu as tellement bon cœur. Si tu savais comme je t'aime ! Je vais toujours être là pour toi, comme… Monique… ou Nicole… ou Daniel.

— Promets-moi que tu ne partiras pas de la maison avant de te marier ?

— Je ne vois pas pourquoi je m'en irais d'ici. Je suis tellement bien ici, m'man. Ne t'inquiète pas !

Jean-Pierre était ému. Il avait exprimé sa pensée avec un degré de maturité qui le surprenait lui-même. Sa mère Lauretta avait perçu le changement qui s'installait en lui avant que lui-même ne s'en aperçoive. Il faut dire que, cette année-là, il avait effectivement découvert la vérité sur sa naissance. Il avait dû l'accepter. Il avait fortement réagi au début à ce secret mal gardé, avec quelques éclats de violence, mais cela n'avait été qu'une période très brève.

Le dernier geste extrême qu'il avait commis lui avait donné la frousse. Jean-Pierre avait craché sa haine en la canalisant sur un seul individu. C'était le matamore qui lui cherchait querelle depuis le début de l'année scolaire. Le coup de bouteille qu'il avait asséné aurait pu tuer son ennemi s'il avait eu la malchance de le frapper à la tempe plutôt que sur la bouche. Curieusement, son nouveau statut l'avait libéré de toute violence de la part des autres. Il était respecté et peut-être même craint par certains, mais jamais il n'avait abusé de ce pouvoir. Il n'avait jamais manqué de courage non plus, mais il détestait la bagarre.

Cette journée-là, il avait appris par un camarade que la plus grosse imprimerie de la région engageait des jeunes étudiants pour encarter le *Dimanche-Matin* que Maxime livrait toujours.

C'était sur un horaire de nuit afin que le journal, qui avait un tirage provincial, puisse être livré à temps par une flotte de camions. Il s'était présenté seul à la réception. C'était impressionnant de voir les lithographes mettre en place les caractères en plomb pour compléter une page de journal. C'était un endroit bruyant quand les presses tournaient, et elles tournaient beaucoup, car le propriétaire de l'imprimerie Leader Mail, un francophone du nom de Jacques Francœur, possédait une trentaine de journaux, quotidiens et revues.

Jean-Pierre était content d'entrer dans cet univers palpitant. Il faut dire qu'il n'avait pas eu grand contact avec le monde industriel, mais ce premier rapprochement était suffisamment excitant pour l'impressionner. Il avait été engagé et était impatient de commencer ce nouveau travail en y plongeant tête première. Avec ce changement dans sa vie, il en était venu à oublier ce qui le troublait le plus. Il désirait avoir une bonne discussion avec Monique pour éclaircir certains aspects du pourquoi et du comment. Pourquoi Monique refusait-elle de lui parler de ses origines ? Qui était son père biologique ? Un jour peut-être se sentirait-elle prête à lui en parler… Il était disposé à attendre sans rancune parce qu'il l'aimait beaucoup malgré tout. Il en avait parlé avec Paul puisque Monique ne voulait pas aborder le sujet.

— Salut, Paul ! Tu dois te douter du sujet que je veux aborder ? Je ne comprends toujours pas pourquoi Monique ne veut pas me parler de mes origines. Il me semble que j'ai le droit de savoir qui est mon père.

— Tu sais, Jean-Pierre, Monique a essayé de rétablir la vérité pendant au moins dix ans, et son père s'est toujours opposé à ça. Émile a commis beaucoup de bêtises pour en arriver là où nous en sommes aujourd'hui.

— Tu ne pourrais pas me dire qui est mon vrai père ? J'ai entendu dire que c'était un joueur de baseball professionnel, est-ce que c'est vrai ?

— Non ! Ton père n'était pas un joueur de baseball. Il habitait au coin des rues Notre-Dame et Saint-Charles au troisième étage du bloc en briques. Je ne sais pas si tu replaces l'endroit ? Je l'ai déjà vu, mais Monique n'a jamais voulu que je lui parle. Il a quitté Granby depuis ce temps-là. Je n'ai jamais su son nom.

— Sait-il que j'existe ?

— Je ne crois pas ! Ta mère était très discrète à ce sujet. Elle n'a jamais voulu m'en parler, et moi je n'ai pas cherché à en savoir plus que ça. Ça lui appartenait… elle me l'a montré juste une fois au moment où il sortait de chez lui. À chaque fois que je passe devant cet édifice, j'y pense encore.

— Merci, Paul ! Dis-lui que je ne lui en veux pas. Je suis content que tu aies détruit le mythe du joueur de baseball. Je me faisais des idées…

Jean-Pierre était touché, comme chaque fois qu'il abordait le sujet de sa naissance. Il était trop sensible pour en parler sans en sortir bouleversé, mais il se raisonnait et retrouvait rapidement sa bonne humeur naturelle.

À la même époque, Jacques avait présenté une demande d'admission dans deux universités et avait eu la confirmation qu'il était accepté aux deux endroits, soit à l'Université de Montréal et à l'Université de Sherbrooke. Il opta pour l'Université de Montréal en droit. C'est ce qu'il avait prévu dès le départ. Il voulait donner sa démission deux semaines avant le début de la session, soit milieu avril. En mai, il attaquerait l'aventure universitaire avec la session d'été et poursuivrait ses cours pendant trente mois à un rythme effréné. Il n'avait aucune crainte, il réussirait haut la main.

Il pourrait y plaider la cause des radicaux, des syndica-listes et du prolétariat. Il se voyait un peu comme don Quichotte et rêvait de pourfendre les patrons comme son héros les moulins à vent. Il s'identifiait beaucoup à des êtres flamboyants comme John F. Kennedy, Jean-Paul Sartre, Albert Camus, René Lévesque, Jacques Ferron, et même le jeune Dalaï Lama. Il puisait à toutes les sources des héros qui formaient la toile de fond de son imaginaire où tout était filtré pour déterminer sa pensée profonde. Il avait de grands espoirs, mais aurait-il la ténacité nécessaire pour réaliser ne serait-ce qu'une partie de ses rêves ?

L'hiver 1963 touchait à sa fin. Il avait paru long pour tous, sauf pour Daniel qui jouait au hockey régulièrement. Même Maxime avait trouvé l'hiver rude. Le froid avait été mordant, d'autant plus qu'il livrait *La Voix de l'Est* six jours par semaine, en plus du *Dimanche-Matin* le septième jour. Il avait dû affronter les éléments à plus d'une reprise. Par moment, il s'était découragé et aurait bien volontiers abandonné la livraison des journaux, mais son père lui avait fait la morale à propos de ses responsabilités face aux engagements pris. Il ne voyait pas comment il pourrait se libérer de ce cercle vicieux. Il laissa tomber la fonction de servant de messe parce qu'il était obligé de se lever trop tôt, et parfois même de courir pour arriver à temps pour le début de la messe de sept heures. Il devait se lever à cinq heures moins le quart pour livrer le journal avant la messe.

Même Paul, son père, trouvait que c'était trop demander à un jeune garçon qui n'avait pas encore onze ans. Si, au moins, on déneigeait les rues convenablement et qu'on dégageait les énormes bancs de neige qui enterraient les trottoirs quand par bonheur la charrue passait dans ce quartier ouvrier! C'était un dur combat pour un enfant, mais heureusement, il avait un traîneau pour l'aider à porter ses journaux. Maxime savait que si l'hiver finissait et que la neige disparaissait, cela redeviendrait facile, et il aurait atteint ses onze ans, ce qui n'était pas rien. Il serait fier d'avoir résisté à la tentation de tout lâcher. Il aimait l'argent et tout ce qu'il pouvait s'offrir avec, mais par-dessus tout, il aimait voir l'admiration dans les yeux de son père. Il se sentait investi d'une mission où il devait faire preuve de courage et ce n'était pas vrai qu'il céderait. Il regardait son carnet d'épargne de la Caisse populaire se gonfler de dollars durement gagnés. De plus, il était tellement orgueilleux qu'il ne pouvait pas abandonner…

Émile s'était de nouveau retrouvé isolé en refusant de prêter sa Buick à son fils Jacques qui aurait pu conduire sa sœur Nicole et son mari à l'hôpital de Montréal, si seulement il avait accepté. À cause de son refus, Lauretta l'avait puni en refusant de lui adresser la parole et même de lui préparer ses repas. C'était son arme la plus efficace et cela amenait Émile à réfléchir sur ses agissements. Il était plein de remords et Lauretta avait adouci un peu sa position depuis en cuisinant suffisamment pour qu'il puisse se nourrir, sans toutefois le servir. Il avait profondément regretté ce conflit, mais n'avait pas pour autant pu se résoudre à prêter son automobile. «Tout mais pas ça!» se dit-il. Il avait trouvé l'hiver très long lui aussi et l'avait passé dans sa cave à fabriquer du vin de blé et de la bagosse. Lauretta voyait bien qu'Émile était en rechute puisqu'il se couchait de nouveau chaque soir complètement ivre ou presque. Parfois, il pouvait à peine monter les marches pour passer de la cave à son lit. Et il lui arrivait même de s'endormir dans sa chaise berçante devant la fournaise à charbon. Daniel avait eu beau lui parler à la demande de sa mère, rien n'y fit. Il attendait le printemps comme on attend le pardon.

Lauretta et Monique travaillaient beaucoup. Il y avait une grande demande pour la confection de manteaux d'hiver. Lauretta avait fait preuve de beaucoup de compassion en confectionnant de nouveaux manteaux dans de vieux qu'elle récupérait. Le coût du chauffage pour les plus pauvres les avait pénalisés sérieusement. Lauretta ne pouvait pas supporter de voir des enfants jouer dehors sans être vêtus chaudement et convenablement. Monique et elle s'étaient donc attelées à la tâche en faisant attention de ne pas froisser les parents de ces enfants. Monique avait mis la main sur un vieux manteau de fourrure qu'elle avait découpé pour garnir les collets et parfois les manches élimés des simples manteaux de coton.

— As-tu vu, maman, comme il est beau celui-là ? Si on le donnait à la petite Brodeur ? Elle aurait fière allure là-dedans, ne crois-tu pas ?

— C'est vrai qu'il est beau et qu'il lui ferait bien. Tu crois qu'elle l'accepterait ?

— Pourquoi pas ? Son père est cardiaque et ils vivent de l'assistance sociale. Pour bien faire, il faudrait en faire pour toute la famille, et ils sont huit ou neuf belles filles et un seul garçon. La mère en aurait besoin d'un elle aussi. Je vais en parler dans la famille Tremblay dimanche pour savoir s'ils n'auraient pas des manteaux qui ne servent plus.

— Te rappelles-tu Monique quand nous sommes arrivés à Granby en 46 ? Nous étions dans cette situation pas très enviable. Tu parlais de rendre la pareille quand on le pourrait. On a dû oublier nos vœux pieux, mais là, on peut se reprendre seize ou dix-sept ans plus tard…

— J'ai l'impression que c'est dans une autre vie ! Il y a eu tellement de choses qui se sont passées depuis cette époque… mentionna Monique.

— On a tous vieilli, c'est certain ! Presque tout le monde est marié, à l'exception de Jacques et de Jean-Pierre. Vous avez des enfants… Je vais bientôt me retrouver seule avec mon vieux malcommode. Il y a des choses qui ne changeront jamais. Ça aussi, c'est certain !

— Parles-tu de papa quand tu dis ça ?

— Justement ! Des fois, j'étudie son comportement, ses vices et ses vilaines manies, et je me dis qu'il est sur terre pour me faire gagner mon ciel. Si j'avais voulu réunir tout ce que je déteste chez quelqu'un, je crois que je n'aurais pas pu faire mieux.

— Je te comprends, mais c'est curieux qu'il me laisse tranquille maintenant. C'est peut-être parce que ça me laisse indifférente ou parce que ça ne m'atteint plus.

— Ne dis pas ça ! Quand il s'en prend à Maxime, je vois la lionne en toi sortir ses griffes. Avoue-le !

— Tu as raison, maman ! Il a le don de venir me chercher quand il veut être haïssable, le vieux sacripant. C'est presque une caricature vivante cet homme-là. Sous certains aspects, il me fait penser à Séraphin, sauf que Séraphin ne prenait pas un coup et qu'il était d'affaires.

— Ne t'inquiète pas pour ton père ! Tu devrais le voir agir avec les vieux qui viennent dans son garage pour lui acheter du tabac ou sa maudite boisson. Il ne perd jamais une cenne avec personne, crois-moi !

— Tu vois tout ça, maman ?

— Oui, mais ça se passe dans son garage, et ce qui se passe dans le garage ne me regarde pas. Jamais il n'oserait les inviter dans la maison, il a trop peur de ma réaction !

— Tu parles d'un vieux filou ! Il doit penser que tu ne le sais pas !

— C'est possible, mais je n'ai pas de temps à perdre avec ces sornettes. Changement de sujet, parle-moi donc de Paul et de son implication dans la commission scolaire.

— Il a des réunions régulièrement avec des notables de la place, mais surtout des parents concernés par l'éducation de leurs enfants. Depuis les dernières élections, il y a bien des changements dans l'air. Il m'a parlé de la commission Parent, et ils se préparent à déposer un rapport qui devrait changer bien des choses à la commission scolaire.

— Comme quoi, par exemple ?

— Comme tu sais, maman, la majorité des professeurs sont des religieux et ils ont un contrôle absolu sur la direction. Ils veulent revoir le système au complet. La discipline, le port de l'uniforme, l'école serait obligatoire pour tout le monde et plein d'autres choses. En tout cas, il est très excité par cette commission-là.

— Moi, je trouve que l'uniforme, c'est une bonne chose parce que sans ça, les enfants pauvres sont humiliés par les plus riches. Ça peut être cruel des enfants. Avec les costumes, ils sont tous pareils.

— Oui, mais maman, il y a des familles qui n'ont même pas les moyens de payer des cahiers et des crayons, encore moins des uniformes.

— Peut-être. J'ai équipé les plus jeunes au comptoir paroissial, tu te rappelles? Par contre, je suis d'accord pour que tous les jeunes soient obligés d'aller à l'école jusqu'à seize ans. Il y a bien assez de ton père qui ne sait ni lire ni écrire…

— Oh, maman, il y en a beaucoup plus que ça de sa génération et des plus jeunes aussi. Paul m'en parlait justement il n'y a pas si longtemps. Je ne me rappelle plus du pourcentage d'illettrés, mais c'est ahurissant. Ils sont condamnés pour la plupart à accepter les emplois dont personne ne veut.

— As-tu pensé à ton père qui ne peut même pas lire le nom des rues? Dans un village, il peut s'en tirer, mais une p'tite ville comme Granby, il peut s'égarer.

— Je pensais à Jacques, et je trouve ça intéressant qu'il veuille aller à l'université. Je pense que c'est sa blonde qui l'influence et c'est une bonne chose. Elle a de l'instruction puisqu'elle enseigne. Penses-tu qu'on va aller aux noces cette année ? demanda Monique.

— Ne me parle pas de Jacques ! Il va finir par rendre Yvan malade et je pense qu'il a l'intention de vivre dans le péché avec sa Françoise. Elle a pourtant l'air d'une bonne fille.

— Ça ne fait pas d'elle une mauvaise fille pour autant ! L'important, c'est qu'ils s'aiment. Elle a tellement de bonnes influences sur lui ! Et puis, quand tu parles de vivre dans le péché, est-ce que c'est parce qu'ils veulent vivre ensemble sans se marier que tu dis ça ?

— Oui, et c'est bien malheureux. Dans mon temps, ç'aurait été impensable…

— Peut-être que si tu avais fait la même chose qu'eux, tu aurais évité d'être malheureuse toute ta vie ?

— Tu n'y penses pas ! Ça ne se faisait jamais, à moins d'être une catin. Puis, j'ai quand même eu la joie d'avoir une belle famille !

— Ah, maman ! Comme tu es vieux jeu. Tu as eu la possibilité de te débarrasser de ton mari, mais je suppose qu'il est trop tard maintenant ?

— Tu es tellement cynique, Monique ! Imagines-tu ton père tout seul à vivre on ne sait où ? Ce serait le condamner à mourir comme un chien abandonné. Je ne peux pas faire ça ! Je te l'ai dit, c'est ma façon de gagner mon ciel.

— Changeons de sujet, veux-tu ? Si on continue sur cette voie-là, je sens qu'on va se chicaner encore une fois… De toute façon, il faudrait bien dîner, j'ai faim !

Les conversations que les deux femmes avaient quotidiennement risquaient souvent de dégénérer. Conflit de générations ? Peut-être. C'était plus une guerre de religion, car c'était toujours sur des questions de principes religieux qu'elles finissaient par ne plus se comprendre. Lauretta était attachée à ses croyances parce que c'était son seul réconfort et sa motivation. Monique, de son côté, prétendait que c'était pour se justifier de rester passive ou de maintenir le statu quo. La jeune femme restait campée sur ses positions parce que le clergé l'avait profondément déçue dans le passé. Elle avait perdu la foi si jeune qu'elle avait passé plus d'années sans foi qu'avec. Elle se sentait libérée de ce joug. Elle avait accepté que Paul s'occupe de cet aspect avec leurs enfants et avait promis qu'elle ne s'en mêlerait pas.

# Chapitre 12

Yvan avait postulé pour une mutation et il le regrettait amèrement. La crise à propos de Monique et de Jean-Pierre qui, selon lui, risquait de prendre de l'ampleur, s'était révélée un simple pétard mouillé. Il s'en voulait de sa couillardise, d'autant plus que Jacques avait remis sa démission à la banque. Yvan était certain que son frère aurait pu allouer plus de temps à la succursale où il travaillait, mais au moins il n'avait pas fait de scandale ni de bêtise. Yvan s'en serait bien tiré sans avoir à s'exiler, mais là, il était trop tard. Il avait mis en branle un mécanisme lourd qu'il ne pourrait pas arrêter sans s'en trouver éclaboussé.

Chaque semaine, quand ce n'était pas chaque jour, il recevait par télex des postes qui s'ouvraient partout dans le réseau. Yvan avait spécifié qu'il souhaitait demeurer au Québec, mais malgré tout, il recevait des télex qui montraient l'ensemble des activités du réseau. Il salivait en voyant certains postes qui s'ouvraient un peu partout au Canada et s'en voulait d'avoir cédé à la pression de sa femme. Quand il voyait un poste s'ouvrir au siège social de Toronto, il sentait une possibilité de briller s'envoler. Yvan en voulait aussi à Juliette à cause de ces opportunités manquées, et c'était une source de tension dans leur couple. Par moment, il devenait hargneux comme son père. Et quand il prenait conscience du fait que, malgré tous ses efforts pour se démarquer, il lui ressemblait sur certains aspects, il devenait encore plus aigri. La vie était vraiment injuste à son égard…

Plusieurs semaines s'étaient écoulées avant qu'un directeur de district ne le sollicite. Puis, un bon matin, en entrant au travail, il se rendit au télex comme d'habitude et y trouva deux offres. L'une d'elles l'amènerait à Ville-Marie, dans le Témiscamingue, proche de l'Ontario, et l'autre à Senneterre, à la frontière de l'Abitibi. Il regarda les deux offres et se sentit piégé. Pour lui, c'était au bout du monde, au milieu de nulle part. Les chances de briller étaient nulles. Yvan ressentit un terrible coup de déprime. Quand il était sollicité par un directeur de district, il pouvait refuser une offre. Cependant, il ne pouvait pas se permettre d'en refuser deux. C'était un peu comme une règle tacite. Ce satané directeur de district l'avait coincé en lui faisant deux offres. Il pensa contester la requête ou même quitter la banque, mais il ne pouvait se résoudre à aucun de ces choix.

Yvan prit le temps de considérer attentivement les deux offres, mais Senneterre s'avérait être la seule option s'il respectait les critères de son épouse. Peste soit-elle ! Senneterre, avec une population de moins de deux mille habitants, avait une station de radar des forces armées canadiennes et était reliée au reste du monde par une gare de train du Canadien Pacifique. Il faisait très froid en hiver, et les moustiques étaient une calamité en été. C'était le royaume de la chasse et de la pêche et un carrefour pour tous ceux qui montaient vers les mines de Chibougamau. Il y avait aussi une réserve indienne algonquine pas très loin. Plus il y pensait, plus Yvan se disait que son frère Patrick y serait beaucoup mieux que lui. Yvan avait envie de la ville, non pas de la vie en forêt. Il ne pouvait se résoudre à s'exiler si loin de la ville, ne serait-ce qu'une petite ville. Il appela son directeur de district pour exposer son point de vue. Il était même prêt à le menacer de quitter la banque.

— Bonjour, Richard. C'est Yvan de la succursale de Granby. Ça va ?

— Salut, Yvan ! Tu m'as fait un sale coup en demandant un transfert. Je cherche à te remplacer et j'ai des tonnes de candidats, mais je n'en vois aucun qui corresponde aussi bien que toi pour le poste. Qu'est-ce qui t'a poussé à faire ça, bonté divine ?

— Une folie d'ordre familial que je regrette énormément. Peux-tu m'aider là-dessus ? Je veux rester à Granby ou au moins sur ton territoire, Richard.

— Il est un peu tard pour ça, Yvan ! Turmel t'a piégé dans son trou perdu ? Il aurait pu t'offrir Hull, mais ta réputation est faite à la banque. T'es bon dans le redressement et la croissance ! T'es victime de ton succès, et moi je me fais tranquillement à l'idée que je vais te perdre.

— Fais un effort et plaide ma cause auprès des grands patrons. Je suis prêt à perdre Granby, mais sur ton territoire, tu dois avoir des faiblesses. Je prendrais n'importe quoi : Mansonville,

Sutton, Bedford, Cowansville, Knowlton, Farnham ou même Waterloo. Un francophone qui s'arrange bien avec les Anglais, ce n'est pas si facile à trouver que ça. Qu'est-ce que t'en penses, Richard? Fais ça pour moi, s'il te plaît, *please*!

— Si je t'arrache à Turmel, il va me faire la gueule et ça va paraître dans ton dossier. Te rends-tu compte que Granby, c'est la plus grosse succursale de mon territoire?

— Si tu réussis à faire ça pour moi, je t'en devrai une, et même deux!

— Je ne te promets rien, Yvan, mais je vais essayer, et il faut que tu me promettes de prendre n'importe quelle succursale sans rouspéter.

— *Swear to God*, Richard! Merci d'avance, je sais que t'es capable!

— Je le sais pourquoi t'es si bon. T'es tellement téteux qu'on ne peut rien te refuser...

Yvan n'aimait pas tellement se faire traiter de *téteux*, mais si c'était le prix à payer, il était prêt à se faire traiter de *cock sucker* s'il le fallait. Il sentait que Richard Dubé ferait le maximum pour le garder dans son équipe. Il respirait mieux et put continuer sa journée de travail. En rentrant chez lui en fin de journée, il raconta tout cela à Juliette.

— Je crois que j'ai évité la déportation aujourd'hui, Juliette!

— De quoi tu parles ?

— J'essaie de rester dans la région avec la banque. J'ai regardé ça, Senneterre et Ville-Marie, et vraiment, ça ne me tente pas du tout ! On est très bien dans la région, non ?

— Je t'avoue que je quitterais la région de reculons, mais tout ça, c'est de ta faute, Yvan !

— Je le sais, mais ne tourne pas le fer dans la plaie, s'il te plaît ! Il y a bien assez de ma mère qui me blâme de tout et de rien. C'est toujours juste de ma faute…

— Reconnais au moins tes torts quand tu es fautif ! Il me semble que c'est la moindre des choses, répondit Juliette.

Yvan préféra se taire plutôt que d'amorcer une autre guerre de tranchées qui durerait indéfiniment. Il alla s'installer dans le salon en se servant un verre de gin. Comment allait finir toute cette histoire ? Il était certain de perdre son poste à Granby, mais il y avait quand même beaucoup d'options qui pouvaient s'offrir à lui. Il devrait peut-être courtiser d'autres banques, et peut-être même les Caisses Desjardins, mais il ne voulait pas s'abaisser à regarder du côté des sociétés de financement. Il avait remarqué qu'il y avait plus de sociétés de financement que d'églises dans une petite ville comme Granby. Pourquoi ne pourrait-il pas regarder du côté des industries dans la région, ou même juste un petit commerce où il serait le seul maître à bord ? Oui, il inviterait son vieux mentor à dîner. Monsieur Messier avait toujours été de bon conseil, il pourrait lui donner son opinion sur son dilemme.

— Viens souper, le repas est prêt! cria Juliette.

— Je n'ai pas faim! lui répondit-il.

— Bon, tu me fais la gueule encore une fois?

— Je ne te fais pas la gueule, je n'ai pas faim! Est-ce que c'est si dur à comprendre, baptême?

— Avoir su, je ne me serais pas donné tant de mal pour te faire un bon souper! Regarde où il va finir le souper… dit-elle en ouvrant la poubelle et en y jetant tout ce qu'elle avait préparé.

— Es-tu folle, *sacrament*? Ne refais jamais ça!

— Qu'est-ce que tu vas faire, couille molle? Ne t'avise jamais de me frapper, sinon tu ferais mieux de dormir avec un œil ouvert!

— Je n'ai jamais dit que je te battrais, t'es complètement folle!

— Couille molle! Couille molle! Je m'en vais chez mon amie Lucille, et peut-être que je ne reviendrai pas coucher.

Yvan essaya de la retenir en s'interposant entre elle et la garde-robe d'entrée où se trouvaient les manteaux, mais rien n'y fit.

— Tasse-toi! Tu ne peux pas m'empêcher de faire ce que je veux quand je le veux.

— Calme-toi, Juliette! Pourquoi es-tu si agressive?

— J'en ai ras le bol de tes airs de grand seigneur, et je ne suis pas sûre que je t'aime encore. Si tu ne voulais pas me marier, t'aurais dû y penser avant, parce que là, ça va te coûter très cher pour obtenir le divorce.

— Je ne veux pas divorcer *pantoute*! Où vas-tu chercher ça?

— Tu ne te vois pas agir! Tu fais tout pour me diminuer et, quand je m'échine à te plaire, tu m'envoies promener. Je ne suis plus capable, Yvan! Faire l'amour une fois par semaine à heure fixe, ça non plus, ça ne va plus. Veux-tu que j'allonge la liste de mes récriminations? Je pourrais écrire un roman…

— Excuse-moi, je suis très préoccupé en ce moment. Il n'y a plus rien qui va!

— Depuis que nous sommes mariés que tu es comme ça! Voulais-tu une femme soumise et qui baisait seulement quand tu en avais envie? Je suis tannée de me masturber, et si ça continue, je vais prendre un amant qui aura du plaisir à me faire l'amour.

— Ne t'en va pas! S'il te plaît! Je vais faire plus attention à l'avenir, je te le promets. Reste, et je te ferai l'amour comme à une reine. Je serai ton esclave… ne me quitte pas, ça me tuerait!

— Mon esclave, dis-tu? En es-tu capable et prêt à subir ton châtiment? Je pourrai te faire ce que je veux et t'obliger à me faire tout ce qui me passera par la tête?

— Je te le jure, mon amour! Tu peux me demander n'importe quoi et je le ferai, si tu me promets de ne pas me quitter.

— Je ne promets rien du tout, et tu seras évalué au rendement, comme tu le fais si bien avec tous tes employés. Es-tu prêt à commencer, et si oui, tu m'appelles maîtresse?

Yvan venait de prendre conscience qu'il tenait à sa femme beaucoup plus qu'il ne le croyait. Il se retrouvait dans une position très inconfortable, car Juliette pourrait se livrer à toutes sortes de perversions sur sa personne et l'humilier autant qu'elle le désirerait.

— Tu ne peux pas me demander de t'appeler maîtresse, je ne suis pas un chien.

— Tu vois bien que tu n'es pas prêt à aucun compromis! Laisse-moi partir!

— D'accord! D'accord! Oui, maîtresse!

— Déshabille-toi!

— Tu n'es pas sérieuse?

— Je t'ai dit: déshabille-toi ou je m'en vais! Dernier avertissement!

Yvan dut s'exécuter, envahi par un sentiment d'avilissement. À sa surprise, il en ressentit un certain plaisir.

— À partir de maintenant, tu seras toujours docile quand je te le commanderai. Déshabille-moi…

Il n'avait d'autre choix que d'obéir. Il avait bien trop peur qu'elle s'en aille.

Ils venaient de découvrir le monde de la perversion et ils y trouvèrent chacun leur satisfaction. Ce qu'Yvan éprouva dans l'humiliation, Juliette le ressentit dans la domination. Le lendemain matin, la vie avait repris son cours comme si rien ne s'était passé la veille. Juliette était rayonnante et affichait un air de satisfaction. Elle lui prépara même son petit déjeuner. Lui était plus serein en pensant qu'elle ne risquait plus de le quitter sur un coup de tête. Il essaierait quand même de mettre des balises tranquillement pour s'assurer que ces perversions ne deviendraient pas trop débridées.

Yvan arriva à la banque en sifflotant, et le personnel se demandait ce qui pouvait bien justifier cette bonne humeur aussi inhabituelle que soudaine. Normalement, il était toujours le premier sur les lieux, mais ce jour-là faisait exception. Il salua tout le monde, se rendit au télex pour voir s'il n'y avait pas de message pour lui, puis s'enferma dans son bureau. Il passa un coup de téléphone à son mentor pour l'inviter à dîner quand il aurait le temps cette semaine-là. Puis, il décida d'appeler le directeur de district, Richard Dubé.

— Salut, Richard! Comment vas-tu ce matin?

— Yvan?

— Mais oui! Ton directeur préféré. Je t'appelais pour me rappeler à ta mémoire. Je sais que tu es très occupé et que tu pourrais m'oublier.

— Ce n'est pas encore réglé, mais j'y travaille! Tu sais que tu m'en devras une si je réussis. Dis-moi donc, t'as l'air moins abattu qu'hier. Est-ce qu'il y a une raison particulière?

— Ce n'est rien! J'ai été approché par la Banque de Montréal, mais j'aimerais mieux rester avec la CIBC.

— Tu mens très mal, Yvan! C'est toi qui les as appelés?

— C'est une farce! Je ne les ai pas appelés ni personne d'autre, d'ailleurs. Je te fais confiance pour dénouer l'impasse dans laquelle je me suis mis tout seul comme un con. Je ne veux pas être obligé d'appeler la concurrence. J'ai la CIBC tatouée sur le cœur, tu le sais!

— Fais pas le cave! Je vais t'arranger ça...

— Inquiète-toi pas, je suis un gars fidèle!

— Tant mieux! Je travaille sur ton dossier. Salut!

— Salut, Richard, et merci!

La journée était bien engagée et il dînerait fort probablement avec son mentor. Yvan attendait la confirmation. Il ne comprenait pas tout à fait pourquoi il était d'aussi bonne humeur alors que la veille, à l'heure du souper, il était au bord du gouffre. Il avait beaucoup souffert psychologiquement, mais avait, en fin de compte, joui énormément sexuellement. Il avait le sentiment d'avoir effacé partiellement ses bavures, sa bêtise.

Juliette lava la vaisselle après le départ de son mari. Elle pensait à sa colère de la veille et regrettait d'avoir gaspillé un aussi bon souper. Ils n'avaient finalement rien mangé ni l'un ni l'autre, mais elle avait remporté une grande victoire morale. Sa fureur lui avait permis de découvrir un côté caché d'elle-même, mais encore plus important, le côté obscur de son mari. Il avait joui avec une vigueur inégalée depuis qu'ils étaient ensemble et il était puceau au début de leur relation. Elle le tenait. Elle venait de se rendre indispensable à son équilibre. Juliette se promit d'exploiter cette découverte à fond. Elle verrait bien jusqu'où elle pourrait aller et pourquoi ne pas jouir par la même occasion. Elle n'avait que vingt-sept ans après tout, et n'avait pas l'intention de s'ennuyer jusqu'à la fin de ses jours avec quelqu'un qui ne lui offrirait qu'une vie médiocre. Son amie Brigitte l'appela sur ces entrefaites.

— Allo, Juliette !

— Ah tiens ! Salut, Brigitte, comment vas-tu ? Je pensais justement à toi.

— Ah oui ? Pour quelle raison ?

— Imagine-toi donc que j'ai failli me retrouver chez toi hier soir en menaçant Yvan. J'ai perdu la tête et j'ai voulu partir en le menaçant de m'en aller chez toi et de ne pas rentrer coucher.

— Voyons donc! Qu'est-ce qu'il a fait pour que tu *pognes* les nerfs comme ça?

— En revenant de la banque, il n'avait pas l'air dans son assiette, mais j'ai fait comme si de rien n'était et j'ai continué à préparer le souper pendant qu'il s'était réfugié dans le salon pour prendre un gin. S'il n'avait pas l'intention de souper, j'aurais aimé qu'il m'avertisse qu'il n'avait pas faim. Pas un mot et avec un air de bœuf en prime! J'ai pété les plombs…

— Pété les plombs! Juste pour ça? Une chance que tu n'as pas affaire à mon mari, tu l'assassinerais bien!

— J'ai pas fini! J'ai tout jeté le souper à la poubelle, et ça, c'est une chose qu'il ne peut pas supporter. Je pense que plus jeune, il a eu peur de manquer de nourriture. C'est la même chose avec l'argent!

— Non, je ne te crois pas! Christian m'aurait tuée, c'est certain! T'as vraiment du front, ma Juliette…

— Je ne t'ai pas tout conté, c'est devenu assez piquant après ça, crois-moi!

— Raconte! Raconte!

Juliette, ainsi stimulée, se lança dans les détails les plus grivois dans l'espoir de la choquer ou d'être enviée. Brigitte était l'épouse de Christian Roberge, un avocat avantageusement connu dans la région de Granby. Et la possibilité qu'il soit même nommé juge était dans l'air. Brigitte était donc une amie précieuse pour son estime personnelle. De confidence en confidence, Juliette avoua tout ce qui s'était passé durant la soirée de la veille. Brigitte, encouragée par les propos de la jeune femme, avoua qu'elle avait une aventure avec son beau-frère qui se poursuivait depuis un certain temps et qu'elle n'avait pas l'intention d'y mettre fin.

— Ton beau-frère ? Eh bien, dis donc, tu n'as pas peur de te faire pincer ? demanda Juliette.

— Il a un chalet à Roxton, et c'est l'endroit idéal, sauf l'été parce que sa femme et ses enfants sont souvent là. Il m'a dit qu'il trouverait une solution pour la saison estivale. C'est tellement excitant parce que c'est une vraie bête au lit.

— C'est le frère de ton mari ?

— Non, c'est le mari de sa sœur !

— T'as pas froid aux yeux ! Moi, je n'oserais jamais… malgré qu'il y en a quelques-uns qui sont pas mal dans ma belle-famille.

— Mon mari ne pense qu'au travail, et je le soupçonne d'avoir des aventures avec certaines clientes. Il a développé une spécialité pour les divorces, et il n'accepte que des femmes. Ça doit être pour les consoler et leur permettre de se venger de leurs maris. Je m'en fous puisque je me venge à ma façon, mentionna Brigitte.

— Tu ne penses pas à divorcer ?

— Pourquoi ? Je ne manque de rien, j'ai une auto et sa carte de crédit pour me gâter. Je serais vraiment folle de divorcer. Et puis, il y a les enfants que je dois considérer. Christian est toujours gentil avec moi, et la famille, c'est très important pour lui. Il vient d'une famille bourgeoise, et son père était avocat avant lui. Il rêve que les enfants en fassent autant.

— Ce n'est pas la même chose pour moi, crois-moi ! Mon père est fermier et mon beau-père travaille à la Miner. Yvan a un peu d'argent parce qu'il est très économe et sait comment le faire fructifier en faisant des placements, mais il n'y a pas de vieilles fortunes d'un côté comme de l'autre.

— Que crois-tu ? Mon père travaille toujours à la Stedfast, et j'aurais sûrement fini là moi aussi. Je n'avais que ma beauté pour charmer le fils d'un gros bonnet, et c'est ce que j'ai fait. Christian était tellement pressé qu'il m'a mariée alors qu'il était encore à l'Université de Montréal, répliqua Brigitte.

— Moi, je n'ai pas encore d'enfant, et sans enfant, mon ascendant sur lui est moindre que le tien.

— Mais non ! Si ce que tu m'as raconté est vrai, tu as une emprise sur lui que je n'ai même pas. Il te suffirait de tomber enceinte et tu le tiendrais très solidement. J'aimerais bien que Christian ait une perversion que je puisse exploiter. Peut-être en a-t-il, mais il la garde pour ses maîtresses.

— Tu m'étonnes, Brigitte! Tu parles des maîtresses de ton mari sans exprimer la moindre trace de jalousie et tu dis l'aimer malgré tout? Je ne comprends pas.

— Juliette! Ça fait dix ans que je suis mariée et j'ai deux enfants, alors que pour toi, c'est tout nouveau. Tu m'en reparleras dans dix ans et tu auras peut-être changé d'avis… Changement d'à-propos, peux-tu me coiffer cet après-midi?

— Bien sûr! Tu n'as qu'à venir chez moi vu que tu as une auto. Il faudra que tu me donnes des trucs pour ne pas l'échapper. Tu es une femme d'expérience alors que moi je ne suis qu'une débutante comparativement.

— Je serai chez toi cet après-midi, et ne t'inquiète pas, tu as le potentiel pour le faire valser, crois-moi! J'apporterai une bouteille de vin pétillant.

Juliette était estomaquée par les confidences de son amie Brigitte. Il y avait une froideur dans ses propos qui la surprenait. Jamais elle-même n'avait pensé à tromper son mari, mais voilà que Brigitte avouait en toute candeur qu'elle trompait le sien sans aucun remords, et de plus, qu'elle y prenait grandement plaisir. Quand Juliette voyait un bel homme, elle n'était pas indifférente, mais elle transférait ses fantasmes sur son mari. Depuis ce qui s'était passé la veille, elle pourrait encore plus se faire plaisir. Elle était impatiente que son amie Brigitte arrive pour lui raconter de nouvelles histoires qui exciteraient davantage sa libido. Yvan avait intérêt à être prêt à la satisfaire ce soir-là, sinon elle le violerait.

# Chapitre 13

Émile était malheureux à son travail et à la maison. Il était né au printemps de l'année 1896. Il se remémorait son passé avec nostalgie, même si sa vie n'avait pas été facile. Il était le premier enfant d'Arthur Robichaud, né en 1876 à Stanbridge-East. Il avait épousé Eugénie Lamarre née en 1878. Arthur avait vingt ans et Eugénie, dix-huit. C'était la norme à l'époque et ils avaient eu neuf enfants, trois garçons et six filles. Ils avaient travaillé dur pour défricher et cultiver leur lopin de terre, trop dur…

Eugénie était une jolie jeune femme, plutôt frêle, mais Arthur l'aimait tellement qu'il lui demandait un minimum d'efforts physiques, et en plus, elle était toujours enceinte. Ils respectaient le clergé, et chaque année, un nouveau bébé naissait. Le premier enfant à naître avait été Émile, en 1896, l'année même du mariage d'Arthur et d'Eugénie. Émile était un bébé robuste et en santé. Arthur, encouragé par la naissance d'un fils, redoubla d'ardeur au travail. De l'aurore jusqu'au crépuscule, il s'éreintait au travail à bûcher, à essoucher et à ameublir une terre de roche. Chaque parcelle de terrain arrachée à la forêt était entourée d'un muret de pierres extirpées du sol à la sueur de son front, mais cette vie de labeur lui allait parfaitement. Il était heureux. Tous les ans, la famille s'agrandissait d'un nouveau rejeton, un autre garçon, et l'année suivante, ce fut une fille, puis une fille encore, et encore une autre et, finalement, un autre garçon. À vingt-six ans, il avait trois garçons et trois filles. Il fallait travailler encore plus fort pour nourrir toutes ces bouches affamées. Eugénie aussi était épuisée, mais les bébés continuaient d'arriver au rythme d'un par année. Quand elle eut vingt-sept ans, elle avait neuf enfants et, cet hiver-là, Arthur attrapa une vilaine grippe et en mourut (durant l'hiver de 1906). Il décéda à l'âge de trente ans alors que son plus vieux, Émile, avait à peine dix ans. Ce dernier quitta l'école pour s'occuper de la ferme familiale avec sa mère qui était une petite femme courageuse à la santé fragile, ce qui ne l'empêcha pas de vivre jusqu'à l'âge vénérable de 89 ans.

Émile était devenu l'homme de la famille, et c'était à son tour désormais de travailler tout le temps. Il était orgueilleux et n'acceptait pas que les voisins ou la famille leur fassent l'aumône. Rapidement, il perdit l'habileté d'écrire et de lire, mais jamais il ne perdit l'art de compter. Sur la petite ferme, il y avait un poulailler et un clapier, quelques vaches, un couple de porcs et un cheval. Émile avait très vite compris que la reproduction était essentielle à la survie de sa famille. Il s'arrangea donc avec quelques voisins pour faire du troc. Son cheval était un bel étalon fringuant qu'il fit accoupler avec les juments des voisins en échange d'une pouliche. Il fit de même avec ses vaches en recevant un taureau dans le pacage.

Émile avait vieilli prématurément en portant sur ses épaules d'enfant le poids de toute sa famille. Il avait déjà vu son père dépecer toutes sortes de bêtes, mais tenir lui-même le couteau était bien différent. Il fallait faire attention à ne pas percer les viscères afin d'éviter de contaminer la viande si précieuse. En plus de l'abattage de certains animaux de la ferme, il allait aussi chasser et pêcher quand il lui restait encore un peu d'énergie à la fin de la journée. Il sautait alors sur le cheval de labour, sans selle et la carabine de son père entre les mains, ou la canne à pêche, et revenait avec le souper. Beaucoup plus tard, son fils Patrick referait les mêmes gestes en ignorant que son père avait parcouru le même trajet pour nourrir ses frères et sœurs. Cela demandait énormément de courage et de détermination pour recevoir un tel héritage, celui de prendre soin de la famille, à cause de son père défunt. Mais jamais Émile n'aurait reculé devant un tel défi. Il aurait préféré mourir à la tâche plutôt que de se désister. Il était dur avec les plus vieux de ses frères et sœurs, mais c'était pour épargner sa mère. S'il fallait qu'elle meure à son tour, ils seraient tous dans le pétrin. La famille serait éparpillée chez certains oncles et tantes qui ne recherchaient que de la main-d'œuvre à bon marché…

Avec cette idée en tête, le jeune Émile ne pouvait faire autrement que de surprotéger sa mère et de harceler les autres en âge d'aider, ne serait-ce que pour nourrir les poules et récolter les œufs, pour les plus jeunes capables de marcher et de comprendre. Il dirigeait tout le monde avec autorité et punissait ceux qui refusaient de lui obéir. Dans sa tête d'enfant obligé d'être mature beaucoup trop vite, il ne pouvait pas comprendre que la tyrannie qu'il imposait aux membres de la famille avait un effet néfaste sur le moral de tous. L'atmosphère était morose et tous s'ennuyaient du père disparu. Émile réagissait alors en devenant bourru avec son frère Aimé, qui aurait bientôt dix ans lui aussi, et sa sœur Ernestine qui en avait neuf. Quand les menaces ne suffisaient pas, il était même violent avec eux.

Les années passèrent et Eugénie semblait inconsolable. Elle était toujours aussi fragile et encline à la mélancolie. Elle voyait bien qu'Émile se démenait pour maintenir le bon fonctionnement de la ferme et qu'il devenait de plus en plus acariâtre. Quand il eut quatorze ans, il n'avait pas beaucoup grandi, mais il était tout en muscles. Son visage avec son nez busqué aurait pu être avenant, mais il s'était durci par les nombreuses épreuves que la vie lui avait réservées. Eugénie pensa qu'il était temps qu'elle se trouve un mari. Elle n'avait que trente-deux ans et était plutôt jolie. Elle avait été remarquée par un veuf qui avait à peu près son âge et dont la femme était morte en couches peu de temps auparavant. C'était un homme de belle apparence, plutôt grand et bien mis, mais assurément pas un fermier. Émile voyait d'un mauvais œil que cet homme fasse la cour à sa mère. Le prétendant avait déjà deux enfants, ce qui augmenterait la famille à treize. Si au moins le prétendant avait été fermier ou s'il avait possédé une fortune personnelle, mais il n'était qu'un simple commis au magasin général du village.

Joseph-Arsène Fontaine fit une cour empressée à la jolie veuve Eugénie sans prendre en considération le fait qu'elle avait déjà neuf enfants et qu'ils seraient à l'étroit dans la maison de ferme. Il avait deux jeunes garçons de quatre et six ans qui seraient des membres inutiles du point de vue d'Émile. Quelques mois plus tard, ils convolaient en justes noces au grand désarroi de ce dernier. Joseph-Arsène s'installa dans la maison d'Eugénie qu'Émile considérait comme la sienne. Dès le départ, les relations entre les deux hommes se gâtèrent. Joseph-Arsène n'appréciait pas de recevoir des ordres de cet adolescent frondeur. Émile lui réservait toujours des tâches difficiles à accomplir pour quelqu'un qui n'avait pas d'expérience.

— Ôte-toi de là, Joseph-Arsène! Ça va être plus vite si je le fais moi-même. À quoi t'as pensé en mariant la veuve d'un cultivateur, baptême?

— Écoute-moi bien, Émile Robichaud, tu vas apprendre à me respecter! Ce n'est pas parce que je n'ai pas d'expérience que je ne peux pas apprendre, tu sauras. Et puis, je n'aime pas beaucoup que tu m'appelles par mon prénom. Je suis ton beau-père, que tu le veuilles ou non.

— Tu serais dans la *marde* si je partais demain! T'as pas compris ça encore? Tu veux que je t'appelle le beau-père? Ça va être ça! Eille, le beau-père, vas-tu aller tirer les vaches au lieu de redresser la clôture?

— Si tu continues à me parler sur ce ton-là, je ne ferai rien *pantoute*!

— Ça ne me surprendrait pas *pantoute*! T'as l'air d'avoir le cordon du cœur assez long. Fais attention pour ne pas piler dessus, tu pourrais t'enfarger.

— Ah, mon p'tit polisson! Si tu penses que je vais endurer ça, tu te trompes, Émile. Je vais en parler à ta mère et on verra bien...

— C'est ça! Va pleurer à m'man, pauvre Joseph-Arsène.

Celui-ci aurait voulu le frapper, mais il voyait dans les yeux d'Émile une telle haine qu'il crut préférable de se tenir à distance de ce beau-fils si agressif. Il fallait qu'il parle à son épouse du comportement que son fils aîné avait à son égard. Émile n'acceptait pas ce beau-père qu'il considérait comme un incapable. Il regrettait amèrement son père qui les avait quittés si prématurément. Il poursuivait son labeur inlassablement en essayant de noyer son malheur dans le travail. Le même soir, quand il eut fini sa journée, sa mère voulut lui parler après que tous les autres furent couchés. Il savait que Joseph-Arsène, comme prévu, avait discuté avec sa mère à propos de leurs différends. Joseph-Arsène était installé dans la chaise berceuse de son père et fumait sa pipe. Depuis le décès de son père, c'était lui, Émile, qui s'asseyait dans cette chaise qui avait appartenu à son père et où il l'avait vu fumer sa pipe comme Joseph-Arsène en ce moment. En le voyant assis là, il le voyait comme un usurpateur. C'était un legs de son père. Quand Émile s'asseyait dans cette chaise, tout comme son père le faisait auparavant, il regardait par la fenêtre qui offrait une vue sur la grange et un coin de prairie. Il planifiait alors sa journée du lendemain et rêvait d'une vie meilleure. Quand tout le monde fut couché, y compris Joseph-Arsène, sa mère s'approcha pour lui parler.

— Qu'est-ce qui ne va pas, Émile ? Je te sens malheureux. Est-ce que j'ai raison ?

— Ton Joseph-Arsène est un incapable, m'man ! J'ai pas peur d'le dire parce que j'le pense vraiment. Quand j'avais dix ans, j'étais déjà meilleur que lui, baptême !

— Ne blasphème pas, s'il te plaît, Émile ! Il faut que tu comprennes que Joseph-Arsène n'a jamais travaillé la terre. Il a toujours vécu dans un village.

— J'veux ben croire, mais c'est pas une raison pour être sans-dessein ! Un homme dans la trentaine qui sait pas redresser une clôture, je m'excuse, m'man, mais c'est un incapable ou un sans-cœur dans mon livre à moi !

— Mon Dieu ! Que tu es dur avec lui ! Il est si gentil avec moi et les autres enfants.

— Ben oui ! Nous autres les gars, on est rendu cordé à six dans la même chambre. Ç'a pas de bon sens, m'man !

— On n'a pas plus de place que ça. C'est la même chose pour les filles. Avant, je gardais les deux plus jeunes dans ma chambre, mais là, avec un mari, ce n'est plus possible.

— Je pense que le mieux, c'est que je m'en aille! J'vais finir les moissons et rentrer le foin, et après ça, j'vais aller bûcher cet hiver pour m'faire quelques piastres.

— Tu nous quittes, Émile?

— Écoute, m'man! J'le sais que ça marchera jamais moi pis ton mari. J'suis mieux de m'en aller avant que j'fasse des bêtises. Tu as encore Aimé qui peut t'aider pour les travaux de la ferme. Il est pas mal bon! J' le sais parce que c'est moi qui lui ai montré.

— Je ne pensais jamais qu'en prenant mari je perdrais mon fils aîné! Ça me fait bien de la peine, Émile.

— C'est mieux d'même, m'man! J'suis ben plus vieux que mon âge, il faut surtout pas que tu t'inquiètes pour moi.

— Je le sais que tu t'es beaucoup sacrifié pour ta famille et je ne te remercierai jamais assez. Je ne peux pas te retenir contre ta volonté. J'espère juste qu'on va s'en sortir sans toi. T'as la même vaillance que ton père qui nous a quittés trop vite lui aussi. Tu partirais aux premières neiges?

— J'vais partir quand j'saurai que vous serez pas dans le trouble! C'est-tu correct?

— Tu sais que ce sera toujours chez vous ici, Émile!

— Y a juste une chose que j'te demanderais. J'aimerais ben ça si je pouvais garder le cheval de deux ans. Je m'arrangerai pour lui faire monter quelques juments en échange d'un poulain ou d'une pouliche. C'est comme tu veux, m'man !

— Bien sûr ! Je n'ai pas d'argent à te donner, mais je pourrais te donner le *bogey*, si tu le veux. Joseph-Arsène a le sien, et on a toujours la voiture si jamais on a besoin de plus. De toute façon, la voiture est beaucoup plus pratique pour une grosse famille.

— Merci, m'man ! Inquiète-toi pas pour moi, ça va ben aller !

Émile était beaucoup plus ému qu'il ne l'avait imaginé. Quitter sa famille pour laquelle il avait tout donné, y compris son avenir, l'attrista. Il ne savait plus lire ni écrire, mais il n'avait jamais vraiment eu de talent pour apprendre. Ce qu'il savait par contre, c'est qu'il pourrait toujours se débrouiller et que jamais il ne mourrait de faim.

Ce fut bientôt le temps des moissons, et Émile s'assura que tout serait fait avant qu'il parte bûcher. Il voulait laisser la ferme en ordre. Il coupa du bois au bout de la terre pour se refaire la main, mais cela ne se perdait jamais quand on avait commencé à son âge. Il avait huit ans quand il avait commencé à aider son père à ramasser les branches et à les brûler sur le tronc qu'ils auraient à déraciner au printemps suivant. Il savait aussi qu'il devait fendre le bois qu'il avait coupé l'année d'avant pour s'assurer qu'il dégagerait un maximum de chaleur. Il avait commencé à préparer son frère Aimé à prendre sa relève. Ce dernier avait terminé son école primaire, il était donc prêt à quitter l'école. Selon lui, il avait appris tout ce qu'il avait à apprendre.

Quand ce fut le temps pour Émile de partir pour les chantiers, il sortit le *bogey* et y attela son cheval. Sous le siège, il mit ses haillons dans un sac de toile qui avait servi à son père quand celui-ci avait travaillé sur les chantiers. Il avait de bonnes bottines de feutre neuves avec des bottes de caout-chouc pour se tenir les pieds au sec. Il prit tout l'attirail de son père, y compris les *britches*, la grosse chemise rouge à carreaux et le manteau ciré. Sa mère lui avait tricoté un long foulard et lui avait acheté une paire de caleçons longs. Il était prêt et il y avait un chantier pas loin de la frontière, près d'Abercorn. Ce serait parfait pour lui. Il connaissait un gars, Anselme Grandbois, qui allait lui aussi au même chantier.

— Adieu, m'man, on s'reverra au printemps, si tout va bien. Si jamais vous avez besoin de m'rejoindre, je serai au chantier Mac Fersen. Prenez soin de vous autres et de m'man, salut ben ! lança-t-il au reste de la famille.

Il se sentait tout drôle. C'était la première fois qu'il se séparait de sa famille et il s'ennuierait, pensait-il. Sa mère lui avait remis un dollar au cas où il aurait à se nourrir en chemin. De toute façon, il s'en allait rejoindre Anselme qui connais-sait bien la vie sur les chantiers. Ce dernier avait vingt-cinq ans et Émile en aurait quinze en février pendant qu'il serait au chantier. Quand il arriva chez Anselme, il entra prendre un thé et saluer tout le monde. Le jeune homme serait son mentor le temps qu'il soit évalué par le *foreman*. Il mentirait sur son âge, un peu parce que les propriétaires n'aimaient pas engager des bûcherons trop jeunes et sans expérience. Ils avaient peur qu'ils ne soient pas assez forts ou qu'ils quittent le chantier avant la fin de la saison.

— Es-tu prêt, Émile ? J'me demande si ton *bogey* va être ben utile où ce qu'on s'en va. Ça risque d'être un aria plus que d'autres choses. Moi, j'y vais avec ma *sleigh* parce qu'y risque d'y avoir pas mal de neige pour se rendre au camp. Si tu veux mon idée, laisse ton *bogey* chez nous, pis amène juste ton cheval. Tu pourras embarquer avec moi et attacher ton cheval en arrière.

— Tu penses ?

— Au pire, tu peux revenir sur ton cheval et ramasser ton *bogey* en passant, si jamais t'aimes pas ça sur le chantier ou qu'il y a une urgence. C'est comme tu veux !

— Ouais ! Ça fait du sens. J'vais lui laisser sa couverture pour le garder chaud.

— Chose décidée ! Amène ton barda, pis on part ! dit Anselme.

Ce dernier embrassa sa femme et ses enfants, s'assura qu'il n'avait rien oublié, puis ils partirent. Ils avaient parcouru à peine un arpent qu'Anselme sortit une flasque de boisson et en prit une bonne gorgée.

— T'en veux-tu une gorgée, Émile ?

— J'ai jamais goûté à ça ! Si j'me fie à la grimace que tu viens de faire, ça doit être assez fort.

— Ouais, mais ça réchauffe ! Pis la grimace, c'est juste pour la première gorgée. C'est pas pour rien qu'on appelle ça du fort. Ah, que ça fait du bien ! Marie-Louise aime pas ben ça que j'en boive, mais sur les chantiers, elle le sait pas…

— J'en prendrais une p'tite gorgée !

— Vas-y, mon homme ! J'en ai un gros cruchon en dessous du siège. J'en manquerai pas !

Émile en prit une gorgée et faillit s'étouffer en l'avalant. Anselme éclata de son rire tonitruant et ne semblait plus capable de s'arrêter. Émile avait les yeux embués de larmes et se mit à rire à son tour.

— Ouais, c'est pas de l'eau bénite, baptême ! T'as raison d'appeler ça du fort… répliqua Émile en essayant de retrouver sa voix normale.

— Prends-en une autre gorgée *asteure* que tu sais ce que ça fait ! J'suis certain que la deuxième va être meilleure.

Émile était un peu plus prudent, mais il reprit la flasque et, cette fois, il ne s'étouffa pas. Il sentit le liquide couler dans sa gorge comme s'il était brûlant et la chaleur envahir son estomac. Il venait de découvrir l'alcool frelaté.

— Pis, elle est bonne? C'est moi-même qui l'a faite! Tu dis pas un mot de ça sur le chantier parce qu'il y a des *foremen* qui en veulent pas *pantoute* sur leur chantier. Abrie-toi comme il faut avec la peau d'ours parce que c'est loin Abercorn.

De temps à autre, Anselme sortait sa flasque, en prenait une bonne gorgée et en offrait à Émile qui trouvait cela meilleur après chaque lampée. Le temps qu'ils arrivent à Abercorn, Émile était ivre et en redemandait.

— Eille, Anselme! J'ai une piastre dans mes poches. Penses-tu que j'pourrais en acheter au village?

— T'aimes ça, mon jeune? On peut en acheter à l'hôtel, mais tu vas payer le gros prix. Au moins une cenne de l'once, pis un minimum de dix onces! Je t'le dis, c'est des vrais voleurs, pis elle est pas mal moins bonne que la mienne.

— Ça veut dire que j'aurais déjà bu six cennes? J'vais te rembourser, Anselme, inquiète-toi pas!

— C'est un cadeau, Émile! Avec les gages qu'on va faire, c'est rien *pantoute*.

— T'es sûr qu'on va gagner une piastre par jour, pension inclus?

— Ben oui! Je t'emmènerais pas à une place où on s'ferait voler. Tu peux te fier sur moi. Tu t'fais voler une fois, pas deux fois, et pis si j'peux t'éviter ça, pourquoi pas?

— T'es ben fin, pis ta boisson est bonne en maudit!

— Arrange-toi pour être à jeun quand on va arriver au chantier. On devrait peut-être manger quelque chose pour te dégriser parce que Mac Fersen pourrait aussi ben t'retourner chez vous s'il pense que t'as pris un coup.

— Maudite de bonne idée! J'ai la tête qui tourne un peu, répondit Émile.

Ils arrêtèrent à l'hôtel d'Abercorn pour se restaurer. Émile voulut commander un verre d'alcool, mais Anselme l'en empêcha en lui rappelant que le patron du chantier n'apprécierait pas de le voir ivre. Le repas sembla le dégriser, mais il avait si vite développé un goût prononcé pour l'alcool qu'Anselme pensa qu'Émile pouvait être allergique, ou encore qu'il était né pour prendre un coup. Il lui suggéra fortement de ne pas en acheter avant d'être sur le chantier. Anselme lui en fournirait à la goutte, car il ne voulait pas perdre son nom en traînant un jeune ivrogne.

Émile fut accepté par Mac Fersen et s'installa dans le dortoir qui logeait toute l'équipe de douze bûcherons. Le dortoir contenait six lits superposés et une table avec quelques chaises pour les joueurs de cartes. La cuisine était dans un autre bâtiment qui comprenait le lit de la cantinière et le magasin où ils pouvaient trouver du tabac, des gants ou des mitaines en cuir et des bas de laine. Il y avait aussi une petite infirmerie avec le matériel de base pour soigner les blessures mineures, mais fréquentes sur le chantier. La cantinière était une femme âgée, pour éviter de provoquer une douzaine d'hommes privés de sexe pour une longue période. Pour compléter le campement, il y avait une écurie, un cabanon pour les câbles, les haches et les godendards. Et finalement, les toilettes pour les besoins naturels. Tous ces bâtiments sommaires étaient protégés par des arbres, et la vie s'organisait ainsi. L'hygiène était laissée au bon vouloir de chacun. Se laver était toute une aventure par grands froids. On se lavait à la débarbouillette ou pas du tout. On peut facilement imaginer qu'en peu de temps, cela sentait le fauve dans le dortoir.

— Émile ! Si tu veux travailler avec moi, j'pense qui aurait pas de problème avec Mac Fersen. Tout ce qu'il veut, c'est qu'on produise en masse. Tu te sens-tu capable ?

— J'ai aucun problème avec ça, Anselme ! J'aime autant travailler avec quelqu'un que j'connais. J'sais chaîner les troncs pour les sortir du bois. J'imagine qu'il faut les marquer ?

— Ouais ! Une fois qui va nous avoir vu travailler ensemble, tu vas te rendre compte qu'il est pas fatigant comme *boss*. Tout ce qu'il veut, c'est qu'on soit régulier pis qu'on coupe seulement les arbres qu'il a marqués avec de la peinture.

— On a-tu un emplacement déjà prévu ?

— Il va nous l'dire, ce sera pas long ! On peut déjà prendre l'équipement qu'on va avoir besoin. J'le sais pas quel cheval on peut prendre. J'imagine qui va nous dire ça aussi. As-tu pensé à te prendre une cruche d'eau parce qu'on va suer en masse, crois-moi ?

— Non, mais j'vais en demander une à Gertrude.

Ils firent leur journée sans trop de difficultés, mais Émile savait que ce serait le lendemain que ses muscles seraient sensibles. Jamais il n'oserait l'avouer à Anselme ni à personne d'autre d'ailleurs. Les semaines passaient, et Émile était apprécié pour la qualité de son travail. Il avait presque bu entièrement la flasque qu'Anselme avait apportée. Quand elle fut vide, il chercha une autre source d'approvisionnement, mais les quelques bûcherons qui avaient prévu une provision d'alcool la vendaient le gros prix. Émile se consolait en se disant que c'était son seul vice alors que la plupart des autres jouaient aux cartes et perdaient parfois la totalité de leur paie.

Quand le printemps arriva et que le chantier ferma, Émile reçut sa paie. Elle s'élevait à cent quarante-cinq dollars. De ce montant, il devait vingt-trois dollars pour l'alcool qu'il avait bu. Il paya sa dette et se trouva très satisfait de la somme qu'il lui restait. Il n'avait jamais eu autant d'argent de toute sa vie. Il retourna chez sa mère pour s'assurer que tout allait bien et constata que la ferme avait l'air moins bien entretenue qu'à son départ.

— Salut, Aimé!

— Ah ben, tiens, c'est Émile! Pis, la vie de chantier? Pas trop dure?

— Une partie de plaisir pas mal payante! J'me cherche d'autres choses. Pis, comment tu t'arranges avec le beau-père?

— Le beau-père est pas intéressé par la ferme *pantoute*! J'pense qu'il a pas mis les pieds dans l'étable depuis que t'es parti.

— Tu parles d'un vieux *crisse*! J'le sais pas ce que m'man a vu dans lui à part de sa cravate pis son habit. Maudit pas bon!

— Il rêve de retourner au village! J'sais pas comment y pourrait loger toute la famille. Je pense qu'il aimerait ben qu'on disparaisse toute la *gang* à part de m'man. Ses deux morveux sont comme la prunelle de ses yeux, mais nous autres, y faut qu'on travaille pour gagner notre pitance.

— J'pense que j'vais faire une offre à m'man pour acheter la terre. Si lui en veut pas, moi j'la veux. Comment elle va m'man? Sa santé?

— Elle a pas été malade de l'hiver pis elle est ben souriante. J'pense que c'est un homme qui lui manquait le plus! C'est du moins ce que prétend Ernestine, mais moi j'le sais pas si c'est vrai.

— C'est peut-être vrai, mais Ernestine a toujours été une langue sale. J'vais aller la voir pendant qu'son mari est pas là.

Émile se dirigea vers la maison et entendit sa mère chanter. «Elle semble heureuse», pensa-t-il, parce que cela faisait longtemps qu'il ne l'avait pas entendue chanter. Elle s'activait dans la cuisine à préparer le repas du soir. La maison était bien tenue et une bonne chaleur s'en dégageait. Il la regarda travailler en se tenant sur le seuil de la porte. Elle était plus jolie que dans son souvenir. Elle semblait plus épanouie. Peut-être qu'Ernestine avait raison, après tout? Émile ne s'y connaissait pas beaucoup en psychologie féminine. Il se décida à frapper avant d'entrer dans la maison.

— Émile! Quelle belle surprise! Tu reviens du chantier? Viens m'embrasser, mais j'ai les mains enfarinées, attends que je m'essuie.

Eugénie s'essuya les mains sur son tablier et s'approcha de son fils qui se déchaussait pour ne pas salir le plancher. Elle le serra contre elle. Elle semblait vraiment contente de revoir son fils aîné. Après l'avoir embrassé, elle le tint au bout de ses bras comme pour l'admirer.

— Tu as bonne mine, mon garçon, et ton teint est très foncé. On dirait un Indien. C'est sûrement dû à la vie en plein air. Et tes bras sont très musclés. Si tu savais comme je suis heureuse de te retrouver en pleine santé! Tu as toujours été une vraie force de la nature!

— Toé aussi, m'man, tu as meilleure mine. T'as pris des forces?

— Oui! Je n'ai pas été malade cet hiver, et Joseph-Arsène est tellement bon pour moi...

— En arrivant, j'ai rencontré Aimé qui m'a un peu mis au courant de la situation. Apparemment qu'ton mari aimerait bien retourner vivre au village. Et toé, qu'est-ce que t'en penses, m'man?

— J'aimerais bien ça moi aussi, mais ce n'est pas possible sans vendre la terre. Je ne peux pas me résoudre à la vendre. On a tellement travaillé ton père et moi et vous tous… et puis, on est beaucoup trop nombreux pour se loger confortablement dans une maison du village. Ça nous prendrait un grand terrain pour le potager.

— J'aurais peut-être une solution, m'man ! Je pourrais l'acheter.

— Tu n'es pas sérieux, Émile ! Il te faudrait beaucoup d'argent parce que, selon Joseph-Arsène, la ferme vaut presque trois mille piastres. C'est beaucoup d'argent !

— J'pourrais vous donner quatre cents piastres par année pendant huit ans, intérêts compris. Elle resterait dans la famille de cette façon-là. Qu'est-ce que t'en penses ?

— Il faudrait que j'en parle avec mon mari parce que c'est lui qui décide pour ces affaires-là.

— Voyons, m'man ! C'est à toé cette maison-là. J'vois pas ce qu'il a d'affaire là-dedans.

— Écoute, Émile ! Quand je l'ai marié, tout ce que j'avais devenait sa propriété par la loi. C'est comme ça !

— Baptême ! C'est pas juste. C'est à toé, m'man !

— Comprends-moi, Émile, la loi c'est la loi ! Je ne peux rien y faire.

— J'vais lui parler pis j'vais connaître le fond de sa pensée sur la ferme. De toute façon, il n'a aucun talent ni d'intérêt pour la ferme. En vous versant quatre cents piastres par année, vous êtes au moins sûrs d'avoir un toit au-dessus de la tête pour les huit prochaines années. Tu comprends-tu, m'man?

— Oui, je te comprends, mais c'est beaucoup d'argent quatre cents dollars par année! Où vas-tu prendre tout cet argent? Joseph-Arsène ne gagne même pas tant d'argent que ça dans une année.

— Inquiète-toé pas pour l'argent, m'man! J'vais l'gagner. J'vais te donner cent piastres à tous les trois mois jusqu'à parfait paiement. Vous pouvez continuer à vivre ici si vous voulez ou vous en aller au village. J'vous laisserai le choix.

— Mais où vas-tu habiter pendant ce temps-là, Émile?

— Je t'ai dit de n'pas t'inquiéter pour moé. J'vais m'arranger…

— Si tu veux en parler avec Joseph-Arsène, je suis d'accord.

— J'veux que tu sois présente, m'man! C'est à toé c'te maison-là.

Eugénie était toute bouleversée par l'agressivité et la détermination de son fils aîné. Elle se demandait bien comment il ferait pour gagner autant d'argent et en avoir suffisamment pour vivre après avoir versé son paiement. Elle était presque certaine que Joseph-Arsène trouverait l'offre alléchante. Elle craignait cependant que l'animosité qui régnait entre les deux fasse échouer le projet de son fils.

# Chapitre 14

Joseph-Arsène revenait du magasin général en laissant son cheval trotter à son rythme. Il appréciait le doux vent printanier qui lui caressait le visage. Il était convaincu que les rudesses de l'hiver étaient terminées, du moins l'espérait-il. La ferme Robichaud était trop loin du village durant la période hivernale. Même s'il se servait d'un traîneau plutôt que de son *bogey*, son cheval avait trop de difficulté à avancer dans les chemins non déblayés. C'était une des raisons qui l'avaient incité à discuter avec sa femme Eugénie d'aller vivre dans le village de Stanbridge-East, quitte à vendre la ferme.

Joseph-Arsène affectionnait beaucoup sa nouvelle épouse qui, contrairement à sa défunte, était de nature chaleureuse et aimante. C'est vrai que sa famille était nombreuse, mais il n'avait de problème avec aucun des enfants, sauf l'aîné, Émile. Ce dernier était parti au début de l'hiver 1911 pour travailler sur un chantier de bûcherons. Il s'attendait à le voir revenir bientôt étant donné que le printemps était de retour. Il aborderait le problème quand il s'imposerait comme une réalité. Il n'avait qu'une hâte, c'était de serrer Eugénie dans ses bras et, quand tous les enfants seraient couchés, de lui faire l'amour. Quelle heureuse découverte quand il comprit qu'une femme pouvait jouir autant sinon plus qu'un homme.

Quand il entra dans la cour, il reconnut le *bogey* de son beau-fils Émile. Il fit une moue, mais rapidement, il revint à de bonnes dispositions à son égard. Tout ce qu'il souhaitait, c'était qu'Émile soit mieux disposé qu'au moment où il avait quitté la ferme pour le chantier. Joseph-Arsène n'était pas un homme belliqueux, mais plutôt un gentleman. Son seul malheur était qu'il était né sans fortune. Il était très apprécié à son travail comme commis-gérant du magasin général, autant par son patron que par les clients. Il aurait beaucoup aimé se porter acquéreur du magasin quand le propriétaire prendrait sa retraite. Sans le sou, même si le propriétaire actuel n'avait pas de relève, cela lui paraissait improbable. Il avait beaucoup de rêves, mais la plupart lui paraissaient inaccessibles.

Émile l'avait vu venir de loin et appréhendait la rencontre. Il se souvenait de son départ comme si c'était la veille. Il fit l'effort de ne pas se montrer belliqueux. La cordialité n'était pas une de ses forces, mais il s'y appliqua malgré tout.

— Bonjour, le beau-père! Comment allez-vous par cette belle journée de printemps?

— On ne peut mieux, Émile, on ne peut mieux! Et toi, ton chantier s'est bien passé?

— Même chose, on ne peut mieux!

— Tant mieux, Émile! J'espère que notre relation va être cordiale dans l'avenir, dit-il en lui tendant la main.

— Il n'en tient qu'à vous, le beau-père! J'ai eu le temps d'parler à ma mère, pis elle semble vous tenir en haute estime. Elle est ben d'bonne humeur comme je l'ai rarement vue.

— Tu sais, Émile, l'amour fait des miracles, et je peux en dire autant. Je suis bien de bonne humeur, moi aussi. Es-tu arrivé pour rester?

— Non! Il faut que j'travaille parce que l'argent pousse pas dans les arbres. J'ai peut-être une *job* à la Montreal Light, Heat and Power comme monteur de lignes ou à la Montreal and Southern Counties Railway Company. C'est des bonnes *jobs* payantes. Pis j'aurais une offre à vous faire à vous pis à m'man à propos de la ferme.

— On va prendre le temps de souper d'abord et on pourra parler de ta proposition quand les enfants seront couchés. Qu'est-ce que t'en penses, Émile?

— Ouais, ça m'semble une bonne idée! Voulez-vous qu'on commence par dételer votre cheval, pis l'installer dans l'écurie avec un peu d'avoine pis de l'eau? Un beau cheval comme ça, y faut soigner ça.

— C'est en plein ce que je me préparais à faire, mon Émile! lança Joseph-Arsène, tout heureux de constater le changement d'attitude de son beau-fils.

Il était impatient de connaître la proposition d'Émile concernant la ferme, mais ne fondait pas trop d'espoirs sur l'offre, si c'était d'une offre dont il était question. Après avoir soigné le cheval, ils entrèrent dans la maison et Joseph-Arsène lui offrit un petit verre de vin. Émile l'accepta même s'il n'avait jamais goûté à autre chose qu'à de l'alcool frelaté. Il l'avala d'une traite, pensant que c'était la façon de faire. Son beau-père, lui, sirotait son verre, mais il en resservit un autre à Émile qui, cette fois, l'imita. Ils passèrent à table ; sa mère s'était surpassée avec un pâté au poulet accompagné de patates et de navets. Quand le repas fut terminé, Joseph-Arsène s'installa sur la chaise berceuse et alluma sa pipe. Il offrit du tabac à Émile que ce dernier déclina. À la place, il sortit sa chique pour laquelle il avait développé un certain goût sur le chantier.

Eugénie commença à débarrasser la table, aidée par Ernestine et Georgina qui lavèrent et essuyèrent la vaisselle. Les plus jeunes s'installèrent sur la table de cuisine pour faire leurs devoirs, tandis qu'Aimé alla faire son train, rejoint par ceux qui avaient déjà terminé leurs autres tâches. Émile put constater qu'une certaine harmonie régnait entre les enfants de Joseph-Arsène et ses frères et sœurs. Les enfants se couchèrent tôt et ils purent enfin attaquer le vif du sujet.

— Émile ! T'avais une offre à faire concernant la ferme ? Je t'avais dit que ta mère et moi en discutons souvent. Par la loi, c'est moi qui en suis maintenant propriétaire, mais je la respecte trop pour lui dérober son bien. Comme tu l'as sûrement constaté, nous formons une seule famille. Les décisions doivent être prises pour le bien-être de tous.

Émile s'était préparé pour la guerre alors que son beau-père n'était que miel et gentillesse. Il soupçonnait le piège. Il n'avait pas encore dit un mot et avait surveillé sa mère pour s'assurer qu'elle n'avait rien dit à son mari de l'offre qu'il se préparait à faire. Cette attitude conciliante l'avait vraiment pris par surprise. Les paroles qu'il avait si longuement répétées dans sa tête ne tenaient plus la route dès lors. Il improvisa maladroitement.

— Tout le temps que j'ai passé au chantier, j'avais qu'une chose en tête, c'était de racheter la terre familiale sans trop savoir comment m'y prendre. J'ai une proposition à vous faire et elle est très simple. M'man m'a dit que vous aviez pensé, le beau-père, que la terre valait peut-être trois mille piastres. J'suis prêt à vous le donner, mais...

— Où vas-tu prendre tout cet argent, Émile ? lui demanda son beau-père, interloqué.

— J'vous donnerais cent piastres à chaque saison ! Quatre cents piastres par année pendant huit ans. Cet argent, j'vais la gagner facilement, pis y va m'en rester en masse pour vivre. On pourrait s'faire des papiers qui spécifieraient que si j'manque à ma parole, vous garderez l'argent que j'vous aurai donné, pis la terre restera à vous autres.

— C'est bien généreux de ta part, Émile, mais il y a moyen de faire mieux que ça, pour toi comme pour nous. Je vais t'expliquer quelque chose, pis tu vas comprendre.

Joseph-Arsène entreprit de lui expliquer une façon de faire qui permettrait à Émile de devenir propriétaire même s'il n'avait pas l'âge requis pour acquérir une propriété. La majorité civile ou légale l'empêchait de disposer librement de sa propriété et, en principe, de s'engager seul dans un emprunt bancaire, mais Joseph-Arsène proposa de se porter garant de l'emprunt et, de plus, de garder une hypothèque de deuxième rang équivalente au dépôt requis par la banque pour l'achat de la ferme. Il était presque certain que son plan marcherait, car il connaissait le directeur de la banque de Bedford.

Émile se méfia un peu de l'offre de son beau-père. Il n'y comprenait rien à toutes ces finesses de la loi. De cette façon, il ne protégeait plus sa famille comme il l'avait imaginé en échelonnant les entrées d'argent. Son beau-père pourrait dilapider tout l'argent qu'il toucherait de la banque sans que personne ne puisse l'en empêcher. Pouvait-il lui faire confiance? Il avait certainement besoin d'y réfléchir plus longuement.

— Vous comprendrez, le beau-père, que c'est pas d'même que j'avais vu ça, mais comme dit m'man : «La nuit porte conseil» et j'vais y penser, pis j'vous reviens là-dessus demain si ça vous va?

— Prends tout ton temps, mon garçon… je veux dire Émile! C'est une décision trop importante pour la prendre à la légère. Il faut que ta mère et moi, on en reparle aussi. Il faut être bien sûr que c'est ce qu'elle veut parce que après, il va être trop tard. Je veux que tu saches que j'aime vraiment ta mère et que c'est la dernière personne que je voudrais voir souffrir.

— C'est vrai, mon garçon, Joseph-Arsène est très bon pour nous tous. Il est juste et aimant. Tu n'as pas à craindre, Émile !

— J'pense qu'il est assez tard pour que j'aille me coucher. J'ai pris une chambre dans le village.

— T'aurais pu coucher ici, t'as toujours ta place. C'est sûrement aussi grand que dans un camp de bûcherons, dit sa mère.

— C'est mieux comme ça, m'man ! J'vais être plus à l'aise de même.

— C'est comme tu veux, Émile, mais je partage l'idée de ta mère là-dessus, surtout si tu veux acheter la terre, renchérit d'un ton taquin Joseph-Arsène.

Émile salua sa mère et serra la main de son beau-père. L'air printanier lui fit le plus grand bien. La chaleur du poêle ainsi que les paroles de son beau-père l'avaient engourdi. Il n'avait pas dételé son cheval, mais lui avait donné de l'avoine et mis sa couverture. Émile reprit la route au moment où le soleil se couchait. Il s'arrêterait au bar avant de monter à sa chambre. Le vin avait éveillé sa soif et il s'était limité à deux petits verres. Quand il entra dans le bar, il reconnut quelques personnes qui le respectaient malgré son jeune âge parce qu'il avait du vécu.

— Salut, Émile! Revenu du chantier?

— Salut, Romuald! Ben oui. J'ai pas peur d'le dire, mais j'trouve que ç'a passé vite en baptême!

— Toujours pareil, y change pas le p'tit maudit! lança un vieillard assis au bout du comptoir qui s'appelait Herménégilde Leblanc.

— Salut, Mégilde! Toujours en forme à ce que j'vois?

— Qu'est-ce que tu fais *icitte*, p'tit *crisse*? T'as pas l'âge!

— T'es en retard dans les nouvelles, Mégilde! J'ai seize ans qui tirent sur le vingt-et-un. J'ai appris ça sur le chantier!

— T'es-tu sûr que t'as déjà seize ans? J'me rappelle quand ton père t'amenait *icitte* pendant que ta mère faisait ses commissions au magasin général. Il prenait toujours la même affaire, une pinte de bière, pis y s'en retournait rejoindre la marmaille. C'était tout un homme ton père, mon jeune!

— *Asteure*, ma mère est avec le commis du magasin général!

— Tu parles-tu de Joseph-Arsène? J'peux t'dire que c'est un maudit bon gars lui aussi. Ta mère s'est ben remariée, mon p'tit gars, tu sauras ça!

— J'suis ben content d'savoir ça, mon Mégilde! Eille, *waiter*, m'amènerais-tu un fort pis une bière?

— Une pinte ? Pis quelle sorte de fort ?

— Ouais, une pinte de bière pis de l'alcool.

Émile attendit le serveur debout près du comptoir. Quand il arriva, Émile voulut offrir un verre d'alcool à Herménégilde et lui demanda s'il préférait du fort ou une bière.

— Une bière ne serait pas de refus parce que le fort, ça me *magane* pas mal *asteure* rendu à mon âge, répondit le vieil homme.

— Ça va être une bière d'abord !

Émile engloutit son verre d'alcool et en demanda un autre en prenant une lampée de bière pour éteindre le feu dans sa gorge. Il sentit l'effet de l'alcool l'envahir et le bien-être s'installer. Il se détendit pour la première fois de cette longue journée. Il avait quitté le chantier à l'aube et, après un bref arrêt chez Anselme pour récupérer son *bogey*, il était descendu directement chez sa mère. L'anxiété qui l'avait tenaillé depuis la veille s'évanouissait tranquillement. La conversation qu'il avait eue avec son beau-père l'avait réconcilié avec cet homme qu'il avait d'abord considéré comme un imposteur. Qu'Herménégilde Leblanc confirme que son beau-père était une bonne personne l'avait grandement rassuré. Il recommanda la même chose, puis il monta dans sa chambre un peu grisé et dormit comme un loir.

Le soleil se leva sur une journée splendide. Il y avait peut-être un peu de neige dans les sous-bois, mais les jonquilles se dressaient fièrement à travers la terre meuble des platebandes des maisons du village. Les bourgeons dans les arbres étaient gorgés de sève, et la rivière coulait avec vigueur et ne semblait pas vouloir quitter son lit. Émile fut réveillé par le chant des oiseaux, ce qui le mit d'excellente humeur. Il avait faim et descendit pour prendre un petit-déjeuner au restaurant du petit hôtel du village. L'hôtel n'avait que quatre chambres pour les rares visiteurs du patelin, mais le restaurant qui servait de casse-croûte était beaucoup plus achalandé. Émile prit un solide déjeuner et décida ensuite de se rendre à Bedford où se trouvait le représentant de la Montreal and Southern Counties Railway Company. Ce qui l'intéressait, c'est que cette entreprise s'apprêtait à terminer la ligne de chemin de fer qui relierait Chambly, Richelieu, Marieville, Saint-Césaire, Saint-Paul-d'Abbotsford jusqu'à Granby. Il y aurait des emplois pour des années et cette perspective l'enchantait. C'était du travail saisonnier qui serait complémentaire avec les chantiers dans le bois. C'était encore plus lucratif que d'être bûcheron et d'après ce qu'on lui en avait dit, les travailleurs étaient logés et nourris. Quand il se présenta chez le représentant de la compagnie, il dut passer une entrevue.

— Bonjour, j'viens pour la *job* pour le chemin de fer !

— Tu m'as l'air bien jeune ! Tu sais que c'est un travail exigeant ?

— J'viens de finir sur le chantier de Mac Fersen à Abercorn. Vous pouvez l'appeler, y a été ben satisfait de moé. Y veut que j'revienne l'hiver prochain. Y m'a même faite une lettre de référence, tenez!

L'employé prit la lettre qui était pliée en quatre et qui donnait déjà des signes d'usure. Il prit le temps de la lire et trouva le numéro de téléphone de Mac Fersen.

— T'as quel âge?

— J'vais avoir dix-sept ans, pis j'ai besoin de travailler. Depuis que mon père est mort, j'suis le seul soutien de la famille.

— Je vais appeler monsieur Mac Fersen, et s'il me confirme que t'es un bon travaillant, t'auras une *job*. On paye une piastre et trente-cinq par jour *room and board* inclus, six jours par semaine.

— Ça ferait ben mon affaire, mais en attendant que vous ayez des nouvelles de Mac Fersen, j'ai une autre place à aller voir, la Montreal Light, Heat and Power. Ç'a de l'air qu'y engagent eux autres aussi. J'peux repasser demain, si vous voulez.

— Attends un peu, le jeune! Je vais essayer de rejoindre ton ancien *boss* tout de suite.

Le représentant de la compagnie de chemin de fer avait de la difficulté à recruter des hommes à cause de la nature du travail et de l'isolement de la famille. Quand Émile avait mentionné la compagnie d'électricité qui payait encore mieux, à une piastre et demie par jour, il ne voulait pas le laisser s'échapper. Émile avait menti sur son âge, mais si peu... Il fut chanceux: Mac Fersen était à son bureau et il confirma qu'Émile était un travailleur acharné et qu'il voulait absolument le ravoir au début de l'hiver.

— OK! Je t'engage. Quand es-tu prêt à commencer?

— On est mardi! Le temps de dire au revoir à ma mère pis j'suis prêt.

— Signe ici! Tu commences jeudi matin.

Émile essaya de signer son nom du mieux qu'il put, mais le représentant se rendit bien compte qu'il avait de la difficulté.

— Sais-tu lire, Émile?

— Ça fait trop longtemps, j'me rappelle pus.

— Tu signes un papier et tu ne sais pas ce qui est écrit sur le papier?

— J'pensais qu't'étais honnête!

— T'as raison, mais tout le monde n'est pas comme moi. Veux-tu le montrer à ta mère si tu me promets de revenir jeudi matin?

— J'ai pas besoin! J'te fais confiance, mais j'ai l'tour de compter en maudit par exemple...

Le représentant lui tendit le document pour confirmer le contrat. Émile le remercia et lui serra la main. Il avait franchi un pas de plus vers la réalisation de son rêve. Il l'aurait sa ferme. Jamais il ne reculerait devant les difficultés et prouverait à sa mère qu'il était un homme de parole. Il reprit la direction de Stanbridge-East tout souriant, avec l'envie de fêter ça. Après mûre réflexion, il prendrait peut-être un verre ou deux avant de rencontrer sa mère et son beau-père, mais pas plus. Il aurait toute la veillée pour fêter et même le lendemain s'il le voulait. Il faudrait qu'il prévoie acheter un gros cruchon d'alcool à Anselme, le lendemain. Tout allait comme il le voulait.

Émile prit ses quelques verres d'alcool comme prévu avec une pinte de bière, puis se rendit à la ferme familiale. Tout le long du chemin, il eut soif et, en arrivant à la ferme, il se rendit à la margelle du puits située près des bâtiments et remonta la chaudière en tournant la manivelle. L'eau était rafraîchissante et il en prit quelques bonnes gorgées. Il n'aurait peut-être pas dû boire autant d'alcool, mais il était trop tard pour les remords. Il se sentait en forme pour préparer le discours qu'il ferait à sa mère et à son beau-père. Il vit son frère Aimé dans le pacage derrière la grange. Il avait libéré les deux génisses et le veau qui caracolaient, tout excités par la lumière et l'air printanier. Il avait remarqué que les animaux enfermés tout l'hiver dans une grange sombre avaient tous la même réaction euphorique à l'arrivée du printemps.

— Salut, Aimé! Comment ça va aujourd'hui? J'vois que t'as laissé sortir les animaux. C'est le *fun* de les voir gambader comme ça! Tu t'imagines-tu passer l'hiver dans une grange noire comme chez le diable, pis qu'au printemps on te lâche lousse ? Tu deviendrais fou comme de la *marde*, toé aussi, non ?

— T'as sûrement raison, Émile, mais dis-moé donc, ç'a tout de l'air que tu veux acheter la terre familiale ? Si tu fais ça, j'vais me retrouver en ville. Tu sais que j'suis pas fait pour la ville !

— Tu pourrais rester *icitte*, si tu veux ! Ça va prendre quelqu'un pour s'occuper d'la ferme pis des animaux. J'pourrais t'faire une offre, mais c'est pas fait encore. J'pense que le beau-père a son mot à dire là-dedans. La mère a l'air pas mal entichée ! Qu'est-ce que t'en penses ?

— Pour sûr ! Elle fait pas rien sans l'consulter, pis lui, c'est pas un gars d'la campagne *pantoute*. Y'a dans la tête d'acheter la maison du docteur Morissette qui est mort l'année passée, mais y'a pas une maudite cenne qui l'adore.

— J'le sais pas comment ça marche, mais il va ben falloir que j'l'apprenne. Toé, Aimé, tu y fais-tu confiance au beau-père ?

— À part qu'y connaît rien du travail qu'il y a à faire sur une terre pis qui s'est jamais sali les mains à ramasser du fumier, même pas celui de son cheval. T'as juste à regarder m'man pour comprendre qu'il y a au moins quelque chose qu'y fait comme y faut, ha ! Ha !

— C'est pas ça que j'te demande ! Tu y ferais-tu confiance avec ton argent ?

— J'ai pas une maudite cenne, ça fait que c'est pas dur d'y faire confiance…

— Si j'achète la terre, es-tu prêt à rester ici pour t'en occuper ? Tu pourrais garder l'usufruit. Moi, j'pourrai pas être là parce qu'y va falloir que j'travaille à des *jobs* payantes si j'veux la *clairer* un moment donné. Tu comprends ?

— Tu m'offres de rester sur la terre et de l'entretenir sans payer une cenne de loyer ?

— C'est en plein ça ! Ça s'peut que j'vienne faire mon tour de temps en temps, mais pas ben plus qu'une semaine à la fois. J'viens de signer avec la Montreal and Southern Counties Railway Company. Apparemment que j'aurais de l'ouvrage pour des années à venir, pis c'est logé, nourri.

— J'peux pas dire non à une offre comme celle-là, Émile ! Es-tu sûr que tu l'regretteras pas ?

— On va y aller une année à la fois, pis on verra comment tu t'arranges. Tu vas être tout seul en baptême ! Tu sais ça ?

— J'ai pas d'trouble avec ça ! Merci ben !

Émile vit son beau-père qui arrivait dans son beau *bogey* et son habit en tweed comme les Anglais du coin. Il devait admettre qu'il avait fière allure. Quand Joseph-Arsène aperçut ses deux beaux-fils, il eut un sourire charmant, et Émile comprit comment il avait pu séduire sa mère. Il approcha son *bogey* de l'écurie et entreprit de dételer le cheval. Émile alla l'aider et, aussitôt, il céda sa place à son beau-fils. Émile jugea que la faiblesse de son beau-père devenait une force pour lui.

— Bonjour, Émile. Comment a été ta journée ?

— Bonjour, l'beau-père ! J'viens juste d'arriver. J'ai même pas eu le temps d'saluer ma mère. J'suis descendu à Bedford aujourd'hui, pis j'ai signé avec la compagnie de chemin de fer. Si j'veux, j'en ai pour des années à travailler pour eux autres.

— C'est une bonne nouvelle ! Je suis bien content pour toi, mon Émile. Moi, j'ai pensé à ton offre, et elle est pas mal intéressante. De mon côté, je ne sais pas si je te l'ai mentionné, mais j'avais un œil sur la maison du vieux docteur Morissette. Il est mort l'année dernière et ses héritiers ne sont pas très intéressés par la maison. Je pourrais l'avoir pour une chanson.

— C'est combien une chanson ?

— Autour de quinze cents piastres ! On pourrait y loger toute la famille. On en a jasé ta mère et moi, hier soir. Elle aimerait bien ne plus être isolée à la campagne et se retrouver parmi le monde. Tu sais de quelle maison je parle ? C'est une grosse victorienne et il avait son officine dans un des salons.

— Pis, comment vous voyez ça ?

— J'ai parlé au gérant de banque ce matin, et si je donnais la ferme en garantie, on pourrait l'avoir avec une hypothèque raisonnable.

— Moé, j'peux vous garantir quatre cents piastres par année comme j'vous disais hier soir. C'est-tu encore correct avec vous?

— Ça pourrait s'arranger, mais rentrons donc dans la maison et on pourra avoir l'opinion de ta mère en même temps! Qu'est-ce que t'en penses?

— Je vous suis!

Ils entrèrent dans la maison et Joseph-Arsène embrassa sa femme devant Émile qui n'avait jamais été témoin de marques d'affection aussi évidentes. Joseph-Arsène offrit un verre de vin à Émile sous l'œil réprobateur de sa mère. Ce dernier n'en fit pas de cas et l'accepta. Ensuite, ils s'expliquèrent. L'offre d'Émile satisfaisait son beau-père et sa mère. Le jeune homme spécifia qu'Aimé serait intéressé à s'occuper de la ferme pour lui. Eugénie le trouvait bien jeune pour vivre seul sur la ferme, mais ce détail fut bien vite écarté tellement Joseph-Arsène était impatient de conclure cette transaction qui ferait de lui un villageois respecté. Finalement, Émile versa cent dollars d'acompte pour la ferme et les animaux, et ils s'entendirent pour trois mille dollars tel qu'Émile l'avait proposé dans sa première offre. Joseph-Arsène prépara le contrat sur le coin de la table contresigné par sa femme et Émile. Il fit un reçu pour l'acompte qu'il avait empoché. Émile espérait qu'il ne se ferait pas flouer dans cette transaction. Il comptait sur sa mère pour le protéger.

— Bon! Mes félicitations, mon cher Émile, car te voilà propriétaire d'une ferme et tu n'as que seize ans. Je n'ai pas souvenance de quelqu'un qui se soit retrouvé propriétaire à un si jeune âge.

— J'me serais contenté d'une poignée de main pour cette transaction comme vous dites, mais vous avez sûrement raison de faire des papiers ben clairs. Là-dessus, j'vais vous laisser souper. J'suis invité chez Anselme Grandbois avec qui j'ai travaillé sur le chantier.

— Moi qui pensais te garder à souper! lui lança sa mère, déçue. Quand est-ce que je vais te revoir?

— J'commence à travailler après-demain. J'ai ben peur que ce sera pas avant trois mois au début de l'été. Soyez pas inquiète, j'vais revenir à temps pour le prochain paiement. Bonsoir, m'man, pis à vous aussi, l'beau-père! Craignez pas, j'suis un homme de parole!

Émile sortit et salua son frère Aimé. Il discuta brièvement avec lui et lui confirma qu'il était désormais propriétaire de la ferme. Il comptait sur son frère pour voir à ses intérêts et tout noter concernant les actions de leur beau-père. Sans plus de détails, il monta dans son *bogey* et prit la direction du village. Il avait tellement soif qu'il fit galoper son cheval presque jusqu'à l'entrée du village. En arrivant à l'hôtel, il se rendit à l'écurie, détela son cheval, lui donna de l'eau, une portion d'avoine et du foin à volonté. Il rangea son *bogey*, puis se dirigea vers la porte arrière de l'hôtel qui donnait directement dans le bar. Il aurait voulu exploser de joie, mais il se contrôla, car ce n'était pas dans sa nature d'être démonstratif.

Une fois à l'intérieur du bar, il prit quelques instants pour s'habituer à la pénombre. Le propriétaire, qui était aussi le barman, le salua. Émile commanda une pinte de bière et un double d'alcool.

— T'as soif à soir, Émile?

— J'ai toujours soif, Jerry! J'vais t'payer ce que j'te dois parce que jeudi matin, j'pars à l'aube pour aller travailler sur la *track*.

— Tu vas voir qu'il y a encore pas mal de Chinois qui travaillent sur la *track*. Ils veulent tous s'en aller aux États. Y'en a tout le temps qui s'essayent de passer par le lac Champlain, mais y'en a plusieurs qui se font *pogner* et qui sont refoulés au Canada.

— J'savais pas ça! J'pense que j'en ai jamais vu un de ma vie!

— Y'a des gars que j'connais qui font pas mal d'argent avec le trafic des Chinois, juste en les aidant à passer de l'autre bord. J'en connais un qui est arrangé avec un garde-côte américain, pis quand c'est lui qui est de garde, y'en laisse passer moyennant une cote.

— T'es-tu sérieux? C'est de l'argent vite faite! Sais-tu combien les Chinois sont prêts à payer?

— Si j'me fie à ce que Tom m'a dit, ils sont prêts à cracher jusqu'à cent piastres pour traverser. J'sais pas ce qu'il y a de plus aux États qu'*icitte*, mais pour eux autres, ça vaut de l'or!

— J'aimerais l'connaître ton Tom, mais si c'est vrai qu'il y a des Chinois qui travaillent sur la *track*, c'est sûr que j'vais en connaître un paquet en travaillant là.

— C'est Tom Watson! J'pense que c'est son beau-frère qui est douanier, mais j'suis pas certain. Tom a un bateau à moteur qui est toute une amanchure. Les garde-côtes en ont un sur le lac qui est beaucoup plus gros que la Riggins de Tom, mais y peut en embarquer six ou sept dans des barils.

— Pourquoi les mettre dans des barils?

— Si jamais ils passent des Chinois, pis que c'est pas son beau-frère qui patrouille, il met de la roche dans le fond des barils, pis un Chinois par-dessus. Quand les douaniers arrivent, y basculent les barils par-dessus bord. Les Chinois tiennent le couvert par en dedans, pis y se retrouvent dans le fond du lac. Ils remontent quand les garde-côtes sont partis.

— Ouais! C'est pas des peureux ces Chinois-là!

— Y'en meurt régulièrement, Émile, mais y sont prêts à prendre le risque! Le lac est pas ben creux, vingt pieds dans le plus creux, j'dirais!

— Amène un autre double pis une bière, Jerry!

Il y avait une femme qui était assise à l'autre bout du bar et qui écoutait la conversation. Son verre était vide, et elle semblait en vouloir un autre. Elle demanda à Jerry s'il ne lui en offrirait pas un, par hasard.

— Écoute, Simone, ton ardoise commence à être pas mal pesante ! Comment tu vas faire pour me payer ?

— Donnes-y-en un, Jerry, c'est moi qui va y payer !

Émile était puceau et n'avait aucune expérience avec les femmes. Il en connaissait quelques-unes, mais avait trop travaillé pour s'y être vraiment intéressé. L'alcool aidant, il se mit à regarder Simone avec un peu plus d'intérêt, mais ne savait comment s'y prendre. Simone flaira le pigeon ou le client, et vint s'asseoir juste à côté d'Émile. Elle n'était pas bien vieille selon lui, peut-être le début de la vingtaine, mais paraissait plutôt délurée. Il la trouvait assez jolie, peut-être un peu trop potelée, mais avec une poitrine qu'elle mettait bien en évidence.

— Merci, beau blond ! Mon nom, c'est Simone…

— As-tu d'la misère avec tes couleurs parce que j'suis quasiment noir ?

— T'es assez comique ! T'as le tour avec les femmes !

— À part ma mère pis mes sœurs, j'peux pas dire que j'connais ben ça !

— Farceur va ! Arrête ton baratin, on voit ben que tu connais le tabac, dit-elle en le frôlant de son sein. T'as le teint ben foncé ! Travailles-tu dehors ?

— J'reviens d'un chantier, pis j'repars après-demain pour un autre ! Faut pas chômer, j'ai une terre à payer…

— T'as une terre ! Ça veut dire que t'es un monsieur ?

— J'sais pas si j'suis un monsieur, mais j'aime assez que tu m'prennes pour un monsieur. Un vrai monsieur, ça travaille pas comme moé. Mon beau-père, ça c'est un vrai monsieur, pas vrai, Jerry ?

— J'pense ben ! Mais j'le vois pas souvent ici. J'le vois juste au magasin général…

— Mon Dieu ! C'est vrai que t'es un monsieur… me paierais-tu un autre verre ?

— Simone ! Tu pourrais attendre qu'il t'en offre un, baptême. J'te l'ai déjà dit que j'voulais pas que tu sollicites mes clients !

— C'est correct, j'vais y en payer un autre, Jerry ! Veux-tu une pinte avec ça ?

— T'es donc ben fin, Émile ! J'pense que j't'en train de tomber en amour tellement t'es fin !

— Charrie pas, Simone, je t'le dirai pas deux fois ! Tu veux y arracher une piastre pis te faire héberger gratuitement, c'est ça ?

En réaction à l'attaque de Jerry, Simone se frotta les deux seins dans le dos d'Émile. Ce dernier commença à être sérieusement émoustillé. Il aimait sentir cette chair débordante se frotter contre lui. Il avait même envie de les prendre à pleines mains. Il n'avait jamais caressé un sein de sa vie, mais il ne pouvait quand même pas l'avouer.

— Laisse-la donc faire, Jerry ! Elle fait pas d'mal à personne à ce que j'sache ?

— Moé, j'ai pas d'trouble avec ça, mais ton portefeuille peut avoir mal demain !

— Pour une fois que j'fête, quand ben même que j'payerais la traite à une belle femme, laisse-moé donc faire !

— OK ! OK ! Mais viens pas t'plaindre demain par exemple !

— Laisse-le faire, y'est juste jaloux parce que lui, y couche avec sa mémé depuis trente ans. On pourrait aller s'asseoir à une table, si tu veux, Émile, et laisser ce vieux grincheux grincher tout seul ?

Émile commençait à ressentir les effets de la boisson. Plus il buvait et plus il la trouvait belle. Assez rapidement, elle l'embrassa et se trouva assise sur ses genoux. Elle lui glissa à l'oreille que pour une piastre, elle était prête à bien des folies. Pour l'amadouer encore plus, elle mentionna qu'avec une piastre elle était certaine de manger trois repas le lendemain.

— C'est-tu correct si on monte dans ma chambre, Jerry ? Je prendrais un p'tit dix onces avec ça.

— Émile, moé, j'ai rien vu pis j'veux pas en entendre parler non plus. Tiens, v'là ton dix onces !

Les deux tourtereaux montèrent dans la chambre et ce qui devait arriver arriva. Émile perdit son pucelage et découvrit les charmes de Vénus. Le lendemain matin, il avait la gueule de bois et Simone était partie. Ses poches de pantalon avaient été vidées. Heureusement qu'il avait caché vingt dollars dans ses bas et qu'elle n'avait ramassé que de la menue monnaie. Elle s'était payée un peu plus grassement, une piastre et demie au total. Il s'en était tiré à peu de frais, mais insulté malgré tout. Quand il fit un compte rendu de sa soirée à Anselme, ce dernier se mit à rire de bon cœur en l'écoutant.

— Tout un pigeon, mon Émile ! J'la connais pis j'peux te dire que t'es pas le premier à qui ça arrive. En souhaitant que t'aies pas pogné une chaude-pisse ?

— Y'avait Mc Sween qui arrêtait pas d'parler de sa chaude-pisse. C'est quoi une chaude-pisse ?

— J'peux pas croire que tu sais pas ce que c'est ? C'est une maladie vénérienne, baptême !

— Ça parle au bâtard! Tu penses que j'pourrais avoir pogné ça? Qu'est-ce que ça fait?

— Tu vas l'savoir quand tu vas avoir l'impression d'pisser des lames de rasoir. Ça, c'est vraiment la meilleure…

# Chapitre 15

Quand Émile se réveilla ce matin-là, pendant un instant, il se pensa en 1912. Comme la vie était facile dans ce temps-là, et il se demandait ce qui avait bien pu le détourner de la voie qu'il s'était tracée. Il s'habilla, urina comme pour s'assurer que son rêve n'était qu'un rêve d'un lointain passé. C'est quand il se vit dans le miroir en se passant la débarbouillette sur le visage qu'il vit un vieillard qui lui ressemblait. Il faisait rarement des rêves aussi réalistes. Son passé était aussi réel que si c'était la veille et non pas il y avait plus de cinquante ans passés. Peut-être avait-il la berlue ? Il aurait bien continué à remonter dans le temps, mais il devait aller travailler à la Miner. Déjà, il se sentait coupable parce que, dans son rêve, il avait un mal de tête et qu'il avait effectivement contracté une gonorrhée cette fameuse nuit-là. Heureusement qu'il y avait un médecin qui était payé par la compagnie de chemin de fer à cette époque.

— Dis-moi donc, Lauretta, y s'est-tu passé quelque chose de spécial, hier soir ?

— Non ! Tu es descendu dans la cave après le souper, et moi, j'ai continué à coudre. Quand je suis allée me coucher, t'étais encore dans la cave. Pourquoi tu me demandes ça ?

— J'me suis réveillé en pensant que j'avais seize ans, baptême !

— Pourquoi baptême, Émile ? C'était pas un beau rêve ?

— J'venais juste de revenir de mon premier chantier, pis j'venais d'acheter la terre à ma mère. Trois mille piastres, baptême ! C'était ben de l'argent dans ce temps-là…

— C'est encore pas mal d'argent, cinquante ans plus tard ! J'ai un restant de rôti de lard si tu veux pour ton *lunch* ? Il y a encore du café aussi. Moi, je vais aller coudre.

— T'es ben fine !

Lauretta trouvait qu'elle avait le pardon facile à son égard. Était-ce parce qu'il parlait de son passé lointain ou par ce qu'elle avait senti dans le timbre de sa voix ? Il avait encore le tour de l'attendrir malgré tout. Elle le regarda attentivement pour s'assurer qu'il allait bien. C'était son premier compliment en au moins vingt ans, et peut-être plus… elle n'aurait su le dire. Émile but le café si gentiment offert et se fit une rôtie avec quelques tranches de fromage. Puis, il se prépara un sandwich pour l'heure du dîner. Il n'était pas encore tout à fait revenu à la réalité, car il se croyait au printemps, mais quand il regarda dehors, il vit qu'il y avait toujours de la neige. Il était grand temps qu'il parte pour l'usine s'il ne voulait pas être en retard. Il enfila ses bottes, mit son manteau et sa casquette, sans oublier ses mitaines. Le froid était mordant, mais l'aida à se réveiller complètement.

Pendant qu'il cheminait vers la Miner, Émile reprit ses souvenirs, là où son rêve s'était terminé. Il se rappelait ses années à travailler pour la compagnie de chemin de fer. Il se souvenait des Chinois qui ne parlaient ni le français ni l'anglais et qui mangeaient différemment des autres travailleurs. Il se rappelait aussi Tom Watson et les nombreuses traversées du lac Champlain en cahotant dans ce rafiot qui faisait un vacarme d'enfer et qui risquait d'attirer l'attention des garde-côtes américains. Il avait gagné beaucoup d'argent avec ce trafic de Chinois à vingt dollars par personne. Il y avait énormément de Chinois à son travail. Il faisait plus en une nuit que dans un mois à trimer dur. Une fois par mois, il passait des Chinois de l'autre côté de la frontière. À maintes reprises, ils avaient dû en jeter par-dessus bord, mais les Chinois réussissaient toujours à remonter à la surface. L'eau du lac n'était pas tellement profonde, mais il se rappellerait toujours la fois où un jeune Chinois n'avait pas réussi à ouvrir le couvercle du tonneau. Il avait dû paniquer et serrer trop fort le couvercle qui était muni d'une ganse intérieure pour éviter l'infiltration d'eau. Il était mort asphyxié ou noyé, et personne ne s'en soucia à part Émile. Ce fut son dernier transport de Chinois. Il se recycla dans le trafic d'alcool en 1920. Un certain Georges Labelle le fournissait. Il remplissait de caisses d'alcool une voiture tirée par deux chevaux, payait Labelle et traversait la frontière par des chemins de traverse. Il aimait ce jeu du chat et de la souris.

— Eille, Émile! T'as pas l'air toute là. Tu ferais mieux de voir à tes doigts si tu veux pas qu'y passent dans le *crusher*.

— Ça fait assez longtemps que j'fais ça que j'pourrais le faire les yeux fermés, pis à part de ça, mêle-toi donc de tes affaires !

— Prends pas ça d'même, mais un accident est si vite arrivé ! Si tu veux prendre ta retraite, y'a des manières plus faciles que de devenir manchot...

Émile se mit à penser qu'il avait déjà soixante-sept ans. C'était vrai que, pour la plupart des gens, la retraite se prenait à soixante-cinq ans, mais lui n'était pas prêt. Qu'est-ce qu'il ferait de ses journées s'il n'était pas à l'ouvrage ? L'été, il pourrait s'occuper amplement avec son jardin, mais l'hiver il s'ennuierait éperdument. Et ses lapins lui prenaient tout juste quinze minutes. Qu'est-ce qu'il pourrait bien faire ? S'il n'avait pas perdu sa grange et sa maison dans l'incendie, il aurait eu de quoi s'occuper. Maudite malchance ! Il payait sûrement pour ses vieux péchés pour être encore pris dans une *shop* à faire une *job* abrutissante. Il n'était pas heureux et cherchait toujours le moment où tout avait dérapé pour lui. Il aurait bien pleuré, mais les hommes ça ne pleure pas. Quand il y pensait comme il faut, c'est quand il avait recommencé à boire chez son frère Aimé après le feu. Maudite boisson ! Mais c'était tout ce qui lui restait pour ne pas sombrer dans le désespoir. Il avait perdu Lauretta, sa femme, quand il était retombé dans l'alcool. Il aurait dû rebâtir sa grange et sa maison plutôt que de s'enfuir en ville comme un voleur.

À propos de voleur, pourquoi avait-il caché autant d'argent à sa femme ? Émile les aimait elle et ses enfants, mais c'était plus fort que lui. Quand il avait recommencé à boire, l'enfer s'était ouvert sous ses pieds. Tous les vices, qu'il contrôlait comme tout bon catholique, s'étalèrent au grand jour avec la première gorgée d'alcool. Il n'était pas fier de lui, mais son orgueil l'avait empêché de s'ouvrir à sa femme. Cela faisait vingt-sept ans qu'il n'avait pas caressé sa femme, elle qui était si généreuse de son corps quand ils étaient jeunes. Jamais elle ne s'était refusée à lui sauf quand il était retombé dans la maudite boisson…

Pendant qu'il rêvassait, il nourrissait la machine par automatisme quand, soudain, un de ses doigts se trouva pris dans le broyeur. D'instinct, il retira sa main, mais malheureusement, il y laissa un bout de doigt et l'ongle. Le sang giclait, mais il sortit son mouchoir de sa poche et enveloppa son doigt en faisant un garrot à la hauteur de la jointure, puis se fit un bandage tant bien que mal, dans l'espoir de poursuivre son travail sans arrêter la machine. Le contremaître passait justement par là au moment où Émile essayait de poursuivre son travail avec un bandage sanguinolent au bout du majeur de la main droite. Son chef arrêta le broyeur et paralysa par la même occasion une partie de la Mill Room.

— *Sacrament*, Émile ! Pensais-tu continuer à travailler avec une main qui pisse le sang ? Va-t'en à l'infirmerie tout de suite. Roger, viens prendre sa place, on peut pas arrêter la chaîne de montage ben longtemps !

— C'est juste un boutte de peau, c'est pas si pire que ça!

— Va-t'en à l'infirmerie que je t'ai dit, pis prends pas la peine de revenir *icitte* aujourd'hui! De toute façon, ça va prendre un rapport. Je vais aller te retrouver à l'infirmerie!

Émile maudissait sa malchance de s'être fait prendre si bêtement. La journée même où le nouveau, qui avait pris la place d'Aimé Carpentier, avait remarqué son air absent. Il devait penser qu'il avait pris un coup ou qu'il avait un solide mal de tête. C'était la première fois que cela lui arrivait en seize ans sur la même maudite machine. Il n'y avait pas de quoi en faire un plat. À l'infirmerie, on lui fit une piqûre contre le tétanos et un pansement adéquat. Le contremaître arriva pendant qu'on lui administrait sa piqûre et put voir l'ampleur du dégât quand l'infirmier défit le mouchoir qui protégeait le doigt amoché.

— Émile, tu prends le reste de la semaine *off* et tu reviens avec un papier du docteur Pearl comme quoi tu peux reprendre le travail. Veux-tu ben m'dire où t'avais la tête, *sacrament*? T'es pourtant pas un nouveau? As-tu trop pris un coup hier? Tu sais qu'ta réputation est faite à la *shop*, mais je t'endurais parce que t'avais jamais eu d'accident!

— C'est la première fois en dix-sept ans!

— Justement! Pourquoi aujourd'hui? Sais-tu que j'peux te mettre à la retraite?

— Ça serait ben le boutte! J'vais faire un grief!

— T'as-tu pris un coup hier soir ou à matin ?

— J'ai pas peur d'le dire, j'prends jamais un coup le matin, mais c'est sûr que j'ai bu une couple de grosses hier soir. J'suis pas chaud *pantoute*, baptême !

— De toute façon, Émile, tu peux pas travailler arrangé d'même. Prends la semaine pour te reposer et reviens-moi en forme lundi prochain, OK ?

— J'ai pas ben l'choix, ça m'a tout l'air !

Émile ramassa son manteau, enfila ses bottes, sa casquette et ses mitaines, et sortit le moral complètement à terre. Il prit le petit pont de fer qui traversait la rivière et la contempla quelques instants. Cela valait-il encore la peine de vivre une vie aussi triste ? Puis, il se ressaisit et se dirigea vers l'épicerie Paré. Il était à peine dix heures du matin. Il entra et l'épicier fut surpris.

— Coudonc, Émile ! Tu travailles pas aujourd'hui ?

Ce dernier retira sa mitaine et montra le pansement à l'épicier.

— J'me suis faite ramasser un doigt à matin dans le *crusher*, baptême !

— Pas chanceux !

— Le *boss* veut pas m'revoir avant lundi prochain ! J'me demande ben ce que j'vais faire de mon temps !

— Tu penses jamais à la retraite, Émile?

— J'ai d'la misère à imaginer des vacances d'une semaine! J'ai juste fait ça travailler depuis que j't'au monde! J'sais pas rien faire d'autre...

— C'est vrai que travailler on connaît ça! J'ai pas d'relève, c'est ben maudit. Mes gars ont choisi de faire des études au lieu de devenir boucher ou épicier. Ça fait que le commerce va finir avec moi. Qu'est-ce que tu veux, Émile? C'est par là que la vie s'en va...

— Avant qu'ça m'arrive, donne-moi donc une grosse Molson!

— Tiens, mon homme! Celle-là j'te l'offre. Ça devient de plus en plus tranquille avec ce qu'ils appellent les supermarchés qui poussent partout. Y reste juste ceux qui font marquer. Une chance qu'on les a, sinon j'serais aussi ben mettre la clé dans la porte.

— Ça va-tu si mal que ça?

— Ah mon Dieu, si tu savais! On vit des années de vaches maigres, pis j'pense pas que ça va changer pour le mieux. Je pense que c'est la fin d'une époque, Émile. Mon homme qui livrait les commandes en bicycle, y dit que ça vaut plus la peine! Y fait plus assez d'argent... Je fais quoi avec mes commandes *asteure*?

— C'est rien pour me r'monter le moral, moi qui a peur de perdre ma *job* ! Sais-tu qu'à matin en me réveillant, j'pensais que j'étais en 1912 ? C'est quand j'me suis vu la face dans le miroir que j'ai faite le saut, baptême ! J'ai pas peur d'le dire, mais j'pense qu'y en reste moins qu'y en restait… Amène-moi une autre grosse bière en attendant !

Ce qui tracassait Émile il n'y avait pas si longtemps lui paraissait si insignifiant dorénavant. Sa querelle avec sa fille Monique, les rumeurs qui circulaient à propos de Jean-Pierre, tout cela ne semblait plus avoir d'importance. Il regrettait amèrement les différends qu'il avait avec sa femme et qui lui avaient fait perdre presque vingt ans de sa vie. Il aurait aimé s'excuser, mais il ne trouvait pas les mots. Il savait qu'il ne pourrait jamais arrêter de boire et que tous ses problèmes découlaient de ce vice qui le dévorait. Il était trop vieux pour arrêter, mais peut-être qu'il pourrait modérer un peu. Il salua Ernest Paré, l'avertit qu'il ne serait probablement pas là de la semaine, et lui demanda de prévenir ses clients que s'ils voulaient du tabac ou de la chique, ils pourraient le trouver chez lui.

Émile reprit la route en direction de chez lui, mais il était comme son vieux cheval qui le ramenait à la maison, même quand il était ivre mort, dans la mesure où il arrivait à se hisser dans le *bogey*. Les ornières étaient si profondes que ses pas le guidèrent chez Gérard Tessier, l'épicier de la rue Robinson.

— Salut, Gérard! J'peux-tu m'installer dans le *back-store* pis prendre une grosse bière?

— Coudonc, tu travailles pas aujourd'hui?

Pour toute réponse, Émile enleva sa mitaine et montra son pansement. Gérard voulut savoir et Émile recommença son histoire qu'il avait racontée à Ernest Paré.

— Il y a déjà le père Blanchard qui en sirote une en arrière! Tu n'as qu'à y aller.

À midi, il sortit son sandwich et le morceau de fromage qu'il avait tranché dans la meule. Il but sa bière sans discuter avec le père Blanchard. Il était trop accaparé par ses pensées. Il prit une autre bière et son doigt cessa de l'élancer. Cela faisait trente-sept ans qu'il était marié avec la belle Lauretta. Il n'avait jamais compris par quel coup de chance il avait pu la séduire. Il avait vingt-neuf ans quand il l'avait rencontrée au Brome Fair, qui était l'événement automnal le plus couru de la région. Il avait participé à un rodéo amateur et il avait gagné. Lauretta avait remarqué sa vigueur. Puis, plus tard, il y avait eu une danse, et Émile l'avait invitée à danser. Elle avait accepté et, par la suite, il lui avait fait une cour assidue.

Émile, à cette époque, avait repris possession de sa terre parce que son frère Aimé s'était marié et avait fondé une famille de son côté. La dot de la femme d'Aimé avait suffi pour que celui-ci puisse faire l'acquisition de sa propre terre. Émile avait trouvé difficile de revenir à une vie plus sédentaire, lui qui avait voyagé pendant plus d'une décennie. Le plus difficile avait été de vivre simplement avec les revenus de la ferme. Il avait beau travailler comme une bête, il trouvait que le coût de la vie était bien élevé. Il fallait qu'il achète sa nourriture et la transforme en un repas digne de ce nom. Ce n'était plus la cuisinière du chantier de bûcherons ou le chef de la compagnie de chemin de fer ou d'électricité où il n'avait qu'à se servir pour se nourrir. Émile avait de la difficulté à comprendre comment son frère Aimé avait réussi à survivre aussi longtemps en solitaire. Même s'il avait travaillé dur toute sa vie, il n'avait jamais eu à se préoccuper des détails domestiques de la vie courante. Tous ses frères et sœurs étaient mariés et avaient des enfants. Lui, l'aîné, se retrouvait le dernier à vivre seul sans famille.

Pour compenser, en 1925, Émile s'était acheté une camionnette et avait délaissé le cheval et le *bogey* même s'il les avait gardés. L'automobile était de plus en plus populaire, mais seuls des gens fortunés pouvaient s'en offrir : les médecins, les notaires, les avocats, les marchands et autres personnages du même acabit. Il avait voulu prouver aux villageois et aux fermiers des environs que lui aussi était capable de se payer un *pick-up* flambant neuf. Il avait gardé un gros cheval de trait pour les travaux de la ferme, mais c'était au volant de son *pick-up* qu'il se rendait à la messe ou pour ses sorties occasionnelles, pour rencontrer sa famille ou ses connaissances. Il n'y avait pas encore d'électricité à la ferme dans ces années-là. Il trouvait cela plutôt ironique d'avoir travaillé tant d'années à électrifier les villages des alentours et d'être privé d'électricité chez lui. Puis, il avait rencontré sa dulcinée. Ce fut le coup de foudre et il n'avait eu aucune trêve jusqu'à ce qu'elle acquiesce à sa cour effrénée en l'acceptant comme mari, au grand désarroi des parents de Lauretta. Après la noce et la période où tous les amoureux vivent l'extase, cette dernière avait commencé à constater que son prince charmant avait des faiblesses importantes.

Une journée, durant leur première année de mariage, Émile était parti tôt le matin pour acheter des fournitures pour la ferme et il n'était rentré qu'à la nuit tombée. Lauretta s'était inquiétée toute la journée, craignant le pire, mais comme elle n'avait aucun moyen de communication, elle ne savait que penser, sauf s'inquiéter. Quand finalement il était revenu à la maison, il était ivre. En tentant de descendre de sa camionnette, il s'allongea de tout son long, et se blessa par la même occasion.

— Émile, ma foi du Saint-Ciel, qu'est-ce qui t'arrive?

Il essaya de parler, mais il était tellement ivre qu'il balbutia des mots inintelligibles. Dès lors, Lauretta comprit la situation et sentit la colère l'envahir.

— Tu es soûl? Je n'accepterai pas ce genre de comportement, je t'avertis! Regarde-toi avec le visage tout en sang… Je me suis inquiétée toute la journée en pensant au pire, et te voilà enfin complètement ivre, incapable de te tenir debout.

— Attends, Lauretta! C'est pas c'que tu penses...

— Je n'ai pas besoin de penser! Il me suffit de constater dans quel état tu es pour comprendre que tu es le pire des ivrognes que la terre a portés!

— J'ai rencontré Anselme au village et...

— Je ne veux rien entendre de tes explications! Quand tu vas rentrer dans la maison, si jamais tu réussis à te relever, tu trouveras bien une place où dormir? N'importe où sauf dans mon lit.

Lauretta était rentrée dans la maison en claquant la porte, laissant Émile couché dans le gravier. Le lendemain matin, celui-ci s'était excusé des excès de la veille et avait promis de ne plus recommencer. Il avait fallu une semaine avant que Lauretta lui ouvre de nouveau les bras.

Quand Émile repensait à tout cela dans l'arrière-boutique de Gérard Tessier en 1963, il trouvait que Lauretta avait été bien patiente avec lui. Encore ce soir-là, quand il rentrerait chez lui, ivre comme tous les soirs depuis 1946. Plus jamais elle ne lui ouvrirait ses bras, pensait-il. Il prit une dernière grosse bière, puis se décida à retourner chez lui. Il ne comprenait pas pourquoi son passé lui revenait d'une façon si violente à cette époque précise de sa vie. Sentait-il sa fin proche? Pourtant non! Il était vieux à n'en pas douter, mais il était encore alerte, malgré tout l'alcool qu'il avait ingurgité dans sa vie. Il pouvait encore fournir une bonne journée de travail à l'usine ou dans son jardin.

Quand il rentra finalement chez lui, la marche pour se rendre à la maison lui avait fait du bien et lui avait aussi permis de dégriser suffisamment pour affronter les questions de sa femme et d'y répondre sans trop de signes évidents d'ivresse.

— Mon Dieu, veux-tu bien me dire ce que tu fais ici si tôt? As-tu perdu ton emploi?

— J'ai eu un accident à la *shop*. Ça fait dix-sept ans que j'opère la même machine, ben là, elle m'a eu! Pas grand-chose, mais elle a réussi à m'arracher un ongle pis un boutte de doigt!

— Montre-moi ça, Émile! lui dit sa femme. Ils t'ont fait un pansement à l'infirmerie?

— Juste une p'tite catin, mais ils m'ont donné ma semaine quand même.

— T'as été chanceux de t'en tirer avec juste le bout du doigt *magané*. Qu'est-ce que tu vas faire de ta semaine?

— M'a m'occuper, inquiète-toé pas de moé!

— Tu devrais penser à prendre ta retraite, mon pauvre vieux. T'es bien assez âgé pour ça!

— J'ai juste soixante-sept ans, Lauretta.

Avait-il perçu de l'empathie dans la voix de sa femme quand elle l'avait appelé «mon pauvre vieux»? Avait-il la berlue ou prenait-il ses souhaits pour la réalité? Il décida de lui donner le bénéfice du doute et il la surveillerait de plus près. Émile pensa appeler son fils Daniel, mais il ne savait pas se servir d'un téléphone. Il opta pour la patience et se rappela ce que Daniel lui avait proposé pour réduire sa consommation. C'était pour lui une belle occasion de le mettre en pratique puisque, durant cet arrêt de travail, il se tiendrait loin des épiceries qu'il fréquentait assidûment.

S'il réussissait à réduire sa consommation, il serait plus à même de juger de l'effet positif que cela créerait chez son épouse. Émile prit la décision de tenter l'expérience. Il en prit une autre toute aussi importante. C'était à propos de quelque chose qui lui empoisonnait la vie. Il décida d'arrêter de rechercher la coupable parmi ses brus qui avait relancé la rumeur à propos de Jean-Pierre et de Monique. À quoi cela lui servirait-il de connaître la coupable sinon à repartir en guerre? Il ne voulait plus faire l'objet du mépris de tous. Il allait s'amender. Il le fallait. Il s'installa devant la télévision et perdit tout intérêt sur la programmation en moins de dix minutes. Il était retourné dans son passé.

# Chapitre 16

Gérard avait passé quelques jours à la maison familiale de ses parents avant de reprendre la route au volant de son camion. Il était content d'avoir fait la paix avec son père. Il se sentait le cœur plus léger. Il avait pensé rendre visite à son ancienne maîtresse, la veuve Marquis, mais ce n'était pas une bonne idée de rallumer une flamme qui était éteinte depuis longtemps, juste pour soulager sa libido. Il avait résisté à la tentation et s'était senti meilleur. Il pouvait repartir le cœur en paix. Il avait pris le temps de montrer son camion à Jean-Pierre et à Maxime qui, lui aussi, était curieux de voir l'intérieur de ce mastodonte. C'était surtout la couchette à l'arrière de la cabine qui avait fasciné les deux garçons.

— Tu couches là-dedans quand tu voyages, mon oncle ?

— Ben oui, Maxime ! C'est comme faire du camping. Quand j'suis fatigué d'conduire, je cherche une halte routière ou un *truck-stop*, pis j'me couche.

— Un *truck-stop* ? C'est quoi ça ?

— C'est un endroit qui se spécialise à servir les camionneurs. Tu peux faire le plein de gaz, tu peux manger, prendre ta douche, aller aux toilettes, tout ce que t'as besoin que tu trouves pas dans ton camion.

— Wow ! Ça doit être le *fun* !

— Moi, j'aime ben ça, mais c'est pas tout le monde qui est fait pour ça. Peut-être que Jean-Pierre va venir une bonne fois, quand l'école va être finie.

— Moi aussi j'aimerais ça!

— T'es pas mal jeune, Maxime! Peut-être plus tard, quand tu vas avoir vieilli un peu.

— Ah! répliqua Maxime, déçu.

— Bon ben, salut, les gars! Il faut que j'aille charger mon camion, pis je file. Je devrais être de retour pour Pâques.

— Salut!

Jean-Pierre et Maxime le regardèrent partir pour ce qu'ils considéraient comme une aventure.

— T'es chanceux toi, Jean-Pierre, de pouvoir y aller avec lui!

— C'est pas certain parce que je vais travailler à l'imprimerie cet été. J'ai hâte que l'école soit finie pour commencer à travailler, et surtout pour faire de l'argent.

— Est-ce que tu arrêtes l'école pour tout le temps?

— Non! Encore une autre année et j'aurai fini mon secondaire. J'aimerais bien ça après apprendre un métier en imprimerie. Salut, Max, il faut que j'y aille!

Maxime était impatient de grandir pour faire sa vie comme les autres sans dépendre de son père. Il avait hâte que l'été arrive pour être en vacances pendant dix semaines. Il rêvait de voyage lui aussi, mais il savait qu'il aurait à attendre plusieurs années avant de réaliser ses rêves. Il se promettait de voyager sur tous les continents.

Alors qu'Émile avait lâché prise pour découvrir laquelle de ses brus était à l'origine du commérage concernant Jean-Pierre et Monique, Nicole, de son côté, s'acharnait. Elle se culpabilisait toujours d'être la source de ce commérage. Elle savait que la seule suspecte possible était Thérèse, la femme de Patrick. Devait-elle la confronter ou la dénoncer? Ignorant que son père n'était plus préoccupé par ce commérage, elle avait pensé dans un premier temps lui vendre la mèche en acceptant une part de responsabilité. Finalement, elle opta pour la confrontation avec sa belle-sœur Thérèse. L'occasion se présenta lors d'une visite chez sa mère, alors que Patrick et Thérèse faisaient une visite de courtoisie par un beau dimanche après-midi.

Pendant que Serge, Patrick et son père faisaient le tour du terrain pour observer la nature qui éclatait dans toute sa vigueur, Nicole prit Thérèse à part, tandis que Lauretta préparait le souper.

— Écoute, Thérèse, peut-être que tu l'ignores, mais mon père cherche la responsable du commérage concernant Jean-Pierre et Monique. La seule personne à qui j'en ai parlé, c'est toi. Colette Marchesseault m'a confirmé qu'un soir où tu étais au Ritz plutôt pompette, tu en aurais parlé ouvertement.

— Je n'ai jamais dit un mot sur ce secret qui n'est même plus un secret pour personne. Cherche une autre coupable que moi !

— Je te connais assez pour savoir qu'à la minute où tu prends un verre, la gueule ne t'arrête plus. Veux-tu que j'appelle Colette devant toi ?

— Disons que c'est moi ! Qu'est-ce que ça change ?

— Ce que ça change, c'est que mon père cherche la coupable ! Je n'ai pas le goût d'être la seule à monter sur le bûcher. Je vais lui avouer que c'est moi qui te l'ai dit, mais que je ne suis pas responsable de la suite. Où t'avais la tête pour parler de cette affaire-là ? Tu le sais pourtant que Monique est très sensible à ce sujet.

Thérèse devint rouge comme une pivoine et éclata en sanglots en craignant la réaction d'Émile.

— Tu ne peux pas lui dire que c'est moi ! Il va m'en vouloir pour le restant de ses jours. Pat va vouloir me tuer ! Il va me faire la gueule pendant des mois, et peut-être pour tout le temps ? Vous autres, les Robichaud, vous n'avez pas le pardon facile…

— T'aurais dû y penser avant, Thérèse ! Monique est sur le point de devenir folle et mon père aussi. Peut-être que tu ne le sais pas, mais Jean-Pierre aussi est au courant que Monique est sa vraie mère. As-tu pensé aux dégâts ?

— Tu ne peux pas me faire ça, Nicole. Je suis ta meilleure amie !

— Tu étais ma meilleure amie, mais plus maintenant ! La meilleure chose à faire pour le moment, c'est de lui avouer ensemble notre part de responsabilité. Et ne t'imagine pas que ça me réjouit plus que toi !

— Comment peux-tu être sûre que c'est de ma faute ?

— Je le sais, c'est tout ! Je te laisse le choix. Je te dénonce et tu vis avec le résultat, ou on fait exactement comme je t'ai proposé. Décide-toi !

Les yeux boursouflés et rougis par les pleurs, Thérèse ne se sentait pas la force d'affronter seule ce vieil homme qu'elle avait toujours craint. Elle avait été témoin à quelques reprises de ses colères. Elle avait vu ses yeux se noircir et être envahis par la fureur et la folie sans aucune retenue. Thérèse reniflait ses larmes et avait un hoquet incontrôlable. Elle choisit finalement de l'affronter en présence de Nicole.

— Quand et où veux-tu qu'on lui parle, Nicole ? Je préférerais qu'il n'y ait pas de témoin ni qu'on puisse nous entendre. C'est déjà assez humiliant comme ça !

— Quand Serge et Pat vont rentrer dans la maison, on ira le rejoindre dehors avant qu'il rentre à son tour, si c'est possible. Sinon, je provoquerai la rencontre. Dans ce cas, quand tu me verras l'approcher, suis-moi...

Lauretta revint dans la cuisine et remarqua que Thérèse avait pleuré. Elle regarda Nicole pour essayer de comprendre ce qui se passait, mais sa fille avait le visage fermé et sévère de quelqu'un qui se prépare à affronter le pire.

— Qu'est-ce qui se passe ici, ma foi du ciel? Vous avez des têtes d'enterrement, mentionna Lauretta.

— On avait des choses à régler Thérèse et moi, et c'est fait ou presque!

— Dis-moi, Thérèse, tu sembles avoir pleuré. Est-ce que je me trompe?

— Ne vous en faites pas, belle-maman! Je suis très sensible en ce moment. Je dois approcher de ma période du mois.

— Bon! Si je comprends bien, vous ne voulez pas m'en parler? Je l'accepte, mais changez d'air avant que les hommes rentrent. Ils vont penser que vous vous êtes chicanées. Il fait si beau et j'attends la visite de Monique et de Paul. Peut-être même que Daniel et Yvan viendront faire un tour eux autres aussi...

— Est-ce qu'ils viennent souper eux autres aussi? demanda Nicole.

— Non, non, juste une petite visite en passant. Yvan m'a dit qu'il avait quelque chose à nous annoncer. Je suis bien curieuse de savoir ce qu'il peut bien avoir à nous dire.

Avec tout ce monde qui risquait d'arriver à tout moment, Nicole devenait de plus en plus nerveuse, et elle regardait comment réagissait sa belle-sœur Thérèse. Peut-être devraient-elles sortir elles aussi pour ne pas rater le bon moment de parler à Émile, s'il se présentait.

— Je pense qu'on devrait aller profiter du beau temps. Qu'en penses-tu, Thérèse ?

— C'est une bonne idée ! répliqua cette dernière qui aurait acquiescé à tout ce que Nicole suggérait.

Elles sortirent de la maison sous l'œil surpris de Lauretta qui ne comprenait pas exactement ce qui se tramait entre sa fille et sa bru. Elles avaient l'attitude de deux conspiratrices, mais ce qui se préparait n'était pas à l'avantage de Thérèse, c'était certain. Nicole approcha son mari et lui parla à l'écart des autres. Elle voulait que Serge entraîne Pat avec lui sous un prétexte quelconque, mais plausible, sans attirer l'attention d'Émile. Nicole s'approcha de son père et montra beaucoup d'intérêt à ses propos concernant le jardinage. Serge fit un signe à Pat de le suivre et lui proposa d'aller prendre une bière à l'intérieur. Pendant que les deux hommes prenaient la direction de la maison, Nicole dirigea la conversation vers les aveux qu'elle s'était préparée à faire.

— P'pa! Thérèse et moi, nous avons quelque chose que nous voulons t'avouer, et ce n'est pas facile à dire. Essaie de ne pas te choquer avant qu'on ait terminé notre explication.

— Tu prends ben des précautions! Ça doit être quelque chose de grave? Vas-y, j't'écoute!

— C'est concernant la rumeur qui circule sur Jean-Pierre et Monique. C'est moi qui l'ai lancée et Thérèse l'a continuée. Moi, je l'ai dit à Thérèse en me disant qu'elle faisait presque partie de la famille à ce moment-là. Puis, Thérèse…

— Laisse-moi parler, Nicole! Monsieur Robichaud, moi je l'ai dit à quelqu'un d'autre et l'histoire a fait boule de neige. La seule excuse que j'ai, c'est que j'avais pris un coup, puis quand j'ai pris un coup, je ne peux pas me retenir. J'espère que vous serez capable de me pardonner ma faiblesse. C'est plus fort que moi!

Émile les regarda à tour de rôle, examinant leurs expressions faciales. Nicole semblait libérée d'un énorme poids, alors que sa bru se préparait à être foudroyée. Il était bouche bée. Il avait pensé découvrir l'auteure du commérage par lui-même et non pas se retrouver face à des aveux. Il voyait du repentir dans les yeux de Thérèse, mais il retenait surtout que c'était sous l'influence de l'alcool qu'elle avait fait ce geste. Le silence qui s'était installé entre eux parut durer une éternité. Finalement, Émile retrouva l'usage de la parole et regarda sa fille et sa bru.

— Venant de toé, Nicole, ça m'surprend pas beaucoup! T'as toujours eu d'la misère à tenir ta langue. C'est plus fort que toé, t'es pas capable de garder un secret, pis y'est pas mal tard pour changer ça... Quant à toé, Thérèse, c'est la faute de la maudite boisson, pis j'en connais tout un chapitre à ce sujet-là. Y faut que t'apprennes à te la fermer quand ça concerne la famille ou que t'arrêtes de boire. Oublie jamais que tu fais partie de ma famille...

Émile était ému. Il sortit son mouchoir de sa poche et se moucha avec force, puis s'essuya les yeux d'un geste rapide pour éviter que cela se voie.

— J'avais décidé d'oublier ça de toute façon! Y'a rien d'bon à rebrasser ça. Le passé, c'est le passé, mais j'espère que ça va s'arrêter là... Le pire, c'est pour Monique qui a ben d'la misère avec ça. J'le sais pas comment vous allez pouvoir régler ça avec elle!

— Merci, p'pa! Si tu savais comment je me sens mieux.

— Moi aussi, monsieur Robichaud, je vous remercie de me pardonner mon erreur de jugement. C'est vrai que la famille, c'est la famille, et qu'il y a bien d'autres sujets pour commérer. Le mieux, c'est de ne pas commérer *pantoute*.

Thérèse ne put résister à la tentation d'étreindre son beau-père. Elle s'attendait à une toute autre réaction de sa part. Était-il en train de changer? La réaction de Nicole fut plus réservée. Elle ne se rappelait pas la dernière fois où elle avait donné ou reçu un câlin de son père. Elle ne s'attendait vraiment pas à ce que ce soit si facile de régler une situation qui lui empoisonnait la vie depuis si longtemps. Elle ressentit quand même une vague d'admiration pour son père. Malgré tous ses défauts, celui-ci avait encore du cœur.

Ils se dirigèrent ensemble vers la maison, mais Émile bifurqua vers le garage en prétextant qu'il avait des choses à ranger. Il entra dans le garage, souleva un tas de planches et sortit une grosse bière qu'il avala en trois ou quatre gorgées. C'était trop d'émotions pour lui. Il s'essuya la bouche avec le revers de sa manche et se mit à penser à sa réaction face à sa fille et à sa bru. Il y avait à peine un mois, il les aurait injuriées comme du poisson pourri. Que se passait-il dans sa tête pour qu'il devienne si conciliant tout à coup? Il ne se reconnaissait plus. Il devenait même gentil avec sa femme et oubliait la rancœur accumulée au fil des ans. Cela faisait très longtemps qu'il n'avait pas pensé au sexe, mais de plus en plus souvent, il rêvait d'une vie plus harmonieuse avec sa femme et ses enfants. Pourrait-il jamais atteindre cet objectif? Le mot *objectif* ne faisait même pas partie de son vocabulaire. Il agissait par instinct depuis son plus jeune âge, pour le meilleur et pour le pire. Mais le pire, il le vivait depuis si longtemps qu'il n'avait qu'un vague souvenir du meilleur. Émile s'était souvenu du meilleur depuis qu'il faisait ses rêves étranges qui faisaient remonter à la surface des pans de son passé.

Quand Émile sortit de son garage, Monique, Paul et leurs trois enfants sortaient de leur maison et, de toute évidence, se dirigeaient vers chez lui. Émile aurait toujours un malaise avec son gendre à cause de la compétition qu'ils avaient eue au fil des ans. Pardonner était possible, mais se faire pardonner lui paraissait impossible.

— Salut, l'beau-père! lança Paul. Vous avez eu un accident que Monique m'a dit? Un bout de doigt?

— Non, non! Juste l'ongle pis la peau du boutte du doigt. J'ai gardé toutes mes os! C'est long à guérir en baptême.

— Oui, j'imagine que c'est long à guérir le bout du doigt. C'est surtout malcommode! Ça vous fait des petites vacances?

— C'est ben la dernière affaire que j'ai besoin, des vacances! Avec une catin au boutte du doigt, j'peux même pas travailler dans mon jardin, baptême.

— C'est la semaine sainte qui commence demain, et je pense que le beau temps est vraiment installé. Qu'est-ce que vous en pensez?

— Tantôt, j'ai fait l'tour de mon jardin pis j'regardais les jeunes pousses des framboisiers avec Serge pis Pat. C'est parti du bon bord! Les vivaces des platebandes vont ben eux autres aussi. La semaine prochaine, les jonquilles devraient être sorties juste à temps pour Pâques. La nature s'réveille.

— Je vais aller saluer votre femme! Rentrez-vous?

— Non, j'ai encore quelques affaires à faire, mais allez-y, j'vais aller vous rejoindre!

Émile retourna dans le garage et sortit une autre grosse bière pour se donner le courage d'affronter sa famille. Paul s'était rendu compte qu'Émile était mal à l'aise avec lui et qu'il aurait préféré ne pas lui parler, sinon à demi-mot. Il était certain que son beau-père avait surtout soif. Il rentra à son tour dans la maison à la suite de sa femme et de ses enfants.

— Bonjour, belle-maman! Vous avez l'air en pleine forme!

— Moi, ça va, mais un peu épuisée par toutes les commandes en préparation de la fête de Pâques. Rien de surprenant. C'est toujours comme ça à chaque année.

— Maman! Paul a pensé qu'on pourrait recevoir toute la famille Robichaud pour Pâques. Il vient tout juste de finir le sous-sol. On pourrait facilement servir tout le monde en même temps, mais je pense que c'est surtout parce qu'il est très fier de ses travaux. Il veut tous nous impressionner.

— Arrête, Monique! Il y a un peu de vrai dans ce que tu dis, mais c'est surtout pour donner du répit à ma belle-mère adorée…

— Fais pas ton téteux, Paul!

— Disons que c'est moitié-moitié! Je veux étrenner mon sous-sol, mais je trouve que ta mère travaille beaucoup et qu'elle mérite un peu de répit. Es-tu plus contente, Monique?

— Je ne sais pas si elle est plus contente, mais moi je le suis! La famille grossit, et je ne sais pas où je les mettrais tous.

# Chapitre 17

Durant la semaine, Gérard était revenu d'un voyage en Californie. Comme il l'avait prévu, il était rentré au pays avant le congé de Pâques. Chaque fois qu'il revenait dans la région, il couchait sur la rue Sainte-Rose, dans la maison de ses parents, n'ayant pas encore eu le temps de se trouver un pied-à-terre puisqu'il était toujours sur la route. Lui aussi fut surpris de retrouver son père en plein milieu de l'après-midi à la maison.

— Salut, p'pa! Veux-tu ben m'dire ce que tu fais *icitte* aujourd'hui? As-tu perdu ta *job*?

— Un accident bête à la *shop* qui remonte à la semaine passée, mais y veulent pas que j'y retourne avant la semaine prochaine. Y sont pas mal téteux! T'imagines-tu si j'avais eu besoin de travailler avec une grosse famille à nourrir? J'sais ben pas c'que j'aurais fait! Y sont pas mal sans-cœur, les *boss*!

— T'es ben chanceux qu'y t'gardent encore passé soixante-cinq ans!

— J'ai pas peur d'le dire, j'suis meilleur que les jeunes qu'y engagent à pleine porte… Pis toé, mon Gérard! Comment tu trouves ta *job*? Être sur la route tout le temps de même, ça doit venir long?

— Moi, j'aime ben ça parce que ça m'laisse le temps d'penser à ce que j'veux faire de ma vie dans l'avenir, pis la paye est bonne. Il faut que j'donne une pension à ma femme pour les enfants. C'est ça qui m'fait le plus de peine.

— Toi, tu penses à l'avenir tandis que moé, je pense au passé. J'le sais pas c'que j'ai, mais j'rêve tout le temps au passé. Des fois, j'ai dix, douze ans. D'autres fois, j'ai trente-cinq ans, pis y'a juste toé pis Monique, pis ta mère qui est enceinte de Marcel.

— Ouais, tu vas chercher ça loin, p'pa!

— J'le sais pas c'que ça veut dire, mais ça arrête pas! Avant que je l'oublie, j'vas t'le dire. Tu m'as ben aidé sur la terre à Stanbridge-East. T'étais comme moé au même âge. T'étais fort, pis tu valais ben des hommes que j'aurais pas pu payer, *anyway*. Pis, quand on est arrivé à Granby aussi, t'étais ben d'service!

Gérard était très touché par les paroles de son père. Jamais celui-ci ne l'avait remercié ou félicité pour le travail qu'il avait accompli pour la famille alors qu'il n'était qu'un enfant. Quand la maison avait brûlé, Gérard n'avait que quinze ans, et il avait commencé à travailler dès qu'il avait pu marcher. Il n'avait jamais oublié la fois où son père l'avait traité de sans-dessein. Il avait été tellement humilié qu'il lui en avait voulu depuis ce temps-là.

— Merci ben, p'pa, ça m'fait du bien ce que tu m'dis! J'ai toujours pensé que tu m'aimais pas…

— Écoute, mon gars, je l'ai jamais eu facile avec mon père qui est mort quand j'avais dix ans et que j'me suis retrouvé chef de famille à c't'âge-là. J'te préparais à prendre ma place si jamais j'étais mort jeune comme mon père. T'aurais été bon sur une terre, j'ai pas peur d'le dire. C'est pour ça que j'ai été dur avec toé…

Les yeux de Gérard s'embuèrent de larmes. Il était incapable de parler tellement sa gorge était nouée par l'émotion. Il ressentit soudainement un grand élan d'amour pour celui qu'il avait détesté pendant si longtemps. Ces paroles effaçaient trente ans de haine. Tout ce qu'il put faire fut de tendre la main à son père. Il tendit sa main droite tout naturellement, et Émile tendit la sienne qui était blessée. Devant le ridicule de la situation, tous deux éclatèrent d'un rire sincère et se limitèrent à se serrer l'épaule de reconnaissance.

— Merci, p'pa, ben plus que tu penses!

Gérard avait enfin pu se libérer de cette tension intérieure qui l'habitait depuis si longtemps. Les larmes qui coulèrent de ses yeux auraient pu être causées simplement par le rire, mais c'étaient vraiment des larmes de gratitude qui coulaient.

Lauretta entra dans la cuisine sur ces entrefaites et vit deux hommes adultes qui pleuraient tout en riant. L'un était son mari, l'autre son fils aîné. Elle retourna dans l'atelier pour ne rien interrompre, bouleversée elle aussi par une situation qu'elle n'aurait jamais pensé voir de son vivant. Elle s'empressa de raconter à voix basse tout ce qu'elle venait de voir à Monique qui travaillait comme d'habitude dans l'atelier.

— J'aurai tout vu, Monique! Ton père et Gérard qui pleurent dans la cuisine. Je ne sais pas s'ils pleurent ou s'ils rient à en pleurer! D'une façon ou d'une autre, c'est émouvant!

— Il faut que je voie ça, maman!

— Non, Monique! Laisse-les vivre leur réconciliation, si c'est bien ce que j'ai vu. Je n'aurais jamais cru voir ça de mon vivant, mais il faut dire que ton père est bizarre depuis quelque temps…

— Bizarre comment?

— Des gentillesses, des petits riens! Il m'a même dit que j'étais fine, tu t'imagines? Ton père! Peut-être ressent-il quelque chose après tout?

— Je le croirai quand je le verrai! Il doit penser que sa vie s'achève, qu'il est sur le point de mourir…

— Tu es un peu dure avec lui. Il a déjà été très gentil à sa manière quand on était jeunes mariés. Il n'a jamais fait dans la dentelle, mais je ressentais son amour quand même.

— Bon! Continuons à travailler, maman, parce que je vais finir par penser que tu l'aimes encore.

— Je n'ai jamais dit que je ne l'aimais plus! C'est juste qu'à un certain moment, il n'était plus celui que j'avais marié. Tu sais, Monique, que pour les gens de notre génération, quand on se mariait, c'était pour la vie. Et puis, on a vieilli tous les deux.

— Maman, arrête, tu m'enrages ! Est-ce la religion qui te rend masochiste à ce point-là ou c'est dans ta nature profonde d'être comme ça ?

— Tu n'as vraiment pas le sens du pardon, ma pauvre enfant. Il y a toujours du bon dans un être humain, même chez les criminels. Souvent, les plus méchants sont des grands malheureux.

— Je suis d'accord, mais ce n'est pas une raison pour leur ouvrir les bras. Tendre l'autre joue, je laisse ça à Jésus-Christ.

— On ne peut jamais se parler sans retomber dans la religion, Monique ! C'est toi qui as un problème, ma grande…

Lauretta avait raison de dire que Monique n'avait pas le pardon facile, surtout quand il était question de son père. Elle était la personne qui, à cause de lui, avait le plus souffert dans sa vie. Elle aurait bien voulu être magnanime, mais elle en était incapable. Il aurait fallu que son père lui demande pardon pour tout ce qu'il lui avait fait subir, mais c'était impensable. Elle aurait bien aimé être témoin de la réconciliation entre Gérard et son père. Surtout que sa mère avait tendance à tout exagérer quand cela l'arrangeait.

Jean-Pierre arriva de l'école en fin d'après-midi pour s'apercevoir que Gérard s'était installé dans son espace. Il fit une moue, mais elle ne dura qu'un instant. Il avait dorénavant tout le haut de la maison pour lui seul, alors qu'à une certaine époque, ils étaient sept garçons à habiter dans le même espace. Il savait que Gérard n'était que de passage, un peu comme quand Marcel descendait de Montréal avec la belle Violette pour la fin de semaine.

— Salut, Gérard!

— Salut, Jean-Pierre! J'espère que je ne te dérange pas trop? Je voyage tellement que je n'ai pas le temps de me trouver un petit coin pour moi.

— Non, non, c'est correct! C'est moi qui me suis un peu trop étendu en prenant toute la place.

— Je repars après-demain pour la Floride. Je te dis que j'en vois du pays de ce temps-là. Je reviens de la Californie en seulement dix jours, aller-retour.

— J'aimerais vraiment ça voir la Californie. Est-ce que c'est aussi beau qu'ils le disent?

— La Californie, c'est très beau, mais il y a tellement des beaux endroits dans d'autres États comme le Colorado, le Wyoming, Washington avec ses forêts de séquoias. Les arbres sont si gros qu'ils ont percé des routes au travers de certains arbres, t'imagines? D'autres fois, c'est des champs de blé à perte de vue. Tu vois une ville à l'horizon, tu penses qu'elle est proche, mais elle peut être à cinquante milles tellement le terrain est plat.

— Je les ai vus en photos dans mes cours de géographie. C'est tellement beau les champs de blé, le Grand Canyon, le parc Yellowstone. J'aimerais ça les voir pour vrai !

— Tu n'as qu'à embarquer avec moi quand tu auras terminé l'école. Ça va me faire plaisir !

— T'es-tu sérieux, Gérard ? Ouais, j'oublie que j'ai trouvé du travail à l'imprimerie Leader Mail. Peut-être que je pourrais m'organiser pour y aller pareil ? Je vais en parler au contremaître !

— Fais donc ça ! Je prendrais un voyage qui coïnciderait avec ton horaire.

— Merci, Gérard, t'es vraiment gentil de me l'offrir !

Jean-Pierre était enchanté en pensant au voyage qu'il pourrait faire avec son frère. Il sortit son Atlas et se mit à le feuilleter en recherchant les routes qui mènent dans l'ouest du continent. Voir le Pacifique, incroyable !

Yvan eut finalement des nouvelles concernant sa mutation. Son directeur de district lui proposait la succursale de Sutton après avoir joué un jeu de chaise musicale avec plusieurs directeurs. Pour Yvan, c'était l'équivalent d'une rétrogradation, mais c'était mieux que l'Abitibi ou le Témiscamingue pour Juliette, et il accepta le poste. Quand il annonça la nouvelle à son épouse en fin de journée, elle sembla plus ou moins satisfaite. Il fut déçu par son attitude.

— Qu'est-ce que tu veux de plus, Juliette ?

— Je te ferais remarquer que ce n'est pas moi qui me suis mis les pieds dans les plats. C'est toi, mon chéri !

— C'est le mieux que j'ai pu faire, il va falloir vivre avec !

— Connais-tu le lac Selby ?

— Non, pas du tout !

— Quand j'étais jeune, mon frère m'y amenait et on allait se baigner en famille. C'est un très beau lac près de la frontière américaine. On devrait aller faire un tour en fin de semaine pour voir si ça s'est développé depuis le temps.

— Pourquoi pas ! Est-ce que c'est près de Sutton ?

— Juste à côté de Dunham ! Il y a un petit rang qui relie les deux villages. C'est un très beau coin, tu verras. Je suis sûre que tu seras charmé. Je m'excuse si je t'ai donné l'impression de ne pas être satisfaite. J'aurais préféré demeurer à Granby, mais Sutton, c'est bien aussi.

— L'important, c'est que tu sois satisfaite ! On pourrait être à Sutton pendant plusieurs années, tu sais.

— On devrait aller faire un tour dans la région en fin de semaine, qu'en penses-tu, mon chéri ? Je pourrais te montrer ce que je connais du coin. Il y a une toute nouvelle station de ski depuis quelques années.

— C'est une bonne idée! En même temps, on pourrait regarder le logement qui vient d'office avec la succursale. Je vérifie tout ça avec le directeur de district.

Juliette l'embrassa pour sceller l'entente. Yvan se sentit soulagé qu'elle ait accepté si facilement de se retrouver à Sutton. Soulagé, mais pas complètement rassuré, car ce n'était pas dans sa nature d'accepter des choses sans broncher. Il se dit qu'il aurait bien le temps de découvrir s'il y avait un piège qui se cachait sous cet accord. Puis, la fin de semaine arriva et, le samedi matin, ils prirent la route en direction de Sutton. Yvan fut charmé par le paysage montagneux, mais le village n'offrait pas un grand potentiel à première vue.

— Un joli petit village, ne trouves-tu pas?

— Je m'attendais à un plus gros village que ça, mais s'il y a une banque, c'est qu'il y a plus de potentiel qu'on pense, répondit Yvan qui cherchait à cacher sa déception.

— Regarde, un cabinet de médecin! Tiens, je vois une épicerie et un magasin général. Il y a sûrement une église catholique et une école française, même si ça ressemble plus à un village de loyalistes, indiqua Juliette.

— Oui, il y a tout ça! J'ai parlé au directeur de la banque hier, et il m'a dit qu'il y avait pas mal de services pour un si petit bourg. Il m'a même dit que la municipalité venait d'obtenir son statut de ville.

— Ça me paraît à peine plus gros qu'Adamsville! lança Juliette.

— Il doit y avoir une grande campagne autour de Sutton. Arrêtons plutôt à la succursale, on pourra rencontrer le directeur qui habite le haut. Il nous renseignera beaucoup plus précisément que toutes les hypothèses que nous pourrons faire.

Le directeur, Robert Maclean, les reçut et les informa précisément sur ce qui les attendait en venant s'installer à Sutton. Robert était parfaitement bilingue, mais son épouse Doreen ne parlait que l'anglais. L'homme les rassura sur la bonne entente qui régnait entre les communautés francophone et anglophone. Juliette n'était pas bilingue et s'inquiétait un peu. Yvan lui confia que si Doreen pouvait se débrouiller en étant unilingue, elle pourrait s'en tirer aussi bien. Cet argument sut la rassurer. La visite fut brève et Juliette suggéra qu'ils se rendent au centre de ski, même s'il était fermé depuis peu pour la saison estivale. Yvan se plia de bonne grâce à sa demande. Il était curieux de voir de quoi pouvait avoir l'air une telle installation. Il n'avait jamais skié de sa vie, mais il savait qu'il y avait une station à Orford et d'autres dans les Laurentides.

La station n'avait rien d'extraordinaire. De grandes parties de la montagne avaient été rasées pour faire place aux skieurs. C'était même désolant, toute cette étendue désertée et sans neige pour cacher les blessures infligées à la nature.

Voyant la moue d'Yvan, Juliette proposa qu'ils se rendent au lac Selby en empruntant le chemin de terre qui reliait Sutton et Dunham. Pourquoi pas, pensa-t-il? Elle semblait heureuse et c'était tout ce qu'il souhaitait.

— Prends le chemin Jordan et nous arriverons directement sur la route qui mène au lac Selby, mentionna Juliette.

— Tu as une sacrée mémoire ou tu as appelé ton frère pour te rappeler quel chemin prendre?

— C'est exactement ce que j'ai fait! J'ai appelé mon frère.

— Allons-y et j'ai très hâte de voir où on va se retrouver. Il fait beau, le soleil est bon et la vie est belle…

Dix minutes plus tard, ils étaient rendus à destination. Ils croisèrent un hôtel qui s'appelait le Pinacle Lodge. En poursuivant leur chemin, de l'autre côté de la route, ils virent le lac, et juste au bout du lac se trouvait le restaurant Larose.

— Tourne à droite; on va croiser la plage Rodd et ils ont une cantine. J'ai faim!

— Moi aussi, j'ai faim! indiqua Yvan.

Yvan commanda quatre hot-dogs, une grosse frite et deux colas. Il était un peu tôt dans la saison pour qu'il y ait des baigneurs, mais déjà les propriétaires de chalets s'activaient à nettoyer leur terrain et à sortir les équipements saisonniers. Ils s'installèrent sur une table de pique-nique et profitèrent de la brise printanière.

— C'est une belle place, trouves-tu, Yvan?

— On termine notre *lunch* et j'aimerais constater la qualité de l'eau avant de me prononcer, mais c'est vrai que c'est un joli lac!

Yvan termina de manger ses hot-dogs et se dirigea vers la plage qui se trouvait à deux pas. L'eau était claire et le fond du lac était sablonneux. Son attention fut attirée par ce qui semblait être une autre plage publique. Selon son estimation, le lac était plus long que large. Il remarqua des zones sauvages partout où son regard se portait. Il avait toujours été attiré par l'idée d'avoir une propriété sur le bord d'un lac. Plusieurs notables de Granby possédaient des chalets sur le bord du lac Brome ou du lac Memphrémagog. Il se rappelait sa jeunesse de cireur de chaussures et des conversations de ses clients qui passaient leurs fins de semaine dans leur résidence secondaire. Il les avait enviés, mais sans jamais penser que cela lui serait accessible un jour. Il était curieux de connaître la valeur de ces terrains ou même des chalets.

— Allons faire le tour du lac, Juliette! Je suis très curieux de voir les terrains qui sont disponibles. Ça pourrait être un bon investissement parce que, dans quelques années, j'ai l'impression qu'il n'y aura plus rien de disponible sinon à des prix exorbitants.

— Tu es sérieux, mon chéri?

— Comme investissement seulement! Je pourrais faire un coup d'argent avec du terrain sur le bord de l'eau. Monsieur

Messier m'a toujours dit que l'immobilier ou les terrains étaient des valeurs sûres.

— Moi qui croyais que tu serais intéressé par un chalet !

— Je ne dis pas non, mais commençons par nous renseigner sur le prix des terrains et ensuite, peut-être, je dis bien peut-être, je me renseignerai sur combien pourrait coûter la construction d'un chalet.

— J'aimerais tellement ça qu'on ait un chalet où je pourrais passer l'été en attendant que le bébé naisse.

— Que me dis-tu là ? Tu es enceinte ?

— Non, mais j'y pense ! Aimerais-tu ça avoir un fils ?

— Tu me comblerais de joie, Juliette !

— Si tu achètes un terrain et que tu bâtis un chalet, je mettrai beaucoup d'efforts pour te donner le fils que tu désires.

Yvan était fou de joie à l'idée d'avoir un fils, mais il était perplexe devant l'attitude de Juliette qui semblait croire qu'elle pouvait lui donner un fils comme on passait une commande au magasin. Il eut envie de lui en parler, mais jugea que ce n'était pas le bon moment pour en discuter. Les femmes pouvaient-elles contrôler la naissance des enfants ? Il se rendait bien compte qu'il était ignare dans le domaine de la procréation. Il se renseignerait avant d'en discuter pour ne pas paraître trop idiot. Il détestait prendre conscience qu'il y avait beaucoup de domaines qui lui étaient étrangers.

Yvan découvrit un terrain à vendre qui l'intéressait beaucoup. Ce terrain appartenait à un Américain qui l'avait acheté au moment où il avait décidé de se bâtir une magnifique résidence secondaire. Le terrain était surélevé d'une douzaine de pieds au-dessus du niveau de l'eau. Il prit en note le numéro de téléphone sur la pancarte et se promit d'appeler le vendeur dès que possible.

— Celui-ci m'intéresse particulièrement. Tu as vu le panorama et la propriété voisine ? Ça n'a vraiment pas l'air d'un chalet. Si son prix est raisonnable, on ne pourra pas bâtir un petit chalet à côté de cette magnifique propriété. Je ne sais pas si je pourrai me permettre un bâtiment de cette ampleur, mais ce terrain me fait rêver.

— C'est vrai qu'il est beau, et le monsieur qui a cette maison juste à côté est sûrement riche.

— On va faire le tour pour voir s'il n'y aurait pas d'autres terrains aussi intéressants.

Yvan s'aperçut rapidement qu'il n'y avait pas de route qui faisait le tour du lac et qu'il n'y en aurait probablement pas une avant longtemps. Le bout du chemin semblait se terminer dans un marécage. Il revint sur ses pas et chercha la route qui menait sur l'autre rive. Il ne trouva rien qui l'intéressait parce que les terrains disponibles n'étaient pas directement sur la rive, mais de l'autre côté de la route.

— Si on redescendait tranquillement en direction de Granby tout en jetant un coup d'œil au village de Dunham ?

C'est une région qui m'intéresse beaucoup et pas trop loin de la famille.

— C'est comme tu veux! Je t'avoue que je suis un peu fatiguée.

— Rentrons à la maison! répondit Yvan.

Ce dernier était plutôt satisfait de la succursale de Sutton. Ce serait une nouvelle expérience que de gérer une banque frontalière. Et le village avec ses airs bucoliques était attrayant. Il faudrait que Juliette apprenne l'anglais. Il y avait sûrement des professeurs qualifiés à Sutton. La journée se termina par un souper au restaurant l'Élite. Le lendemain, c'était le dimanche de Pâques et la famille Robichaud avait prévu se réunir. Tous les enfants d'Émile et de Lauretta étaient censés être présents, sauf peut-être Jacques qui n'en faisait toujours qu'à sa tête. Même Marcel était descendu et, exceptionnelle- ment, sa femme et lui avaient couché chez Paul et Monique. Paul avait transformé son sous-sol fini en salle de réception avec un bar bien garni et il avait proposé que la fête s'y déroule. Il y aurait plus d'espace, et Lauretta n'aurait pas à se tracasser avec la cuisine. La suggestion fut accueillie avec plaisir. Les enfants pourraient jouer dehors pendant que les adultes prendraient un verre assis dans des chaises de jardin sur la pelouse arrière. Il faisait beau et Marcel s'affairait avec Paul à sortir les chaises du cabanon. Monique et Violette préparaient le repas pour recevoir le clan. Ils arrivèrent les uns après les autres. Il ne manquerait personne puisque Monique avait réussi à joindre Jacques *in extremis*. Il avait promis d'être là sans faute. Gérard était en ville. Il était déjà là.

— Salut, Paul! J'ai apporté une p'tite caisse de bières. Qu'est-ce que tu dirais si on l'ouvrait pendant qu'elle est encore froide?

— Salut, Daniel, bien sûr! Une bonne bière fraîche, ce n'est jamais de refus! répondit Paul.

— Pis toi, mon Marcel, tu cracheras pas dessus?

— Tiens. Salut, Daniel! Tu m'connais assez que jamais j'ferais des choses pareilles. Merci ben, mon frère.

— Pis toi, Yvan, tu prendrais-tu ça une p'tite bière?

— Bien sûr, mais on devrait peut-être aider Paul et Marcel à finir d'installer les chaises et les tables.

— Je reconnais bien mon frère qui veut que tout soit bien organisé avant de passer à l'action. T'as ben raison, Yvan! Si on n'est pas organisé, on se fait organiser…

— Est-ce que je reconnais des propos de syndicaliste en sous-entendus, Daniel?

— Pas une miette, Yvan! J'fais juste reconnaître ton talent d'organisateur, de rassembleur.

— C'est drôle, mais je vois plus Paul dans ce rôle-là! remarqua Patrick.

— Tu dis ça à cause du *party* de Pâques? Mais si tu savais comment je me fais organiser par Monique, tu ne le croirais pas, Pat, rétorqua Paul.

— Si je suis ton raisonnement, ce sont les femmes qui organisent, pis nous autres, on se fait organiser?

— Ça ressemble à ça! indiqua Paul.

— En plus, il faut qu'on fasse les *jobs* de bras? demanda Daniel, mi-figue, mi-raisin.

— Là, t'es vraiment dans le mille! répliqua Paul. Il faut rajouter qu'on n'a pas à se farcir la cuisine et la vaisselle! Qu'en pensez-vous?

— Moi, je ne suis pas certain qu'on va se sauver de la vaisselle! Regarde bien ma femme quand ça va être le temps de passer à l'action! Je pense que je vais payer les jeunes pour qu'ils la fassent à ma place. Martine pis Maxime ne cracheront pas sur une piastre pour me débarrasser de la corvée, lança Serge.

Tous les hommes éclatèrent de rire à l'unisson jusqu'à l'arrivée d'Émile qui se montra timidement. Tout le monde sentait qu'il était mal à l'aise, mais Paul fit l'effort de détendre l'atmosphère en souhaitant la bienvenue à son beau-père et en lui offrant une bière.

— Merci ben, Paul, mais Lauretta m'a fait promettre que j'serais raisonnable. Penses-tu que si j'en prends une pis qu'elle l'sait pas, ça va être correct?

— Moi, je ne vous dénoncerai pas, le beau-père! Tenez, c'est votre sorte, en plus!

Ce simple geste eut un effet euphorique chez ses fils et son gendre Serge. Émile fut très heureux d'être aussi bien accueilli par Paul avec qui il avait une longue histoire de confrontations, de compétitions et de querelles légendaires que tout le clan Robichaud avait subies. Paul aussi avait perçu des changements chez le patriarche, ce qui le rendait plus avenant. Émile aurait toujours ses coups de sang et commettrait encore les pires bêtises qui horripileraient sa famille, mais il essayait maladroitement de reprendre sa place dans le clan qui, sans lui, n'existerait même pas.

Paul, en tant qu'hôte, s'assurait que personne ne manque de rien. Ses beaux-frères buvaient de la bière sans retenue et l'atmosphère était à la fête. Il faisait le tour des invités et avait un mot avec chacun.

— Dis-moi, Yvan, Monique m'a dit que tu allais changer de succursale. Est-ce que c'est voulu?

— C'est une longue histoire, mais j'ai accepté un poste à Sutton. C'est une plus petite succursale, mais c'est une succursale frontalière où l'on transige beaucoup de devises américaines. Ce sera une nouvelle expérience pour moi et en même temps, c'est un poste plus relaxant. J'ai un logement fourni en haut de la banque qui est assez bien.

— Donc, tu es satisfait de la tournure des événements? Et ta femme, dans tout ça? Elle est satisfaite elle aussi?

— Je dirais que oui, mais avec les femmes…

— Elle n'est pas totalement satisfaite?

— Elle aimerait bien qu'on ait un chalet au lac Selby. Moi, je ne sais pas. Il faudrait que je prenne le temps de faire une évaluation des pour et des contre. Je vais en parler avec monsieur Messier qui pourra sûrement m'éclairer sur le sujet.

— Je suis bien content pour toi, Yvan! Bonne chance dans tes projets, et si jamais tu le bâtis ton chalet, tu peux te fier sur moi pour te donner un coup de main. Depuis que j'ai bâti ma maison, j'ai pris pas mal d'expérience dans la construction.

— Merci, Paul! C'est très gentil de ta part. Je te tiendrai au courant si je vais de l'avant avec ce projet.

Patrick, qui était assis tout près, avait tout entendu de la conversation. Il interpella son frère aîné.

— Écoute, Yvan, si tu vas de l'avant avec ton projet de chalet, je pourrais moi aussi te donner un coup de main les fins de semaine et mes deux semaines de vacances.

— Sais-tu, Pat, ça commence à m'intéresser de plus en plus. Combien tu me chargerais pour travailler sur le chalet?

— Voyons donc, Yvan! Y'est pas question d'argent. C'est la même chose pour Paul, j'en suis certain! Pas vrai, Paul?

— Bien sûr! Je ne veux pas être payé moi non plus. Dans ma famille, on s'est toujours entraidé, je ne vois pas pourquoi on ne ferait pas pareil dans le clan des Robichaud. Être ensemble, c'est déjà bien payé et de voir les femmes s'affairer à préparer les repas. On a bâti un hangar pour la machinerie chez mon frère Alexandre. On a eu un *fun* noir en plus de la satisfaction de voir le produit fini. C'est de l'entraide à l'état pur, ça!

— Moi aussi, Yvan, tu peux compter sur moi. Ça va m'changer de la *shop*, mentionna Daniel.

— Moi aussi, tu peux compter sur moi, relança Serge. Je ne suis pas manchot moi non plus avec un marteau. En plus, ça nous ferait du bien d'avoir un projet rassembleur comme le disait Paul.

— Moi aussi, j'suis encore capable! J'ai quand même bâti ma maison et j'suis pas si vieux que ça… Qu'est-ce que vous en pensez? dit Émile qui ne voulait pas être exclu du groupe.

— Bon! Si tu as bien compris, Yvan, tout le monde est prêt à t'aider! Levez la main ceux qui sont prêts à donner un coup de main à Yvan s'il va de l'avant avec son projet de chalet?

Toutes les mains se levèrent, même Jacques qui faisait d'habitude bande à part. Ce projet lui rappelait son expérience à Percé et il avait adoré ça. Gérard ignorait s'il serait disponible à cause de son emploi du temps impossible à gérer, mais il ne disait pas non.

— Tu vois, Yvan! Tu as tout le monde que tu as besoin pour le bâtir ton chalet. Même Jean-Pierre a levé sa main. Maxime pourra transporter les clous ou la bière. Et tu as un maître de chantier compétent avec Pat, pas vrai Pat?

Ce dernier se gonfla d'orgueil quand Paul le proposa comme maître de chantier. Il se sentait prêt à relever le défi. Il aurait enfin l'occasion de montrer à toute sa famille de quoi il était capable.

— C'est sûr, Yvan, tu peux te fier sur moi! Merci ben, Paul, de penser que j'suis capable de gérer le projet. Tu as raison, j'suis capable!

Yvan était tout ému par cet élan de solidarité de toute sa famille. Lui qui pensait que la majorité de ses frères ne l'aimaient pas. Il prit conscience qu'il était complètement dans l'erreur. Même Jacques s'était porté volontaire! Il ne comprenait plus rien. Il devait une fière chandelle à son beau-frère.

— Là, c'est bien beau tout ça! Les hommes ont tous dit oui, mais on n'a jamais consulté les femmes sur le sujet. Il faudrait leur poser la question quand elles vont nous inviter à rentrer pour le souper. Qu'est-ce que vous en pensez, les gars?

— Elles vont dire oui, telle que je la connais, ma Lauretta! répliqua Émile.

Tout le monde était abasourdi. Émile avait tranché en reconnaissant la puissance du pouvoir de persuasion de sa femme. Il reprenait du galon ce patriarche qui se croyait détesté de tous.

— Vous avez raison, le beau-père! Votre femme saura les rallier et je suis sûr qu'elle aura Monique pour la seconder. Mais là, on a pris pour acquis qu'Yvan le bâtirait son chalet. C'est quand même lui qui a le dernier mot, pas vrai, Yvan? Là, je me permets de parler au nom du groupe, mais si jamais tu vas de l'avant avec ton projet, tu peux te fier sur ta famille. C'est-tu bien ça, les gars?

— Oui! répondirent tous les hommes à l'unisson.

— Vous me prenez de court, les gars! Je n'aurais jamais pensé ça possible si je ne l'avais pas entendu de mes propres oreilles. Là, Paul! Tu me pousses dans les câbles et je n'aurai pas d'autre choix que de le bâtir ce chalet-là. Il va falloir que je me grouille si on veut tous en profiter cet été. Je pense que ça va faire du bien à toute la famille de travailler sur un projet commun. Merci à vous tous, mais je peux vous dire que ça va se faire, déclara Yvan.

— Daniel! Va donc chercher de la bière dans le sous-sol, je pense que tout le monde a soif. Pas vrai, les gars?

Ils avaient réussi à se parler et à se retrouver complices et partenaires d'un projet commun. Yvan serait le propriétaire officiel du chalet, mais tous seraient très heureux d'avoir participé à la construction d'un rêve. Marcel pensait que son tour viendrait quand il aurait ramassé les fonds nécessaires à réaliser son propre rêve. Serge, qui avait vu son projet de maison s'éloigner après la naissance puis le décès de son fils, et surtout à cause des frais médicaux, reprenait espoir. Ils l'auraient leur maison. Tous étaient animés par la foi que tout était désormais possible s'ils s'unissaient pour former un noyau solide.

Monique sortit pour avertir les hommes et les enfants de rentrer parce que le souper était prêt. Comme une bande de joyeux lurons, ils descendirent au sous-sol et virent le souper disposé sur la très longue table recouverte de plusieurs nappes blanches. Les nappes donnaient beaucoup de cachet à l'ensemble. Des chandeliers couronnaient le tout. Si on avait soulevé les nappes, on aurait découvert des feuilles de contre-plaqué installées bout à bout et soutenues par des tréteaux. C'étaient des détails si peu importants pour les hommes que même s'il n'y avait pas eu de nappes, ni de chandeliers, la fête aurait eu un aussi grand succès.

La touche féminine était évidente. L'éclairage était feutré et les mets fumants. Deux énormes jambons étaient en partie tranchés et embaumaient la pièce. Il y avait de la purée de pommes de terre, des pois et des carottes persillées au beurre. Une variété de produits maison comme du ketchup aux fruits, des betteraves et des concombres marinés étaient disposés sur la table. Et, bien sûr, des petits pains, de la salade, mais aussi une grande variété de desserts. Les hommes étaient éblouis par ce festin que les femmes s'étaient appliquées à préparer. À voir les mines réjouies des convives, tout le monde savait que la fête était un succès inégalé dans les annales familiales de Lauretta et d'Émile.